JAN 0 8 2010

W9-DDX-112

LOS HOMBRES DE LA GUADAÑA

colección andanzas

Libros de John Connolly
en Tusquets Editores

JOHN CONNOLLY
LOS HOMBRES DE LA GUADAÑA

Traducción de Carlos Milla Soler

Título original: *The Reapers*

1.ª edición: mayo de 2009

© de la traducción: Carlos Milla Soler, 2009
Diseño de la colección: Guillemot-Navares
Reservados todos los derechos de esta edición para
Tusquets Editores, S.A. - Cesare Cantù, 8 - 08023 Barcelona
www.tusquetseditores.com
ISBN: 978-84-8383-134-2
Depósito legal: B. 16.658-2009
Fotocomposición: Pacmer, S.A. - Alcolea, 106-108, 1.º - 08014 Barcelona
Impresión: Limpergraf, S.L. - Mogoda, 29-31 - 08210 Barcelona
Encuadernación: Reinbook
Impreso en España

Índice

Para Kerry Hood, sin quien ciertamente
estaría muy perdido, incluso con mapa

AGRADECIMIENTOS

Varios libros me han resultado especialmente útiles mientras escribía esta novela. Son: *Sundown Towns: A Hidden Dimension of American Racism* de James W. Loewen, Touchstone, 2005; *The Adirondacks: A History of America's First Wilderness* de Paul Schneider, Owl Books, 1997; y *On Killing: The Psychological Cost of Learning to Kill in War and Society* de Dave Grossman, Back Bay Books, 1996.

Agradezco la amable ayuda de Joe Long y Keith Long mientras investigaba para los pasajes acerca de Queens; y a Geoff Ridyard que, en otra vida, habría sido un asesino excelente. También doy las gracias a mi editora del Reino Unido, Sue Fletcher, y a todos en Hodder & Stoughton; a Emily Bestler, mi editora de Estados Unidos, y a todos en Atria Books y Pocket Books; y a mi agente, Darley Anderson, así como a su maravilloso equipo. Por último, Jennie, Cameron y Alistair, como siempre, han aguantado mucho. Con todo mi cariño, os doy las gracias a todos.

Vaya mi sincero agradecimiento por los permisos para reproducir texto de las siguientes obras protegidas por copyright:

«Vision and Prayer» de Dylan Thomas, incluido en *Collected Poems,* edición a cargo de Watford Davies y Ralph Maud; Phoenix, 2003. Reproducido por gentileza de David Higham Associates.

Fragmentos de James Dickey, «The Heaven of Animals», incluido en *The Whole Motion: Collected Poems,* © 1992 de James Dickey. Reproducido por gentileza de Wesleyan University Press.

11

Prólogo

Todas las cosas se truecan en fuego; y el fuego, en todas las cosas, como las mercaderías
en oro y el oro en mercaderías.

Heráclito (h. 535-475 a. de C.)

A veces, Louis sueña con el Hombre Quemado. Aparece ya en noche cerrada, cuando incluso los sonidos de la ciudad se apagan, pasando de un *crescendo* sinfónico a un nocturno amortiguado. Louis ni siquiera sabe si de verdad está dormido cuando el Hombre Quemado deja sentir su presencia, porque le parece que lo despierta la respiración acompasada de su compañero, que yace en la cama a su lado, y percibe entonces un olor familiar y desconocido a la vez: es el hedor de la carne carbonizada en descomposición, de la grasa humana crepitando entre las llamas. Si es un sueño, es un sueño en estado de vigilia, que se desarrolla en ese submundo entre la conciencia y la ausencia.

En otro tiempo el Hombre Quemado tenía nombre y apellido, pero Louis ya no puede pronunciarlos. El nombre no basta para abarcar su identidad; es demasiado exiguo, demasiado restrictivo, para lo que ahora representa en el ánimo de Louis. No piensa en él como «Errol» ni como «señor Rich», ni siquiera como «señor Errol», que es como se dirigía a él cuando vivía. Ahora es más que un nombre, mucho más.

Aun así, en su día fue el señor Errol: puro músculo y fuerza bruta, la piel del color de la tierra húmeda y fértil recién arada; amable y paciente casi siempre, bajo ese carácter plácido en apariencia subyacía una rabia latente, una rabia que en ocasiones, si uno lo pillaba desprevenido, podía llegar a atisbarse en sus ojos antes de escabullirse como una bestia extraña que ha aprendido la importancia de permanecer fuera del alcance de las armas de los cazadores, de los hombres blancos con trajes blancos.

Porque los cazadores siempre eran blancos.

Dentro de Errol Rich ardía un fuego, una ira contra el mundo y sus costumbres. Procuraba mantenerla bajo control, consciente de que si le daba rienda suelta, existía el peligro de que lo consumiera todo a su paso, incluso a él mismo. Quizás en aquella época esa clase de rabia no era ajena a muchos de sus hermanos y hermanas: era un negro atrapado en los ritmos y rituales de un mundo de blancos, en un pueblo donde a él y aquellos como él no se les permitía andar por la calle después de ponerse el sol. El resto del mundo estaba cambiando, pero no aquel condado, ni aquel pueblo. Allí los cambios llegarían más despacio. A decir verdad, tal vez nunca llegasen, no del todo, pero eso incumbiría a otros, no a Errol Rich. Para cuando algunos empezaron a hablar de derechos en voz alta, sin miedo a represalias, Errol Rich ya no existía, no de una forma identificable para aquellos que lo conocieron. Su vida se había extinguido años antes, y en el momento de su muerte sufrió una transformación: Errol Rich abandonó este mundo y en su lugar apareció el Hombre Quemado, como si aquel fuego interior hubiese encontrado por fin la manera de aflorar en vivas tonalidades de rojo y amarillo, estallando desde dentro para devorar su carne y consumir su conciencia anterior, y así todo su ser quedó reducido a lo que en otro tiempo había sido una parte oculta de él. Quizás otros acercaran a su cuerpo la antorcha o vertieran la gasolina que lo empapó y cegó en sus últimos momentos, pero Errol Rich ya ardía entonces, incluso mientras, colgado de un árbol, les pedía que le ahorraran el suplicio final. Siempre había ardido, y al menos en ese sentido derrotó a los hombres que le quitaron la vida.

Y, a partir de su muerte, el Hombre Quemado acechó los sueños de Louis.

Louis recuerda cómo sucedió: una discusión con unos blancos. Por alguna razón, esas cosas a menudo empezaban así. Los blancos creaban las reglas, pero las reglas cambiaban una y otra vez. Eran inestables, venían definidas por las circunstancias y la necesidad, no por unas palabras plasmadas en un papel. Lo más extraño del caso, pensaría Louis más tarde, era que los blancos que mandaban en el pueblo siempre negarían ser racistas. «No odiamos a la gente de color», decían, «simplemente nos llevamos mejor con ellos cuando no se mezclan con nosotros.» O: «Si vienen al pueblo de día, bienvenidos sean, pero no conviene que pasen aquí la noche. Tanto por su seguridad como por la nuestra». Es curioso. Por aquel entonces era tan difícil como ahora encontrar a alguien dispuesto a admitir que era racista. Al parecer, incluso los racistas se avergonzaban, en su mayoría, de su propia intolerancia.

Con todo, algunos lucían dicho epíteto como una insignia de honor, y en el pueblo también los había. Según contaban, el problema empezó cuando un grupo de lugareños lanzó una pesada jarra llena de orina contra el parabrisas agrietado de la furgoneta de Errol, y él reaccionó en consonancia. Aquel genio vivo suyo, aquella furia reprimida en su interior, entró en erupción y, en represalia, lanzó un grueso tablón contra la cristalera del bar de Little Tom. Eso bastó para que aquellos blancos actuaran contra Errol, eso y el miedo a lo que él representaba. Era un negro que hablaba mejor que la mayor parte de los blancos del pueblo. Tenía una furgoneta. Sabía reparar cosas –radios, televisores, aparatos de aire acondicionado, cualquier artefacto eléctrico–, y sabía repararlas mejor que nadie y por menos dinero, con lo cual incluso quienes no le permitían pasearse por las calles del pueblo de noche lo dejaban entrar de día en sus casas gustosamente para que les arreglase los electrodomésticos, aun cuando, después, algunos ya no se sentían tan cómodos en sus salas de estar, a pesar de que tampoco ellos eran racistas. Sólo que no les gustaba la presencia de extraños en su casa, en particular si eran extraños de color. Si le ofrecían agua para calmar la sed, se cuidaban de dársela en la taza de hojalata reservada para tal eventualidad, la taza barata en la que nadie más bebía, la taza guardada junto con los productos de limpieza y las brochas, de manera que el agua siempre tenía un ligero regusto químico. Decían que tal vez pronto estaría en situación de dar empleo a otros como él, de formarlos y transmitirles sus habilidades. Y además era un hombre apuesto, un «macho negro», como lo describió Little Tom una vez, sólo que, cuando lo dijo, acunaba en los brazos la escopeta de caza que solía tener colgada encima de la barra y quedó claro lo que significaba ser un macho negro en el mundo de Little Tom.

Así las cosas, no necesitaban grandes excusas para arremeter contra Errol Rich. En todo caso, él les había dado una, y antes de acabar la semana lo habían rociado de gasolina, colgado de un árbol y abrasado.

Y de esa manera Errol Rich se convirtió en el Hombre Quemado.

Errol Rich tenía una mujer en una ciudad a más de ciento cincuenta kilómetros al norte. Ella le había dado un hijo y, una vez al mes, Errol viajaba hasta allí en su furgoneta para verlos y asegurarse de que no les faltaba nada. Su mujer trabajaba en un gran hotel. Errol había sido el encargado de mantenimiento de ese mismo hotel, pero ocurrió algo –otra vez ese genio vivo, se rumoreaba– y tuvo que separarse de su mujer y su hijo para buscar empleo en otra parte. Los fines de semana que no visitaba a su familia se lo veía por las noches bebiendo tranquilamente en un pequeño cobertizo de los pantanos que hacía las veces de bar y centro de reunión para la gente de color, tolerado por la policía local siempre y cuando no hubiese alborotos ni prostitución, o al menos no demasiado ostensibles. La madre de Louis iba allí a veces con sus amigas, pese a la desaprobación de la abuela, Lucy. Ponían música, y a menudo la madre de Louis y Errol Rich bailaban juntos, pero en sus ritmos se advertía tristeza, desconsuelo, como si aquello fuese ya lo único que les quedaba, y lo único que tendrían durante el resto de sus vidas. Mientras los demás bebían matarratas o, como seguía llamándolo la abuela Lucy, «zumo de tembleque», la madre de Louis tomaba un refresco y Errol se mantenía fiel a la cerveza. Aunque sólo una o dos. Según acostumbraba decir, nunca fue muy aficionado a la bebida, y no le gustaba olerla en el aliento de los demás a primera hora de la mañana, y menos en un trabajador, si bien nada más lejos de sus intenciones que vigilar los placeres de los demás, eso sí que no.

Las noches cálidas de verano, cuando el zumbido de los saltamontes vibraba en el aire y los mosquitos, atraídos por la embriagadora mezcla de sudor y azúcar, se alimentaban de los hombres y mujeres presentes en el club, y cuando la música sonaba a tal volumen que sacudía el polvo del techo y la concurrencia se distraía con el ruido y el perfume y el movimiento, Errol Rich y la madre de Louis ejecutaban su lento baile, ajenos a los ritmos circundantes, atentos sólo a los latidos de sus propios corazones, sus cuerpos tan juntos que, al final, esos corazones latían al unísono y eran una sola persona, los dedos entrelazados, las palmas de sus manos deslizándose, húmedas, una contra otra.

Y a veces les bastaba con eso, y a veces no.

El señor Errol siempre le daba a Louis una moneda de veinticinco centavos cuando sus caminos se cruzaban. Hacía algún comentario sobre lo alto que estaba Louis, el buen aspecto que tenía, lo orgullosa que debía de sentirse su madre de él.

Y Louis, sin saber por qué, pensaba que el señor Errol también se enorgullecía de él.

La noche en que Errol Rich murió, Lucy, la abuela de Louis, la matriarca de la casa de mujeres donde Louis se crió, le dio a la madre de éste bourbon y una dosis de morfina para ayudarla a dormir. La madre de Louis llevaba toda la semana llorando, desde el momento en que se enteró de lo sucedido entre Errol y Little Tom. Tiempo después a Louis le contaron que ese mismo día a las doce de la mañana ella había ido a casa de Errol, con su hermana a rastras, y que le había suplicado que se marchase, pero Errol no estaba dispuesto a huir, otra vez no. Le aseguró que todo se arreglaría. Le explicó que había ido a ver a Little Tom para ofrecerle sus disculpas, y que le había pagado más de cuarenta dólares que a duras penas podía permitirse para reparar los daños y en compensación por los problemas ocasionados; Little Tom, malhumorado, había aceptado el dinero y le había dicho a Errol que lo hecho hecho estaba, y que le perdonaba el arranque de mal genio. A Errol le había dolido pagar ese dinero, pero quería quedarse donde estaba, vivir y trabajar con personas por quienes sentía simpatía y respeto. Y amor. Eso le dijo a la madre de Louis, y eso le contó a él su tía muchos años después. Le explicó que Errol y la madre de Louis hablaron agarrados de la mano, que salieron al aire fresco para disfrutar de un poco de intimidad.

Cuando la madre de Louis se marchó por fin de la cabaña de Errol, estaba muy pálida y le temblaban los labios. Sabía lo que iba a ocurrir, y Errol Rich lo sabía también, al margen de lo que hubiese dicho Little Tom. Volvió a casa y lloró tanto que se quedó sin aliento y se desmayó sobre la mesa de la cocina. Fue entonces cuando la abuela Lucy decidió darle algo para aliviar su sufrimiento, y por eso la madre de Louis dormía mientras prendían fuego al hombre a quien amaba.

Esa noche el cobertizo no abrió y los negros que trabajaban en el pueblo se marcharon mucho antes del anochecer. Se quedaron en sus casas y en sus chozas, cerca de sus familias, y nadie habló. Las madres velaron a los niños mientras dormían, o sujetaron de la mano a sus hombres por encima de mesas desnudas o sentadas junto a chimeneas vacías y estufas apagadas. Aquello se veía venir, como se ve venir una tormenta por el calor que la precede, y todos habían huido, furiosos y avergonzados por su propia incapacidad para intervenir.

Y así esperaron la noticia de que Errol Rich había abandonado este mundo.

La noche en que Errol Rich murió, Louis aún recuerda que se despertó al oír unos pasos de mujer frente a la minúscula habitación en que él dormía. Recuerda que se levantó de la cama y, sintiendo el calor de las tablas de madera bajo los pies descalzos, se acercó a la puerta abierta de la cabaña. Allí ve a su abuela en el porche, con la mirada fija en la oscuridad. La llama, pero ella no contesta. Se oye música, la voz de Bessie Smith. A su abuela siempre le ha gustado Bessie Smith.

La abuela Lucy, con un mantón en los hombros encima del camisón, baja descalza al jardín. Louis la sigue. Ya no está todo oscuro. Se ve una luz en el bosque, algo que arde lentamente. Tiene forma de hombre, un hombre que se retuerce en su tormento, consumido por las llamas. La figura atraviesa el bosque y va dejando las hojas ennegrecidas a su paso. Louis huele la gasolina y la carne abrasada, ve cómo la piel queda carbonizada, oye el chisporroteo y la crepitación de las grasas corporales. Su abuela tiende una mano hacia atrás, sin apartar la mirada del Hombre Quemado en ningún momento, y Louis acerca la palma de su mano a la de ella, sus dedos a los de ella, y mientras su abuela cierra la mano en torno a la de él, el miedo de Louis se diluye y sólo siente dolor por el padecimiento de ese hombre. Sin ira. Eso vendrá más tarde. De momento siente sólo una abrumadora tristeza que cae sobre él como un manto oscuro. Su abuela dice algo en susurros y se echa a llorar. Louis llora también y, juntos, sofocan las llamas mientras la boca del Hombre Quemado articula unas palabras que Louis no alcanza a oír mientras el fuego se apaga y la visión se desvanece, hasta que sólo quedan el olor y una imagen grabada en la retina de Louis como la secuela del flash de una cámara fotográfica.

Y ahora, mientras Louis yace en una cama lejos del lugar donde se crió, con el hombre a quien ama dormido profundamente a su lado, huele a gasolina y a carne abrasada, y vuelve a ver cómo se mueven los labios del Hombre Quemado, y cree comprender parte de lo que dijo aquella noche hace tantos años.

«Lo siento. Dile que lo siento.»

Se le escapa casi todo lo que dice a continuación, envuelto en fuego. Sólo se distinguen dos palabras, y ni siquiera ahora Louis tiene la certeza de interpretarlas correctamente, de que el movimiento de esa grieta sin labios se corresponde de verdad con las palabras que cree, o quiere creer, que se pronunciaron.

«Hijo.»

«Hijo mío.»

Dentro de Errol Rich ardía un fuego, y algo de ese fuego pasó al niño en el momento de la muerte de Errol. Ahora arde dentro de él, pero si bien Errol Rich encontró la manera de negar su presencia, de moderar sus llamas hasta que al final, quizás inevitablemente, se propagó y lo destruyó, Louis lo ha hecho suyo. Lo mantiene vivo, y el fuego, a su vez, lo mantiene vivo a él, pero es un equilibrio delicado. El fuego tiene que ser alimentado para que no se alimente de él, y los hombres a quienes mata son los sacrificios que le ofrece. El fuego de Errol Rich era de un rojo intenso, abrasador, pero las llamas dentro de Louis arden blancas y frías.

«Hijo.»

«Hijo mío.»

De noche, Louis sueña con el Hombre Quemado.

Y en algún lugar el Hombre Quemado sueña con él.

Primera parte

Ahora será abatido con mi flecha, pues furioso estoy con él, y sus vidas se han extinguido ya, y sin duda la tierra beberá su sangre.

Ramayana, h. 500-100 a. de C.

1

Son tantos los asesinatos, tantas las víctimas, tantas las vidas perdidas y arruinadas a diario, que es difícil seguirles la pista a todos, es difícil establecer las relaciones que acaso permitieran cerrar los casos. Algunos son evidentes: el hombre que mata a su novia y luego se quita la vida, ya sea por los remordimientos o por la incapacidad para afrontar las consecuencias de sus actos; o los asesinatos ojo por ojo de matones, gánsteres, traficantes de droga, sucediéndose de manera inexorable uno tras otro en una espiral de violencia. Una muerte invita a la siguiente, la saluda tendiéndole su mano pálida, sonriendo a la vez que el hacha cae, que la hoja corta. Existe una concatenación de hechos fácilmente reconstruible, un rastro claro para la policía.

Pero hay otros asesinatos donde es más difícil descubrir la relación, donde los lazos entre unos y otros están oscurecidos por grandes distancias, por el paso de los años, por las sucesivas capas que van añadiéndose a este mundo, un mundo como una colmena, conforme el tiempo se pliega suavemente sobre sí mismo.

Este mundo como una colmena no esconde secretos: los almacena. Es el depositario de recuerdos enterrados, de actos medio olvidados.

En este mundo como una colmena, todo guarda relación.

El St. Daniil se hallaba en Brightwater Court, no lejos de los amplios clubes de Brighton Beach Avenue y Coney Island Avenue, donde parejas de todas las edades bailaban al ritmo de canciones en ruso, español e inglés, comían platos rusos, compartían vodka y vino y veían espectáculos que no habrían estado fuera de lugar en algunos de los hoteles más modestos de Reno o a bordo de un crucero, pero que sin embargo distinguían al St. Daniil (tan lejos de aquellos otros establecimientos) en muchos aspectos. El edificio donde se encontraba tenía vistas al mar y al paseo marítimo y sus tres principales restaurantes, el Volna, el Tatiana y el Winter Garden, ahora estaban rodeados de mamparas para resguardar a la clientela de la fresca brisa marina y de los aguijonazos de la arena. Cerca se hallaba la zona de ocio de Brighton, donde, durante el día, los ancianos se sentaban en torno a mesas de piedra a jugar a cartas mientras los niños retozaban cerca, los más jóvenes y los no tan jóvenes unidos en un mismo espacio. Nuevos bloques de apartamentos habían surgido al este y al oeste, parte de la transformación experimentada por Brighton Beach en años recientes.

Pero el St. Daniil pertenecía a un orden de cosas más antiguo, un Brighton Beach distinto, ocupado por la clase de negocios que ganaban dinero a costa de aquellos para quienes la pobreza no era del todo ajena: servicios de cobro de cheques que se quedaban con el veinticinco por ciento de cada talón hecho efectivo y luego ofrecían préstamos poco más o menos a ese mismo interés mensual para cubrir el déficit; tiendas de saldos que vendían adornos de Navidad altamente inflamables durante todo el año y loza barata con el barniz resquebrajado; tiendas de comestibles, antes negocios familiares y ahora en manos de individuos con aspecto de tener, quizá, los restos de la familia pudriéndose en el sótano; lavanderías frecuentadas por sujetos que olían a calle y que por rutina se desnudaban hasta quedar sin más ropa que unos calzoncillos mugrientos y se sentaban así, casi desnudos, a esperar a que la colada estuviese lista para darle una única e inconexa pasada por la secadora (ya que cada centavo contaba), luego se ponían parte de sus prendas, todavía húmedas, y guardaban el resto en bolsas de basura y volvían a aventurarse a las calles, envueltos en el tenue vapor que desprendía la ropa; casas de empeños que hacían un negocio estable con artículos empeñados y desempeñados, ya que siempre había alguien dispuesto a beneficiarse de las desgracias ajenas; y tiendas sin un solo cartel con el nombre encima del escaparate, vacías salvo por un mostrador desportillado, cuyas turbias actividades no incumbían a aquellos a quienes debía explicarse su verdadera naturaleza. La mayoría de esos establecimientos ya habían desaparecido, relegados a calles secundarias, a barrios menos deseables, cada vez más alejados de la avenida y el mar, si bien quienes necesitaban sus servicios siempre sabían dónde encontrarlos.

Así y todo, el St. Daniil seguía allí. Resistía. El St. Daniil era un club, aunque estrictamente privado y sin apenas algo en común con sus homónimos más rutilantes de la avenida. Se accedía a él por una puerta de acero enrejada y ocupaba el sótano de un antiguo edificio de piedra rojiza rodeado de otros edificios de piedra rojiza de poco más o menos la misma época; y si bien los bloques vecinos habían sido remozados, no era ése el caso del St. Daniil. En otro tiempo constituía la entrada a un complejo más amplio, pero los cambios en la estructura interna de los edificios lo habían dejado aislado entre dos grupos de apartamentos mucho más atractivos. Ahora el club quedaba comprimido entre ellos como un pariente pobre que se cuela en una foto familiar, sin avergonzarse de su ignominia.

Encima del St. Daniil se alzaba un laberinto de pequeños apartamentos, algunos con cabida para una familia entera, otros donde sólo podía acomodarse a un individuo, y uno, además, para quien el espacio importara menos que la intimidad y el anonimato. En esos apartamentos ahora no vivía nadie, no si podía evitarlo. Algunos se usaban como almacenes: de bebida, tabaco, aparatos eléctricos, contrabando diverso. En los demás se instalaban provisionalmente prostitutas jóvenes –a veces muy jóvenes–, y, en caso de necesidad, acudían ahí sus clientes. Uno o dos estaban un poco mejor amueblados y en mejores condiciones que los otros, y contenían cámaras de vídeo y equipo de grabación para el rodaje de películas pornográficas.

Aunque lo llamaban St. Daniil, el club no tenía nombre oficial. Una placa junto a la puerta rezaba CLUB SOCIAL PRIVADO, en inglés y en cirílico, pero no era la clase de lugar al que uno acudía para hacer vida social. Allí había un bar, pero la gente no solía quedarse mucho tiempo, y quienes lo hacían se limitaban esencialmente a tomar café mientras esperaban a que les mandasen hacer recados, a recaudar comisiones, a romper huesos. Encima de la barra, un televisor proyectaba DVDs pirateados, viejos partidos de hockey, a veces películas pornográficas o, a altas horas de la noche, cuando la actividad había remitido, imágenes de las tropas rusas en Chechenia participando en represalias contra sus enemigos, reales o supuestos. Reservados semiesféricos de vinilo raído se alineaban contra las paredes, cada uno de ellos con una mesa vieja y rayada en el centro, reliquias de una época en que aquello era realmente un club social, un lugar donde los hombres podían charlar sobre su país de origen y compartir los periódicos que habían llegado por correo o en las maletas de inmigrantes y compatriotas de visita. La decoración se componía principalmente de reproducciones enmarcadas de pósters soviéticos de los años cuarenta, comprados por cinco pavos en el videoclub RBC de Brighton Beach Avenue.

Durante un tiempo la policía mantuvo el club bajo vigilancia, pero no se les permitió el acceso al local para colocar un micrófono oculto, y si bien intervinieron los teléfonos, al expirar la orden judicial no habían descubierto nada de provecho. Cualquier asunto de importancia, sospechaban, se trataba ahora a través de teléfonos móviles desechables, aparatos que se sustituían religiosamente cada semana. Dos incursiones de la brigada antivicio en el bloque por la entrada de la planta baja, encima del club, acabaron en un pobre balance: la detención de un puñado de putas cansadas, de las cuales pocas sabían inglés y menos aún tenían papeles, y de un par de clientes. No consiguieron prender a ningún macarra, y a las mujeres, como la policía bien sabía, era fácil sustituirlas.

Esas dos noches, las puertas del St. Daniil permanecieron cerradas a cal y canto, y cuando la policía consiguió entrar, sólo encontró a un camarero aburrido y a un par de rusos, viejos y desdentados, jugando al póquer por cerillas.

Era una noche de mediados de octubre. Fuera había oscurecido hacía rato y en el club sólo quedaba una persona en uno de los reservados. El hombre allí sentado era un ucraniano a quien se conocía como «el Sacerdote». Había estudiado en un seminario ortodoxo durante tres años antes de descubrir su verdadera vocación, la de proporcionar básicamente la clase de servicios por los que en general los sacerdotes ofrecían la absolución. El nombre oficioso del club, St. Daniil, o San Daniel, daba fe del breve coqueteo del Sacerdote con la vida religiosa. El monasterio de San Daniel era el claustro más antiguo de Moscú, un bastión del credo ortodoxo incluso durante los peores excesos de la era comunista, cuando muchos de sus sacerdotes se convirtieron en mártires y los restos del propio san Daniel fueron trasladados de manera furtiva a Estados Unidos a fin de librarlos de todo mal.

A diferencia de muchos de quienes trabajaban para él, el Sacerdote hablaba inglés apenas sin acento. Había formado parte de una primera oleada de inmigrantes de la Unión Soviética, gente que había hecho el esfuerzo de aprender las costumbres de ese nuevo mundo, y aún recordaba la época en que allí sólo vivían viejos en apartamentos de protección oficial, entre casitas vacías en estado de creciente abandono, a años luz de los tiempos en que la zona era un foco de atracción para inmigrantes y neoyorquinos por igual, deseosos de abandonar el hacinamiento de los barrios de Brownsville, Nueva York Este y el Lower East Side de Manhattan en busca de un espacio donde vivir y sentir el aire del mar en los pulmones. El Sacerdote se enorgullecía de su propia sofisticación. Leía el *Times,* no el *Post.* Iba al teatro. Cuando él estaba allí, en su reino, el televisor no proyectaba porno ni DVDs mal copiados; ponían BBC World o, a veces, la CNN. Fox News no le gustaba, pues miraba hacia dentro y él era un hombre que siempre miraba al mundo del exterior, más amplio. De día tomaba té; de noche, sólo un brebaje de fruta que sabía a ciruela. Era un hombre ambicioso, un príncipe que deseaba llegar a rey. Rendía homenaje a los ancianos, los que habían estado en las cárceles de Stalin, aquellos cuyos padres habían creado la empresa criminal que ahora alcanzaba su cenit en una tierra lejos de la suya. Pero incluso mientras se inclinaba ante ellos buscaba maneras de socavar su poder. Calculaba la fuerza de posibles rivales entre los de su propia generación, y preparaba a su gente para el inevitable baño de sangre que, sancionado o no, se produciría. Recientemente había sufrido varios reveses. Aunque habrían podido evitarse ciertos errores, la culpa no había sido del todo suya. Por desgracia, otros no lo veían de esa manera. Quizá, pensaba, el baño de sangre tendría que empezar antes de lo previsto.

Ése había sido un mal día, uno más en una serie de días malos. Por la mañana había surgido un problema en los lavabos y el local aún apestaba, pese a que, por lo visto, la complicación quedó resuelta en cuanto los fontaneros, de una compañía de confianza, se pusieron manos a la obra. Cualquier otro día, el Sacerdote habría podido marcharse a otra parte, pero tenía asuntos pendientes y cabos sueltos que atar en el club, de modo que estaba dispuesto a soportar el mal olor en el aire todo el tiempo que fuera necesario.

Ojeó unas fotografías que había sobre la mesa ante él: policías infiltrados, algunos probablemente hablasen ruso. Eran gente decidida, por decir poco. Intentaría identificarlos y buscaría una forma de presionarlos utilizando a sus familias. La policía estrechaba cada vez más el cerco. Después de años de maniobras inútiles contra él, habían encontrado una brecha. Dos de sus hombres habían muerto en Maine el invierno anterior, junto con dos intermediarios. Con sus muertes se había destapado una parte pequeña pero lucrativa de las actividades del Sacerdote en Boston: la pornografía y prostitución infantiles. Se había visto obligado a interrumpir ambos servicios, y eso, a su vez, había repercutido en la entrada ilegal de mujeres y niños en el país, impidiéndole cubrir las inevitables bajas en su cuadra de putas, y en las cuadras de otros. Perdía dinero a mansalva, y eso no le gustaba. También otros sufrían las consecuencias, y a él le constaba que lo consideraban culpable. Ahora su club apestaba a excrementos y era sólo cuestión de tiempo que por fin se estableciese la relación entre aquellas muertes y él.

Pero le había llegado la voz de que al menos uno de sus problemas quizá tuviese solución. Todo aquello empezó porque un detective privado de Maine tuvo que meterse donde no debía. Si lo mataba, no se libraría de la policía –tal vez incluso aumentaría la presión sobre él durante un tiempo–, pero por lo menos serviría como advertencia a sus perseguidores y a aquellos que pudieran sentirse tentados de atestiguar contra él, y de paso le proporcionaría una pequeña satisfacción personal.

Desde la puerta, alguien gritó en ruso:

–Jefe, ya están aquí.

Una semana antes un hombre se había presentado en las oficinas de los Servicios de Limpieza y Desagües Big Earl, S.A., en Nostrand Avenue. En lugar de entrar por el vestíbulo, con su vistosa moqueta y fragante olor, había rodeado el edificio hasta la zona de mantenimiento y tratamiento de residuos.

Allí el olor no era ni mucho menos fragante.

Entró en el garaje y subió por una escalera hasta un despacho acristalado. Éste contenía un escritorio, varios archivadores disparejos y dos tableros de corcho cubiertos de facturas, cartas y un par de calendarios antiguos con mujeres en paños menores. Sentado detrás del escritorio había un hombre alto y delgado que lucía una corbata de poliéster verde y amarilla, realzada por una camisa blanca. Tenía el pelo del color castaño Grecian 2000 y jugueteaba compulsivamente con su bolígrafo, señal inequívoca del fumador privado de su droga, aunque sólo fuese de manera temporal. Alzó la vista al abrirse la puerta y entrar el visitante. El recién llegado era de una estatura inferior a la media y vestía un chaquetón azul marino abotonado hasta el cuello, vaqueros rotos y descoloridos y zapatillas de color rojo intenso. Tenía barba de tres días, pero, tal y como la llevaba, cabía pensar que siempre era de tres días. Parecía casi cultivada, con cierto desaliño. «Desastrada» era la palabra que a uno le acudía a la mente.

–¿Intenta dejarlo? –preguntó el visitante.

–¿Eh?

–¿Intenta dejar de fumar?

El hombre miró el bolígrafo que sostenía en la mano derecha y casi se sorprendió de que no fuese un cigarrillo.

–Sí, así es. Mi mujer lleva años dándome la lata. Y el médico también. He pensado que debía probar a ver qué pasa.

–Debería usar esos parches de nicotina.

–No es posible encenderlos. ¿En qué puedo ayudarlo?

–¿Anda Earl por aquí?

–Earl ha muerto.

El visitante pareció llevarse un chasco.

–¡No me diga! ¿Cuándo?

–Hace dos meses. Cáncer de pulmón. –Tosió, incómodo–. Digamos que por eso me decidí a dejarlo. Me llamo Jerry Marley. Soy el hermano de Earl. Me incorporé al negocio para echar una mano cuando Earl enfermó, y aquí sigo. ¿Earl era amigo suyo?

–Conocido.

–Pues supongo que ahora está en un mundo mejor.

El visitante echó una ojeada al pequeño despacho. Más allá del cristal, dos hombres con mascarillas y monos limpiaban tubos y herramientas. Arrugó la nariz al percibir el hedor.

–Cuesta creerlo –dijo el visitante.

–No se crea. En fin, ¿en qué puedo ayudarlo?

–¿Ustedes desatascan desagües?

–Así es.

–Entonces, si saben desatascarlos, también sabrán atascarlos.

Aquello desconcertó a Jerry Marley por un momento, y acto seguido el desconcierto dio paso al enojo. Se puso en pie.

–Lárguese de aquí antes de que llame a la policía. Esto es una empresa, maldita sea. No dispongo de tiempo para gente que quiere causar problemas a los demás.

–Tengo entendido que su hermano no se andaba con tantas manías a la hora de decidir con quién trabajaba.

–Eh, cuidado con lo que dice de mi hermano.

–No lo decía en el mal sentido. Era una de las cosas que me gustaban de él. Lo hacía útil.

–Me importa un carajo. Largo de aquí, pedazo de...

–Quizá deba presentarme –dijo el visitante–. Me llamo Ángel.

–Me importa un bledo cómo... –Marley se interrumpió al caer en la cuenta de que, en realidad, sí le importaba. Volvió a sentarse.

–Es posible que Earl le hablara de mí.

Marley asintió, un poco más pálido que antes.

–De usted, y de otro.

–Ah, ése ronda por aquí cerca. Es –Ángel buscó la palabra exacta–... más limpio que yo. Lleva ropa más cara que la mía, y no se ofenda, pero este olor se pega a la tela, ya me entiende.

–Sí, ya –dijo Marley. Empezó a balbucear, pero no pudo contenerse–. Yo ya no lo noto tanto. Mi mujer me obliga a quitarme la ropa en el garaje antes de entrar en casa. Tengo que ducharme en el acto. Incluso así, dice que huelo.

–Mujeres –observó Ángel–. Son tan sensibles...

Se produjo un breve silencio. Era casi amigable, sólo que el deseo de Jerry Marley de fumar superaba de pronto la capacidad de resistencia de cualquier mortal.

–En fin –dijo Ángel–, en cuanto a esos desagües...

Marley levantó una mano para interrumpirlo.

–¿Le importa que fume? –preguntó.

–Pensaba que quería dejarlo –comentó Ángel.

–Y yo también.

Ángel se encogió de hombros.

–Supongo que el suyo es un trabajo estresante.

–A veces –convino Marley.

–Bueno, no es mi intención empeorar las cosas.

–Dios no lo quiera.

–Pero sí necesito un favor, y a cambio yo le haré un favor a usted.

–Ya. ¿Y se puede saber cuál es?

–Verá, si usted me hace a mí el favor, no volveré por aquí.

Jerry Marley no se lo pensó ni medio segundo.

–Me parece justo –dijo.

Por un momento Ángel adoptó una expresión de cierta tristeza. Le dolía que todo el mundo se precipitara a aceptar el trato cada vez que lo ofrecía.

Marley pareció adivinarle el pensamiento.

–No es nada personal –añadió a modo de disculpa.

–No –contestó Ángel, y Marley tuvo la impresión de que el visitante pensaba en algo muy distinto–. Nunca lo es.

Los dos hombres que entraron en la guarida del Sacerdote una semana después no eran lo que él se esperaba, pero bien es cierto que el Sacerdote sabía por experiencia que las cosas nunca se ajustaban del todo a las expectativas. El primero, que era negro, vestía un traje gris que parecía recién estrenado. Sus zapatos negros de charol refulgían y una corbata de seda negra, con el nudo perfecto, le ceñía el cuello de una camisa blanca impecable. Iba bien afeitado y despedía un tenue aroma a clavo e incienso, que al Sacerdote, sumido como estaba en los fétidos efluvios de los excrementos, le resultó especialmente grato.

Lo seguía un hombre de menor estatura, tal vez de origen hispano, con una sonrisa afable que captaba la atención y la desviaba por un momento del aspecto de su ropa, la cual sin duda había conocido tiempos mejores: vaqueros sin marca, zapatillas del año anterior y una cazadora enguatada, a todas luces de buena calidad pero más apropiada para una persona veinte años menor y que utilizara dos tallas más.

–Están limpios –dijo Vassily en cuanto los dos se hubieron sometido, en apariencia de buena voluntad, a un cacheo. Vassily, hombre de facciones suaves y delicadas, era engañosamente rechoncho. Se movía con rapidez y desenvoltura y era uno de los acólitos de mayor confianza del Sacerdote, otro ucraniano con cerebro y ambición, aunque no tanta como para que su jefe lo considerara una amenaza.

El Sacerdote señaló un par de sillas frente a él al otro lado de la mesa. Los dos hombres se sentaron.

–¿Les apetece tomar algo? –preguntó.

–Yo no quiero nada –dijo el negro.

–Yo tomaré algo sin alcohol –contestó el otro–. Una Coca-Cola. Asegúrese de que el vaso no esté sucio –añadió sin alterar la sonrisa de su rostro. Miró por encima del hombro y guiñó el ojo al camarero de la barra, que se limitó a fruncir el entrecejo.

–¿Y bien? ¿En qué puedo ayudarles? –preguntó el Sacerdote.

–La cuestión es más bien en qué podemos ayudarle nosotros a usted –repuso el hombre de corta estatura.

El Sacerdote hizo un gesto de indiferencia.

–¿Un servicio de limpieza, quizá? ¿Venta a domicilio?

Sus hombres le rieron la gracia. Eran tres en total, aparte del camarero. Dos estaban sentados junto a la barra, ante las omnipresentes tazas de café. Vassily se hallaba detrás a la derecha de los dos visitantes. El Sacerdote lo notó inquieto. Pero Vassily siempre parecía inquieto. Era un pesimista, o quizás un realista, el Sacerdote nunca lo había tenido del todo claro. Suponía que era una simple cuestión de perspectiva.

La sonrisa del hombre de baja estatura vaciló por un instante.

–Estamos aquí por lo del encargo.

–¿El encargo? ¿Acaso son recaderos?

Más risas.

–El encargo de matar al detective, a Parker. Ha llegado a nuestros oídos que quiere usted eliminarlo. Preferiríamos que no fuera así.

Las risas cesaron. El Sacerdote había sido informado previamente de que los dos hombres querían hablar con él acerca del detective, y su manera de abordar el tema, pues, no lo pilló desprevenido. Por lo regular habría dejado una conversación así en manos de Vassily, pero ésa no era una situación corriente, y aquellos dos, como él bien sabía, no eran hombres corrientes. Según le habían dicho, merecían cierto respeto, pero aquél era su territorio, y le divertía provocarlos. Él respetaba a quienes lo respetaban a él, y la mera presencia de aquellos hombres en su club lo irritaba. No suplicaban por la vida del detective; pretendían explicarle cómo llevar sus asuntos.

El camarero puso una Coca-Cola delante del hombre más bajo. Éste tomó un sorbo y arrugó la frente.

–No está fría –se quejó.

–Dale hielo –ordenó el Sacerdote.

El camarero asintió. Uno de los hombres sentados junto a la barra se inclinó por encima de ésta y, sacando hielo con la mano de una cubitera, llenó un vaso vacío. Se lo entregó al camarero, que hundió los dedos en el vaso, extrajo los cubitos y los echó en la Coca-Cola. El líquido salpicó los vaqueros del hombre más bajo.

–Joder, tío –protestó–, eso es de mala educación. Y de lo más antihigiénico, incluso para un sitio que apesta como éste.

–Sabemos quiénes son ustedes –dijo el Sacerdote.

–¿Cómo dice?

–He dicho que sabemos quiénes son ustedes.

–¿Y eso qué quiere decir?

El Sacerdote señaló al hombre desaliñado de baja estatura.

–Usted es Ángel. –Desplazó un poco el dedo a la izquierda–. Y usted se llama Louis. Su fama los precede, como suele decirse, si no me equivoco, en estas circunstancias.

–¿Deberíamos sentirnos halagados?

–Yo diría que sí.

Ángel pareció complacido. Louis tomó la palabra por primera vez.

–Tiene que retirar el encargo –dijo.

–¿Y eso por qué? –preguntó el Sacerdote.

–El detective es coto vedado.

–¿Bajo la autoridad de quién?

–La mía. La nuestra. La de otras personas.

–¿Qué otras personas?

–Si dijese que no lo sé, y que a usted no le conviene saberlo, ¿me creería?

–Es posible –repuso el Sacerdote–. Pero ese hombre me ha ocasionado muchos problemas. Es necesario transmitir un mensaje.

–Nosotros también estuvimos allí. ¿Va a encargar que nos liquiden?

El Sacerdote lo señaló con el dedo.

–Ahora es usted quien está metiéndose en coto vedado. Todos somos profesionales. Ya sabemos cómo van estas cosas.

–¿Ah, sí? Me parece que no trabajamos en el mismo ramo.

–Tiene demasiado buen concepto de sí mismo.

–Tengo buen concepto de una persona.

Si el Sacerdote se había ofendido, lo disimuló. Así y todo, le sorprendió la predisposición de aquellos dos hombres a mantener una actitud hostil yendo desarmados. Lo consideró un comportamiento arrogante y grosero.

–No hay nada de que hablar. No he encargado a nadie la muerte del detective.

–¿Eso qué quiere decir?

–Yo mismo me corto el césped. Les saco brillo a mis zapatos. No envío a desconocidos a hacer aquello de lo que puedo ocuparme yo.

–Eso nos pone en bandos opuestos.

–Será porque ustedes quieren. –El Sacerdote se inclinó–. ¿Es eso lo que pretenden?

–Pretendemos vivir tranquilos.

El Sacerdote se echó a reír.

–Me temo que se aburrirían. Yo desde luego me aburriría. –Desplazó las fotos sobre la mesa con los dedos, reordenándolas.

–¿Ésos son amigos suyos? –preguntó Louis.

–Policías.

–Si va tras el detective, se creará más problemas con ellos, y también con nosotros. Pueden ser muy insistentes. No necesita darles más motivos para que se le echen encima.

–¿Quieren, pues, que deje tranquilo al detective? –preguntó el Sacerdote–. Se preocupan ustedes por mí, por mi negocio, se preocupan por la policía.

–Así es –convino Louis–. Nos preocupamos como ciudadanos conscientes que somos.

–¿Y yo qué gano?

–Desaparecemos.

–¿Eso es todo?

–Eso es todo.

El Sacerdote hundió los hombros en un gesto teatral.

–Vale, pues. Cómo no. Ya que ustedes me lo piden, dejo en paz al detective.

Louis no se movió. A su lado, Ángel se puso tenso.

–Así sin más –dijo Louis.

–Así sin más. No quiero problemas con hombres de su..., esto..., de su calibre. Tal vez en el futuro puedan hacerme un favor a cambio.

–Lo dudo mucho, pero nos halaga que lo piense.

–¿Y ahora quiere tomar algo?

–No –contestó Louis–. No quiero tomar nada.

–Siendo así, la conversación ha terminado.

El Sacerdote se recostó en el asiento y cruzó las manos sobre su apenas prominente barriga. Al hacerlo, levantó un poco el meñique de la mano izquierda. Detrás de Ángel y Louis, Vassily se llevó la mano a la espalda en busca de la pistola metida bajo el cinturón. Los dos hombres de la barra se pusieron en pie y sacaron también sus armas.

–Ya te dije que no aceptaría –comentó Ángel a Louis–. Aunque contestara que sí, él no lo aceptaría.

Louis le lanzó una mirada de desdén. Alcanzó el vaso de Ángel, hizo ademán de tomar un sorbo y se lo pensó mejor.

–¿Sabe qué es usted? –preguntó–. Es un capo de tres al cuarto.

Y mientras hablaba, actuó. Se movió con tal fluidez, tal elegancia, que Vassily, si hubiese vivido el tiempo suficiente, casi lo habría admirado. A la vez que se levantaba, deslizó la mano bajo la mesa y retiró la pistola escondida allí un rato antes por el hombre que había acompañado al equipo de limpieza. En el mismo movimiento, hundió el vaso con la otra mano en la cara de Vassily. A esas alturas Vassily ya había sacado su arma, sin embargo para él era demasiado tarde. Las dos primeras balas lo alcanzaron en el pecho, pero Louis, sujetándolo, no lo dejó caer a fin de escudarse tras su cuerpo y abrió fuego contra los hombres de la barra. Uno logró descerrajar un tiro, pero se precipitó y la bala hizo impacto inocuamente en la moldura de madera por encima de la cabeza de Louis. Pocos segundos después sólo quedaban en la sala cuatro personas vivas: el Sacerdote, el camarero, y los dos hombres que pronto los matarían a ambos.

El Sacerdote no se había movido. La segunda pistola oculta bajo la mesa estaba ahora en la mano de Ángel, que mantenía encañonado al Sacerdote. Ángel había permanecido inmóvil mientras se producía el tiroteo a sus espaldas. Confiaba en su compañero. Confiaba en él tanto como lo amaba, es decir, absolutamente.

–Todo esto por un detective privado –dijo el Sacerdote.

–Es un amigo –aclaró Ángel–. Y no es sólo por él.

–¿Y entonces por qué es? –El Sacerdote habló con serenidad–. Sea lo que sea, podemos llegar a un acuerdo. Han dejado ustedes las cosas muy claras. Su amigo está a salvo.

–¿Espera que nos lo creamos? Si quiere que le sea franco, no parece usted de los que perdonan.

–Pero sí soy de los que quieren vivir.

Ángel se detuvo a pensarlo.

–Está bien tener ambiciones –comentó–. Aunque ésa me parece un poco limitada.

–Abarca mucho.

–Supongo.

–Y en cuanto a lo que ha sucedido aquí... Bueno, si tienen clemencia conmigo, otros la tendrán con ustedes.

–Mucho me temo que no va a poder ser –respondió Ángel–. Vi lo que les hacían a esos niños que ustedes iban alquilando por ahí. Es más, sé lo que les hacían. No creo que merezca usted clemencia.

–Eran negocios –adujo el Sacerdote–. No era nada personal.

–Es curioso –respondió Ángel–. Oigo esa expresión muy a menudo. –Alzando la pistola recorrió lentamente con la mira el vientre del sacerdote, el corazón, el cuello, hasta detenerse en la cara–. Pues esto no son negocios. Esto sí es personal.

Disparó al Sacerdote una vez en la cabeza y se puso en pie. Louis miraba por encima del cañón de su pistola al camarero, que estaba tendido en el suelo con las manos separadas.

—Arriba —ordenó Louis.

Cuando el camarero se disponía a ponerse en pie, Louis le disparó y observó de forma impasible cómo se doblaba y, por fin, quedaba inerte en la moqueta mugrienta. Ángel se volvió hacia su compañero.

—¿Por qué?

—Nada de testigos. Hoy no.

Louis se encaminó hacia la puerta sin pérdida de tiempo. Ángel lo siguió, abrió, lanzó una rápida mirada a la calle e hizo una señal a Louis con la cabeza. Juntos corrieron en dirección al Oldsmobile aparcado en la otra acera.

—¿Y? —preguntó Ángel mientras ocupaba su asiento y Louis se sentaba al volante.

—¿Crees que ese hombre no sabía lo que se traían ahí entre manos? ¿Cómo se ganaba la vida su jefe?

—Supongo que sí.

—Entonces debería haber buscado trabajo en otro sitio.

El coche se apartó del bordillo. Por encima del club se abrieron unas puertas y asomaron dos hombres armados. Se disponían a abrir fuego cuando el Oldsmobile giró bruscamente a la izquierda y se perdió de vista.

—¿Tendrá esto alguna repercusión para nosotros?

—Ese fulano picó demasiado alto. Atrajo la atención. Tenía los días contados. Sólo hemos acelerado lo inevitable.

—¿Estás seguro?

—Saldremos de ésta. Hemos hecho un favor a cierta gente, y no sólo a Parker. Se ha resuelto un problema, y ellos tienen que mantener las manos limpias.

—Y volverán a meter niños en el país.

—Ése es otro asunto, y ya nos ocuparemos de él más adelante.

—Prométemelo, prométeme que no nos desentenderemos.

—Te lo prometo —dijo Louis—. A su debido tiempo haremos lo que esté en nuestras manos.

A cuatro manzanas de allí cambiaron el Oldsmobile por su Lexus. El coche contaba con el servicio de radio satélite Sirius, y, en noches alternas, por mutuo acuerdo uno de los dos elegía emisora y el otro no tenía derecho a quejarse de la elección. Como esa noche le tocaba escoger a Ángel, escucharon First Wave todo el camino de regreso a Manhattan.

Y así transcurrió el viaje a casa, en un silencio casi cordial.

Más al sur estaba a punto de fraguarse el segundo eslabón en la cadena de homicidios.

En el bar sólo había un puñado de personas cuando entró el depredador y, casi de inmediato, detectó a su presa: un hombrecillo triste y obeso con los hombros caídos, tirando a calvo, sudoroso, con un pantalón marrón que no había visto una plancha ni una tintorería durante al menos una semana, y zapatos marrones de cordones que debían de haberle costado un buen dinero en su día pero ahora ya no podía sustituir por otros nuevos. Bebía un bourbon lentamente y un ligero color ámbar apenas teñía el hielo fundido en el fondo del vaso. Por fin, con resignación, lo apuró. El camarero le preguntó si quería otro. El gordo echó una ojeada adentro de la cartera y asintió. El camarero le sirvió una generosa cantidad, pero bien podía permitirse ser generoso: procedía de la botella más barata del estante.

El depredador observó al gordo, detalle por detalle: los dedos rechonchos, la alianza incrustada en la carne de uno de ellos; los michelines en los costados; la barriga que se desbordaba por encima del cinturón de cuero barato; el sudor en la cara, la frente, la calva.

«Porque siempre estás sudando, ¿verdad? Incluso en invierno sudas. El esfuerzo de arrastrar esa mole fofa y gelatinosa es casi excesivo para tu corazón. Sudas cuando vas en camiseta y pantalón corto en verano, y, cuando nieva, sudas debajo de capas y capas de ropa. ¿Cómo es tu mujer?, me pregunto. ¿Es gorda y repugnante como tú? ¿O ha intentado mantener la línea con la esperanza de atraer a alguien mejor mientras tú estás en la carretera, aunque ese alguien no haga más que utilizarla durante una noche? (Porque sin duda ella también lo utilizará a él.) ¿Te planteas esa posibilidad cuando vas vendiendo de pueblo en pueblo, sacando apenas para vivir, riéndote siempre con más estridencia de la que deberías, pagando copas que no te puedes permitir para congraciarte con la gente, pagando la cuenta en los restaurantes elegidos por otros con la esperanza de que te caiga algún pedido? Te has pasado la vida corriendo, hombrecillo, rogando siempre para que se presente la gran oportunidad, pero nunca llega. Bien, pues tus problemas están a punto de acabar. Yo soy tu salvación.»

El depredador pidió una cerveza, pero casi no la probó. No le gustaba que se empañaran sus facultades cuando trabajaba, ni siquiera mínimamente. Se vio por un momento en un espejo que había en la pared: alto, algo canoso, esbelto bajo la cazadora de cuero y el pantalón oscuro. Tenía la tez cetrina. Le gustaba seguir el sol, pero por las exigencias de su vocación, elegida por él mismo, ese lujo no siempre era posible.

Al fin y al cabo, a veces había que matar en lugares donde no lucía el sol, y tenía facturas que pagar.

Sin embargo, sus ingresos habían disminuido en esos últimos meses. A decir verdad, estaba un tanto preocupado. No siempre había sido así. En otro tiempo gozó de una reputación considerable. Fue un Hombre de la Guadaña, y ese título tenía su peso. Ahora conservaba cierta reputación, pero no del todo buena. Pasaba por ser un hombre con determinados apetitos que sencillamente había aprendido a canalizar por medio del trabajo, pero a veces lo desbordaban. Era consciente de que se había extralimitado al menos una vez en los últimos doce meses. En teoría, aquella muerte debería haber sido rápida y sencilla, no prolongada y dolorosa. Eso había causado cierta confusión y enfurecido a quienes lo contrataron. Desde entonces no abundaba el trabajo, y sin trabajo sus apetitos necesitaban otra válvula de escape.

Seguía a la víctima desde hacía dos días. Se trataba tanto de un ejercicio como de una actividad placentera. Siempre los veía como «presas», nunca como objetivos, y jamás empleaba la palabra «potencial». Por lo que a él se refería, en cuanto ponía la mira en alguien, era hombre muerto. Podía haber elegido a otro individuo que representara un reto mayor, una presa más interesante, pero había algo en aquel gordo que le repugnaba, un hedor a tristeza y fracaso que inducía a pensar que no sería una gran pérdida para el mundo. Con sus actos, el gordo había atraído sobre sí a un depredador, del mismo modo que el animal más lento de la manada captaba la atención del guepardo.

Y así permanecieron un rato, depredador y presa compartiendo el mismo espacio, escuchando la misma música, durante casi una hora, hasta que el gordo se levantó para ir al servicio, y llegó el momento de acabar con la danza que se había iniciado hacía cuarenta y ocho horas, una danza en la que el gordo ni siquiera sabía que participaba. El depredador lo siguió a diez pasos de distancia. Dejó que la puerta del lavabo de hombres volviera a encajarse en el marco antes de entrar. Dentro sólo vio al gordo, de pie ante un urinario, el rostro contraído por el esfuerzo y el dolor.

«Problemas de vejiga. Cálculos renales, quizás. Yo pondré fin a todo eso.»

Las puertas de los dos retretes estaban abiertas cuando el depredador se acercó. Dentro no había nadie. Tenía ya la navaja en la mano y oyó un satisfactorio chasquido, el sonido de la hoja al desplegarse.

Y luego, un segundo después, volvió a oír el mismo ruido, y cayó en la cuenta de que el primer chasquido no procedía de su navaja, sino de otra. De repente se le secó la garganta y oyó el martilleo de su corazón; aun así, aceleró sus movimientos. Ahora el gordo también se movía, con su mano derecha convertida en una mancha borrosa de color rosado y plata, y de pronto el depredador sintió una opresión en el pecho seguida de un dolor lancinante que se propagó rápidamente por el cuerpo, paralizándolo conforme crecía; y cuando intentó caminar, las piernas no respondieron a las señales del cerebro. Cuando se desplomó en las baldosas frías y húmedas, la navaja se desprendió de los dedos de su mano derecha y, al mismo tiempo, con la izquierda rodeó la empuñadura de carey del arma hundida en su corazón. La sangre manaba a borbotones de la herida y empezaba a extenderse por el suelo. Vio cómo un par de zapatos marrones se apartaban con cuidado para esquivar el creciente charco.

Con la poca fuerza que le quedaba, el depredador levantó la cabeza y miró al gordo a la cara, pero éste ya no tenía el mismo aspecto que antes. Ahora la grasa era músculo, los hombros caídos se habían enderezado, y hasta el sudor había desaparecido evaporándose en el aire fresco de la noche. En él sólo había muerte y determinación, y por un instante las dos confluyeron en una única cosa.

El depredador vio unas cicatrices en el cuello del hombre y supo que había sufrido quemaduras en algún momento del pasado. Aun mientras moría allí tendido, empezó a asociar ideas, a llenar lagunas.

–Tendrías que haberte andado con más cuidado, William –dijo el gordo–. Nunca hay que confundir el trabajo con el placer.

El depredador movió los labios y dejó escapar un sonido gutural. Quizás intentaba articular palabras, pero no le salió ninguna. No obstante, el gordo supo qué quería decir.

–¿Quién soy? –preguntó–. Tú me conocías. Los años me han cambiado: la edad, los actos de los demás, el bisturí. Me llamo Ventura.

Cuando el depredador empezó a entender, alzó la vista al techo en un gesto de desesperación y arañó el suelo embaldosado en un vano esfuerzo por alcanzar su navaja. Ventura lo observó durante un momento. A continuación se agachó y retorció la hoja en el corazón del depredador antes de extraerla. Después de limpiar la hoja en la camisa del muerto, sacó una pequeña botella de cristal del bolsillo interior de la chaqueta y, acercándola a la herida en el pecho del depredador, ejerció un poco de presión para aumentar la efusión. Cuando la botella se llenó, enroscó el tapón y salió del servicio, su cuerpo alterándose mientras caminaba, convirtiéndose de nuevo en el aletargado y sudoroso portador del alma de un fracasado. Nadie, ni siquiera el camarero, lo miró al marcharse, y cuando descubrieron el cadáver del depredador y avisaron a la policía, hacía mucho tiempo que Ventura se había ido.

El último asesinato fue en un campo abierto a unos treinta kilómetros al sur del río St. Lawrence, en la región septentrional de los Adirondacks. Era una tierra a la que el fuego y la sequía, la labranza y el ferrocarril, el viento huracanado y la minería habían dado forma. Durante un tiempo el hierro aportó más ganancias que la madera, y el ferrocarril abrió una franja en el bosque, y más de una vez las chispas de las chimeneas de las locomotoras provocaron incendios que requirieron la intervención de hasta cinco mil hombres para sofocarlos.

Una de esas vías de ferrocarril, ahora abandonada, trazaba una curva a través de un bosque de abetos, arces, abedules y hayas pequeñas antes de salir a un claro, reliquia del gran huracán de 1950, que derribó gran cantidad de árboles, nunca replantados. Sólo un abeto sobrevivió al vendaval, y ahora había un hombre de rodillas a su sombra sobre la tierra húmeda. A su lado se alzaba una lápida. El hombre arrodillado había leído el nombre tallado en la piedra cuando lo llevaron allí. Se lo habían mostrado bajo el haz de una linterna antes de la paliza. A lo lejos había una casa con luz en una ventana del piso superior. Le pareció ver una silueta sentada detrás del cristal, observando mientras lo hacían trizas metódicamente con los puños.

Lo habían ido a buscar a su cabaña cerca del lago Placid. Con él se encontraba una chica. Les pidió que a ella no le hicieran daño. Atada y amordazada, la dejaron llorando en el baño. No matarla había sido un pequeño acto de misericordia, pero a él no le darían el mismo trato.

Ya no veía bien. Un ojo se le había cerrado por completo, y nunca volvería a abrirlo, no en este mundo. Tenía los labios partidos y había perdido dientes. Le habían roto costillas, no sabía cuántas. Había sido un castigo metódico pero no sádico. Buscaban información, y él, al cabo de un rato, se la había dado. En ese momento se interrumpió la paliza. Desde entonces permanecía arrodillado en la tierra blanda, y las rodillas se le hundían poco a poco en el suelo, presagiando su inminente entierro.

Desde la casa se acercó una camioneta. Siguió un camino trillado hasta la tumba y allí se detuvo. Tras abrirse las puertas traseras, oyó un ruido mecánico mientras descendían una rampa.

El hombre arrodillado volvió la cabeza. Por la rampa bajó lentamente la figura encorvada de un anciano en una silla de ruedas. Iba envuelto en mantas, como un niño marchito, y un gorro de lana rojo le protegía la cabeza del frío nocturno. Ocultaba su rostro casi por completo una mascarilla de oxígeno colocada sobre la boca y la nariz y conectada a una bombona prendida al respaldo de la silla. Sólo se le veían los ojos, castaños y lechosos. Empujaba la silla un hombre de poco más de cuarenta años, que se detuvo a un par de metros de donde esperaba el hombre arrodillado.

El viejo se quitó la mascarilla con dedos trémulos.

–¿Sabes quién soy? –preguntó.

El hombre arrodillado movió la cabeza en un gesto de asentimiento, pero el otro prosiguió como si no hubiese recibido respuesta. Señaló la lápida con un dedo.

–Mi primogénito, mi hijo –explicó–. Tú mandaste matarlo. ¿Por qué?

–¿Y qué importa? –articuló el hombre arrodillado con dificultad.

–A mí sí me importa.

–Vete al infierno. –Volvieron a sangrarle los labios por el esfuerzo–. Ya les he dicho todo lo que sé.

El viejo se llevó la mascarilla al rostro y tomó aire con un estertor antes de hablar otra vez.

–He tardado mucho en encontrarte –dijo–. Os habéis escondido bien, tú y los demás responsables. Cobardes, todos vosotros. Creíais que me perdería en el dolor, pero no fue así. Nunca lo olvidé, nunca dejé de buscar. Juré que vuestra sangre se derramaría sobre su tumba.

El hombre arrodillado desvió la mirada y escupió en el suelo delante de la lápida.

–Acaba ya –dijo–. Tu dolor me trae sin cuidado.

El viejo alzó una mano consumida. Una sombra se proyectó sobre el hombre arrodillado y le descerrajaron dos tiros en la espalda. Cayó de bruces sobre la tumba y su sangre empezó a filtrarse en la tierra. El viejo movió la cabeza, satisfecho de sí mismo.

–Ya ha empezado.

2

Willie Brew estaba en el lavabo de caballeros del bar de Nate, el Tap Joint, mirándose en el maltrecho espejo que había encima del lavamanos igual de maltrecho. Decidió que no aparentaba sesenta años. Bajo una luz adecuada, podía pasar por cincuenta y cinco. Bueno, cincuenta y seis. Por desgracia, aún no había encontrado esa luz en particular. Desde luego, no era la del lavabo de caballeros del bar de Nate, tan intensa que a uno, al mear, le daba la sensación de estar bajo interrogatorio.

Willie era calvo. A los treinta años ya había perdido casi todo el pelo. Después había experimentado con varias maneras de camuflar la calvicie: mechones cruzados sobre la calva, sombreros, e incluso una peluca. Se decidió por una peluca cara, una de esas hechas con fibras de aspecto natural. Pensó que había elegido mal el color o algo así, porque hasta los niños se reían de él, y los amigos que se dejaban caer por el taller mecánico cuando no tenían nada mejor que hacer, que era casi siempre, habían elaborado un muestrario con los diversos tonos de rojo que adquiría su cabeza bajo las distintas luces y sombras del garaje. Willie ya tenía bastantes problemas sin necesidad de convertirse en el hazmerreír de un puñado de inútiles, casi siempre en el paro, como por ejemplo cierto bicho raro de Coney Island: «Venid a ver al Tío de la Peluca: Una Maravilla de los Tiempos Modernos. Con todos los Colores del Arco Iris...». A los seis meses tiró la peluca a la basura. Ahora se conformaba con que la cabeza no le brillase demasiado en público.

Se pellizcó la piel debajo de los pómulos. Tenía profundas grietas en las comisuras de los labios y los párpados, que podrían haber pasado por arrugas de la risa si Willie Brew fuera un hombre que riese mucho, pero no lo era. Willie contó por encima dichas marcas y se maravilló de lo gracioso que debía de encontrar la gente el mundo para acabar con tal cantidad de arrugas. Había que estar loco para que el mundo te hiciera tanta gracia. Tenía capilares rotos en la nariz, vestigio de su atribulada edad mediana, y unos cuantos dientes sueltos. En algún punto a lo largo de la vida había echado también un poco de papada.

Quizá, después de todo, sí que aparentaba sesenta años.

Conservaba la vista, aunque eso sólo le servía para notar con mayor claridad los efectos del proceso de envejecimiento en él. Se preguntó si quienes estaban mal de los ojos se veían alguna vez tal como eran de verdad. Una vista deficiente equivalía a esos suaves filtros usados para fotografiar a las estrellas de cine. Uno podía tener un tercer ojo en medio de la frente y, siempre y cuando este ojo no viera mejor que los otros dos, engañarse con la idea de que se parecía a Cary Grant.

Dio un paso atrás y se examinó la tripa, sujetándosela con las manos como una madre encinta que exhibe su barriga, imagen que lo indujo a apartar las manos rápido y limpiárselas de manera instintiva en los pantalones, como si lo hubieran sorprendido en medio de un acto obsceno. Siempre había tenido tripa. Era de ésos, y no había vuelta de hoja. Daba la impresión de que su dieta empezó a componerse exclusivamente de pizza y cerveza nada más salir del útero. Y no era así. Willie en realidad comía bastante bien para ser soltero. El problema era que llevaba, como decía Arno, su ayudante, la «típica forma de vida indolente», lo que Willie interpretaba en el sentido de que él no salía a correr por ahí vestido de Spandex como un imbécil. Willie intentó representarse vestido de Spandex y decidió que había bebido más de la cuenta si andaba imaginando esa clase de cosas, a solas, en el lavabo de hombres, la noche de su cumpleaños.

Se había quitado el mono para la ocasión, una circunstancia que ya era traumática en sí misma. Willie era un hombre nacido para llevar mono. Se trataba de una prenda holgada, lo cual tenía su importancia para alguien de su edad y su cintura. Le proporcionaba unos bolsillos útiles donde guardar cosas y donde meter las manos sin dar una imagen de desidia cuando no las utilizaba. A excepción hecha del mono, toda la ropa se le antojaba ajustada, y como siempre llevaba encima demasiados cachivaches, en las demás prendas encontraba pocos sitios donde ponerlos. Esa noche le asomaban bultos en lugares donde un hombre no debía tenerlos.

Willie vestía un pantalón negro Sta-Prest, una camisa blanca que amarilleaba por el paso del tiempo, y una chaqueta gris que él quería ver como un clásico de la sastrería pero que en realidad sólo era vieja. Lucía asimismo la corbata nueva que le había regalado Arno esa mañana, acompañándola de las palabras: «Feliz cumpleaños, jefe. ¿Va a jubilarse ya y dejarme el taller?». Se trataba de una corbata cara: de seda negra, bordada con finas hebras doradas. No era como las que uno compraba en Chinatown o Little Italy a esos que vendían pañuelos y relojes de imitación en las aceras, todos envueltos en plástico y con nombres como «Guci» o «Armoni» para paletos que no sabían ver la diferencia, o que creían que nadie la veía. No, la corbata era de relativo buen gusto para ser Arno quien la había comprado. Willie sospechó que la había elegido con ayuda de alguien, pues, por lo que Willie recordaba de un funeral al que habían asistido los dos ese mismo año, Arno sólo tenía una corbata en el armario, y era granate, de poliéster, con manchas de grasa de eje.

El caso era que Willie no se sentía como un hombre de sesenta años. Había vivido mucho –Vietnam, un divorcio doloroso, ciertos problemas cardiacos hacía un par de años–, y eso desde luego lo había avejentado físicamente (esas arrugas y el poco cabello gris que le quedaba se los había ganado a pulso), pero por dentro se sentía como siempre, o al menos como antes de cumplir los treinta. Ése fue su momento de máxima plenitud. Había sobrevivido a dos años en la infantería de marina, tras los que regresó junto a una mujer que lo quería lo suficiente para casarse con él. Sí, puede que ella no fuera precisamente una *Lassie* en el sentido de compañera fiel, pero eso llegó más tarde. Durante un tiempo fueron bastante felices. Él le pidió prestado un dinero a su suegro, alquiló un local en Queens, cerca del Kissena Park, y aplicó al mantenimiento y reparación de automóviles los conocimientos de mecánica que había perfeccionado en el ejército. Resultó que aquello se le daba aún mejor de lo que pensaba, tenía tanto trabajo que siempre estaba ocupado, con lo que al cabo de unos años contrató como ayudante a un individuo menudo, un escandinavo con el pelo hirsuto y la actitud de un perro de chatarrería. Al cabo de treinta años, Arno seguía a su lado y conservaba la actitud de perro de chatarrería, aunque al igual que esos perros, ahora tenía dolor de encías y le faltaba el vigor de antaño para corretear detrás de las hembras.

Vietnam: de su época en Vietnam, Willie no regresó con cicatrices, ni físicas ni psicológicas, al menos no hasta el punto de darse cuenta. Había desembarcado en marzo de 1965, miembro de la Tercera División de infantería de marina, con la misión de establecer enclaves en torno a aeródromos de vital importancia. Willie acabó en Chu Lai, a noventa kilómetros al sur de Da Nang, donde los SeaBees construyeron una pista de aluminio de mil quinientos metros en veintitrés días entre cactus y arenas movedizas. Seguía siendo una de las mayores proezas de la ingeniería bajo presión que Willie había presenciado.

Se alistó a los diecinueve años recién cumplidos. Ni siquiera esperó a que lo llamaran a filas. Su padre, que había llegado al país en los años veinte y servido en el ejército durante la segunda guerra mundial, le dijo que estaba en deuda con su patria, y Willie no lo puso en duda. Cuando volvió a casa, los amigos de su padre rompían cabezas en Wall Street y Washington Square Park para dar una lección de patriotismo a los melenudos. Willie ni lo aprobó ni planteó objeción alguna. Él había cumplido, pero entendía que otros chicos no quisieran seguir sus pasos. Allá ellos con su conciencia; él, por su parte, la tenía muy tranquila. Algunos amigos suyos también habían servido en Vietnam, y todos habían vuelto a casa más o menos intactos. Uno había perdido un brazo por efecto de una granada escondida en una hogaza de pan, pero podría haber perdido mucho más. Otro regresó sin el pie izquierdo. Había pisado un cepo para osos, y el tobillo se le quedó atrapado entre las mordazas. Lo gracioso de esos cepos –gracioso si no tenías el pie en uno de ellos– era que para abrirlos se necesitaba una llave, y entre el material que uno llevaba en la mochila no se encontraban llaves de cepos para osos. El cepo estaba encadenado a una losa de hormigón enterrada, y por lo tanto la única manera de trasladar al soldado herido a lugar seguro era excavar todo el dispositivo, a menudo bajo fuego enemigo, y transportarlo así al campamento, donde esperaba un médico, junto con un par de hombres provistos de sierras de arco y soldadores.

Los dos habían abandonado ya este mundo. Habían muerto jóvenes. Willie asistió a sus funerales. Ellos habían abandonado este mundo, pero él seguía aquí.

Sesenta años, treinta y cuatro de ellos en el mismo oficio, la mayor parte en el mismo local. Después del servicio militar, la seguridad de su existencia se había visto amenazada sólo una vez. Fue durante el divorcio, cuando su mujer le reclamó la mitad de todos sus bienes y él tuvo que hacer frente a la posibilidad de que lo obligaran a vender su querido taller mecánico a fin de satisfacer sus exigencias. Si bien el flujo de reparaciones era constante, había poco dinero en el banco y Queens en general no era como es ahora. Por aquel entonces el barrio no se había aburguesado, no se veían coches caros, de solteros incapaces de ocuparse ellos mismos de su mantenimiento. La gente aún apuraba sus coches hasta que se les caían las ruedas, y entonces recurrían a Willie para buscar la manera de sacarle otros tres, seis o nueve meses, sólo hasta que las cosas mejorasen, hasta disponer de un poco de efectivo. En las calles caían policías abatidos a tiros, había guerras territoriales y se exigía dinero a cambio de protección, aunque hubiese que pagarlo en especie con reparaciones gratuitas o sin hacer preguntas cuando alguien necesitaba que le diera una rápida mano de pintura a un coche robado para revenderlo de inmediato. Elmhurst y Jackson Heights se convirtieron en Little Colombia, y Queens era el principal canal de entrada de cocaína en Estados Unidos, y el dinero generado se blanqueaba por mediación de agencias de viajes y cobro de cheques. En el barrio de Willie morían colombianos a diario. Él mismo había conocido a un par, incluido Pedro Méndez, que acabó con tres balazos en la cabeza, el pecho y la espalda por hacer campaña a favor de César Trujillo, el presidente contrario al tráfico de droga. Willie había reparado el coche de Pedro la semana anterior a su muerte. Por aquellas fechas era una ciudad distinta, casi irreconocible comparada con la actual.

Pero Queens siempre había sido distinto. No se parecía en nada a Brooklyn o el Bronx. Era único. Crecía sin orden ni concierto. La gente no escribía con afecto libros sobre Queens. No había allí un Pete Hamill que lo mitificara. «En algún sitio de Queens»: Willie sería rico si le hubieran dado un dólar por cada vez que había oído esa expresión. Para quienes vivían fuera del distrito, todo lo que había allí era simplemente «algún sitio de Queens». Para ellos, Queens se parecía al mar: grande e ignoto, y si se te caía algo dentro, se perdía y allí se quedaba.

Con todo, Willie había disfrutado de su vida en Queens. Hasta que un día su mujer, de pronto, intentó arrebatarle esa vida, y ni siquiera sumando los ahorros de Arno al monto total había dinero suficiente para pagarle. Encima, el dueño del local había puesto en venta el edificio, y aun si Willie conseguía satisfacer las exigencias de su media naranja, no sabía qué sería del negocio una vez vendido el local. Justo cuando le habían dado cuarenta y ocho horas para tomar una decisión, cuarenta y ocho horas para deshacerse de casi veinte años de esfuerzo y compromiso (pensaba en el taller, no en el matrimonio), un negro alto, con un traje caro y un abrigo negro largo, se presentó ante

49

la puerta del pequeño despacho donde Willie intentaba, a menudo en vano, poner en orden sus papeles, y le ofreció una salida.

El hombre llamó con delicadeza al cristal. Willie alzó la vista y le preguntó en qué podía servirle. El hombre cerró la puerta al entrar y algo se tensó en el estómago de Willie. Si bien en el ejército había sido mecánico, conocía el manejo de las armas y había tenido que usarlas en más de una ocasión; sin embargo, que él supiera, no había llegado a matar a nadie, más que nada porque no se lo habían propuesto. Básicamente se había limitado a conservar el pellejo. Él quería arreglar cosas, no romperlas, ya fueran jeeps, helicópteros o seres humanos.

Allí había otros muchos como él y, a la vez, algunos que no lo eran, la clase de hombres dispuestos a matar, llegado el caso, y capaces de hacerlo. Estaban quienes lo hacían de mala gana, o de manera pragmática, y un par eran sencillamente psicóticos, individuos a quienes les gustaba lo que hacían y se corrían de gusto con las carnicerías que causaban. Y por último había unos cuantos –podían contarse con los pulgares de las manos– que tenían un don natural, que mataban a sangre fría y sin el menor remordimiento, que obtenían satisfacción al ejercitar una destreza innata. En ellos se adivinaba algo callado y quieto, algo inaprensible, pero a menudo Willie sospechaba que eso que tenían dentro estaba hueco y contenía una vorágine de rabia que bien habían aprendido a acomodar en su interior, o bien se negaban a reconocer, como la gran carcasa protectora que alberga un reactor nuclear. Willie había intentado mantenerse a distancia de esa clase de hombres, pero en ese momento, ante aquel negro trajeado, tuvo la sensación de que, una vez más, se hallaba en presencia de uno de ellos.

Era ya de noche, y Arno acababa de irse a casa. Él habría preferido permanecer al lado de Willie, a sabiendas de que si las cosas no se resolvían, el taller cerraría al día siguiente, y no quería perderse un solo minuto de esos últimos momentos allí, pero Willie lo había despachado para poder estar a solas. Entendía la necesidad de quedarse de Arno, porque él mismo la sentía, pero aquello seguía siendo su negocio, su lugar. Esa noche dormiría allí, rodeado de las imágenes y los olores que más le importaban en el mundo. No se imaginaba la vida sin ellos. Quizá, pensó, podía encontrar un empleo en algún taller, aunque no le sería fácil trabajar para otro después de tantos años de total autonomía. A su debido tiempo, si ahorraba, tal vez consiguiera instalarse por su cuenta en otro local. El banco se había mostrado comprensivo con su complicada situación, pero al final le fue de poca ayuda. Era un hombre en medio de un divorcio conflictivo y potencialmente ruinoso, con un negocio (pronto sólo medio negocio, y eso no era un negocio en absoluto) rentable pero no lo suficiente, y un hombre así no era digno del tiempo ni del dinero de un banco.

Ahora ese visitante venía a perturbar su soledad, y a los agobios de Willie se sumaba una considerable dosis de desasosiego. Willie habría jurado que había echado la llave al marcharse Arno. O bien había cerrado mal, o ése era un individuo a quien un detalle insignificante como una puerta cerrada no iba a impedirle llevar a cabo el asunto que se traía entre manos, fuera cual fuese.

–Perdone, pero ya hemos cerrado –dijo Willie.

–Ya lo veo –contestó el hombre–. Me llamo Louis.

Tendió la mano. Willie, que nunca era más descortés de lo necesario, se la estrechó.

–Oiga, encantado de conocerlo, pero eso no cambia nada –insistió Willie–. Hemos cerrado. Le diría que volviese otro día, pero con lo que tengo en el taller ya no doy abasto, y ni siquiera estoy muy seguro de seguir aquí mañana cuando se haya puesto el sol.

–Me hago cargo –dijo Louis–. Ya he oído que tenía usted problemas. Yo puedo ayudarle a resolverlos.

Willie se enfureció. Creyó saber qué vendría a continuación. A lo largo de su vida había visto a usureros presuntuosos más que suficientes para cometer el error de ponerse en sus garras. Su mujer estaba a punto de quitarle la mitad de lo que tenía. Aquel fulano pretendía despojarlo de lo que le quedara.

–No sé qué habrá oído –repuso Willie–, y me importa un carajo. Yo mismo puedo ocuparme de mis problemas. Y ahora, si es tan amable, tengo cosas que hacer.

Deseó darle la espalda a aquel hombre en señal de despedida, pero tuvo la sensación, a pesar de su bravata, de que si algo había peor que plantarle cara, era darle la espalda. Uno no le daba la espalda a un hombre como aquél, y no sólo porque podía acabar con un cuchillo clavado. Ese individuo destilaba cierta dignidad, cierta quietud. Si era un usurero, no era un usurero corriente. Quizá Willie había discrepado en ocasiones con algunos de sus clientes (e incluso con Arno) sobre el grado de descortesía que convenía desplegar en el transcurso de la actividad diaria, pero no estaba dispuesto a contrariar a aquel hombre, por poco que pudiera evitarlo. Sortearía la situación con buenos modales. No era fácil, pero Willie saldría del paso.

–Va usted a perder este taller –dijo Louis–. No quiero que eso ocurra.

Willie dejó escapar un suspiro. Por lo visto, la conversación no había terminado.

–¿Y eso a usted qué más le da? –preguntó Willie.

–Considéreme un buen samaritano. Me preocupa este barrio.

–Pues preséntese a la alcaldía. Le votaré.

El hombre sonrió.

–Prefiero pasar inadvertido.

Willie le sostuvo la mirada.

–De eso no me cabe duda.

–Invertiré en su negocio. Le daré exactamente el cincuenta por ciento de lo que vale. A cambio, usted me pagará un dólar al año en concepto de intereses hasta saldar el préstamo.

Willie se quedó boquiabierto. O bien aquel tipo era el peor usurero del sector, o el trato escondía una trampa con unas mordazas capaces de partir a Willie por la mitad.

–Un dólar al año –repitió en cuanto pudo cerrar la boca.

–Estoy ofreciéndole un acuerdo draconiano, lo sé. Le propongo lo siguiente: dejaré que lo consulte con la almohada. Me consta que su mujer le ha dado cuarenta y ocho horas para tomar una decisión, y ya ha pasado la mitad de ese tiempo. Seguro que yo no soy tan razonable como ella.

–Hasta la fecha nadie había llamado «razonable» a mi media naranja –comentó Willie.

–Parece que esa mujer es una persona muy especial –dijo Louis. Mantenía una expresión deliberadamente neutra.

–Lo era –respondió Willie–. Ahora ya no lo es tanto.

Louis le dio una tarjeta a Willie. Contenía un número de teléfono y la imagen de una serpiente aplastada por el pie de un ángel alado, pero nada más.

–No hay ningún nombre en la tarjeta –observó Willie.

–No, no lo hay.

–No veo de qué sirve tener una tarjeta de visita sin el nombre del negocio. Así debe de resultar difícil ganarse la vida.

–Da esa impresión, ¿verdad?

–¿A qué se dedica? ¿A matar serpientes?

Y Willie, consciente de que la lengua le había ganado la carrera, se arrepintió en el acto de lo que había dicho y masculló para sí un mudo «Maldita sea».

–Algo parecido. Lo mío es el control de plagas.

–Ya, el control de plagas...

El hombre le tendió otra vez la mano, ahora para despedirse. Medio aturdido, Willie se la estrechó.

–¿Louis? –dijo Willie–. Así, sin más, ¿sólo Louis?

–Sólo Louis –repitió el hombre–. Ah, por cierto, a partir de hoy soy su nuevo casero.

Y así empezó.

Willie se mojó la cara. Oyó risas fuera y una voz, casi con toda seguridad la de Arno, que expresaba su opinión sobre los Mets, una valoración en extremo negativa que parecía componerse sólo de la palabra «Mets» acompañada de una serie aparentemente infinita de variaciones del término que Arno, hombre que se enorgullecía de su sofisticación cuando no iba por el cuarto vodka doble, se complacía en llamar «el copulativo». Arno tenía gracia para esas cosas. Pese a su aspecto de rata envejecida, sabía más palabras que el diccionario Webster. Willie sólo había estado en el apartamento de Arno una vez, y casi se le fracturó el cráneo al caerle en la cabeza una pila de novelas. Daba la impresión de que periódicos, libros y alguna que otra pieza de automóvil ocupaban todo el espacio disponible. En las raras ocasiones en que Arno llegaba tarde al trabajo, Willie se atormentaba imaginándolo inconsciente bajo un montón de enciclopedias de los años cincuenta, o ahumándose como un pescado bajo capas y capas de papel de prensa en llamas. Bueno, quizás «atormentarse» era mucho decir. «Inquietarse un poco» habría sido una descripción más precisa.

En el ángulo inferior derecho del espejo alguien había escrito con carmín: «Jake es un puto». Willie esperaba que la responsable fuese una mujer, aunque la homosexualidad no le molestaba ya tanto. Ama y deja amar, ése era su lema. En todo caso, aquel caballero negro que había salvado su negocio (y aceptémoslo, su vida, ya que el alcohol siempre había sido su punto débil y en la época en que el divorcio llegaba a su inmundo cenit, se metía entre pecho y espalda una botella de Four Roses al día, y el Four Roses, se mire por donde se mire, no es lo que se dice suave) tenía un compañero llamado Ángel, y si bien no se oían aún campanas nupciales ni había aparecido un anuncio en la edición dominical del *New York Times,* casi eran la pareja mejor avenida que Willie había conocido. «La pareja que mata unida permanece unida», como había dicho Arno una vez, y Willie instintivamente había mirado por encima del hombro en el silencio del garaje, medio esperando que de pronto se cerniese sobre él una figura negra, disgustada, y a su lado otra, más pequeña, no menos descontenta. No era que le diesen miedo, o no mucho –había dejado atrás ese sentimiento hacía tiempo, o eso le gustaba creer–, pero detestaba pensar que podían sentirse dolidos. Así se lo había hecho saber a Arno, y éste se había disculpado y a partir de ese momento había evitado esa clase de comentarios. Con todo, Willie se preguntaba a veces si Arno iría muy desencaminado, visto lo visto.

La puerta del lavabo de hombres se abrió. Arno se asomó por el resquicio.

–¿Qué coño haces? –preguntó.

–Me lavo las manos.

–Pues date prisa. Aquí fuera te espera una fiesta. –Arno se calló al ver las palabras escritas en el espejo–. ¿Quién es Jake? –preguntó–. Eh, ¿has escrito tú eso?

Se agachó justo a tiempo de esquivar el impacto de una toallita de papel arrugada, y a continuación Willie Brew, sesentón y socio de dos de los hombres más letales de la ciudad, fue a reunirse con los asistentes a su fiesta de cumpleaños.

3

En el bar de Nate, la luz era tenue. Siempre lo era. Incluso en verano los ásperos rayos del sol parecían fundirse en los cristales de las ventanas y rezumar luego al otro lado como miel, disipada su energía como si los haces, al igual que los parroquianos, hubiesen absorbido más alcohol de la cuenta en la transición del exterior al interior, demasiado alcohol para ser realmente útiles el resto del día. Aparte de una franja de dos palmos cuadrados junto a la puerta de entrada, ningún rincón del bar había conocido la luz natural sin filtro alguno durante más de medio siglo.

Aun sí, el bar de Nate no era un local lúgubre. La barra estaba adornada todo el año con bombillas blancas, y cada mesa tenía una vela dentro de un farolillo colocado sobre un cuenco de hierro. Los cuencos estaban sujetos a la superficie de madera de las mesas con tornillos de más de dos centímetros (Nate no era tonto), pero las velas permanecían bajo una meticulosa supervisión y, tan pronto como la llama empezaba a vacilar, eran sustituidas por las camareras o, en las noches tranquilas, por el propio Nate, un hombre de más de sesenta años, baja estatura y orejas grandes. Según contaban, cuando estaba en la marina le arrancó la nariz de un mordisco a un hombre durante una reyerta en un bar de Baja. Nadie le había preguntado si era verdad, porque él hablaba gustosamente con cualquiera sobre las clasificaciones deportivas, los idiotas que gobernaban tanto la ciudad de Nueva York como el país al que pertenecía la ciudad, y el bienestar general de amigos y familiares, pero en cuanto alguien pretendía tomarse confianzas, Nate se marchaba a lavar vasos, comprobar los surtidores de cerveza o reemplazar las velas, y el insensato cliente que, sin querer, lo había ofendido se quedaba esperando a que le rellenara la copa, arrepentido de su desfachatez. El bar de Nate no era esa clase de local, como Nate se complacía en señalar, aunque nadie había conseguido sonsacarle qué clase de local era exactamente el suyo. A Nate le gustaba tal como era, y también a quienes lo frecuentaban.

El bar, como el propio Nate, era una reliquia de otros tiempos, cuando en esa parte de Queens predominaban los irlandeses, antes de llegar los indios y los afganos y los mexicanos y los colombianos para repartírsela y establecer sus propios enclaves. Nate no era irlandés, y tampoco lo era el bar: no estaba dispuesto a cambiar sus bombillas blancas por otras verdes ni a dibujar tréboles en la espuma de la cerveza de sus clientes ni siquiera el día de San Patricio. No, el ambiente tenía más que ver con cierto estado de ánimo, con una actitud determinada. Rodeado de olores foráneos y acentos extranjeros, en una ciudad en continuo cambio, el bar de Nate representaba solidez. Era un bar del viejo mundo. Uno iba allí a beber, y a degustar platos buenos y sencillos que no estaban sujetos a los caprichos dietéticos ni a la preocupación por el colesterol. Allí uno se comportaba. Si usaba un vocabulario obsceno bajaba la voz, sobre todo si había mujeres delante. Pagaba la cuenta al final de la noche, y daba la propina adecuada. Las sillas eran cómodas; los servicios, aparte de alguna que otra pintada, estaban limpios, y Nate nunca cargaba demasiado las copas ni se quedaba corto. Preparaba buenos cócteles, pero no los servía en chupitos. «Si quieres un chupito, vete a otro sitio», como dijo una vez a ciertos universitarios que habían cometido el error de pedir toda una bandeja de chupitos de amaretto con cerveza. De hecho, como explicó Nate después de echarlos, su primer error había sido, ya de entrada, ir a aquel bar. A Nate no le gustaban los universitarios, lo que no quería decir que no se sintiese orgulloso de los chicos del barrio que se habían abierto paso en la vida gracias a una formación superior. Conocía a sus padres, y a sus abuelos. No eran «universitarios». Eran sus chicos, y siempre serían bien recibidos en el bar, aunque por nada del mundo les serviría un chupito, ni aun cuando con eso les curara el cáncer. Un hombre debía tener sus principios.

El bar no disponía de ningún salón privado, pero al fondo había cuatro mesas aisladas por una mampara de madera decorada con tres placas de cristal esmerilado. Y era allí donde se celebraba la fiesta por el sexagésimo aniversario de Willie Brew. De hecho, la concurrencia se había desperdigado un poco conforme avanzaba la noche. Quedaba un ruidoso núcleo de seis o siete hombres sentados en torno a Arno, y había una segunda mesa con otros cuatro o cinco, más silenciosos, apaciguados a fuerza de Jameson y por el buen carácter general de los allí reunidos. Una tercera mesa la ocupaban diversas esposas y novias, cuya presencia Willie inicialmente no había visto con muy buenos ojos. Willie preveía una velada sólo para hombres, pero supuso que, dadas las circunstancias, bien podía ser tolerante, siempre y cuando las del sexo contrario se mantuvieran al margen, dentro de lo razonable. En realidad, muy en el fondo, le halagaba que ellas hubiesen ido. Willie era huraño, y no podía decirse que fuese un guaperas ni mucho menos. Desde que su esposa lo dejó, las únicas hembras con las que había disfrutado de un verdadero contacto físico eran metálicas y tenían faros donde debían haber estado las tetas, y ya casi se había olvidado de lo agradable que era que una mujer te abrazara y te llenara de perfume y besos. Se había ruborizado hasta los tobillos cuando unas cuantas féminas, lo que podría calificarse de «mujeres de cierta edad», le habían recordado, individualmente o de dos en dos, los encantos del bello sexo arrimando con firmeza dichos encantos a su cuerpo. Había ido al servicio de caballeros, entre otras razones, para limpiarse de las mejillas y la boca las manchas de carmín a fin de no parecer, como Arno había dicho, un Cupido obeso en un anuncio del día de San Valentín para pobres.

Ahora, de pie junto a la puerta del lavabo, observó los diversos rostros como si no los hubiera visto antes. Lo primero que le llamó la atención fue que conocía a mucha gente con antecedentes penales. Allí estaba Groucho, experto en arrancar motores haciendo el puente, que habría sido un buen mecánico si se hubiese podido confiar en que no robaría y vendería los vehículos que teóricamente debía reparar. A su lado estaba Tommy Q, el hombre más indiscreto que Willie había conocido, un individuo nacido aparentemente sin filtro entre la boca y el cerebro. Tommy Q, proveedor de películas, música y software ilegales, era un pirata de tal envergadura que debería haber lucido un parche en el ojo y un loro en el hombro. Una vez, en un arrebato de locura, Willie compró a Tommy una copia de una película, cuya banda sonora consistía casi por completo en los sonidos de alguien que masticaba palomitas y de una pareja haciendo el amor, o lo más parecido a eso que podía hacerse en un cine abarrotado. De hecho, pensó Willie, no se diferenciaba mucho de la experiencia real de ver una película en Nueva York un viernes por la noche, que era una de las razones por las que no iba al cine. El obsequio que le hacía por su cumpleaños Tommy Q a Willie se hallaba torpemente envuelto en lo alto de la pila de regalos, colocada en un rincón. Ofrecía todo el aspecto, sospechó Willie, de una colección de DVDs pirateados.

Por otra parte estaban quienes deberían haber asistido a la fiesta pero, por muy diversos motivos, no habían ido. Ed el Ataúd cumplía de dos a cinco años de condena en Snake River, Oregon, por profanar un cadáver. Willie no conocía exactamente los términos de la acusación y, para ser sinceros, prefería ignorarlos. No era propio de Willie juzgar las proclividades sexuales del prójimo, ni le inquietaba en lo más mínimo el hecho de encontrar a dos personas desnudas en una situación de intimidad. Pero cuando una de esas dos personas desnudas no gozaba precisamente de plena salud, la cosa se complicaba un poco. Willie siempre había pensado que Ed el Ataúd tenía algo de repulsivo. Uno no acababa de sentirse cómodo en presencia de un hombre que había intentado ganarse la vida robando cadáveres y pidiendo rescate por ellos. Pero Willie había dado por sentado que Ed el Ataúd, hasta que le pagaban el rescate, guardaba los cadáveres en algún congelador, no en su cama.

Otro ausente, Jay, el mejor experto en sistemas de transmisión que Willie había conocido, y que antes trabajaba a tiempo parcial para él, había muerto hacía cinco años. Se lo había llevado un infarto mientras dormía, lo que en opinión de Willie no era mala manera de dejar este mundo. Aun así, echaba de menos a Jay. El viejo era un dechado de honradez y sentido común, cualidades de las que lamentablemente carecían algunos de los individuos reunidos en el bar de Nate esa noche. ¿El viejo? Willie cabeceó con tristeza. Era curioso: Jay siempre le había parecido viejo, y sin embargo a él ahora le faltaban sólo cinco años para tener la edad de Jay en el momento de su muerte.

Siguió recorriendo a los presentes con la mirada: la posó por un momento en las mujeres (algunas de las cuales, tuvo que admitir, le parecieron bastante atractivas después de que, gracias a la cerveza, les viera los contornos un tanto suavizados); saltó luego a Nate, en la barra, que preparaba de mala gana un complicado cóctel para un par de tipos con traje; observó de pasada los rostros de los desconocidos, hombres y mujeres envueltos en la reconfortante penumbra, sus rasgos resplandecientes a la luz de las velas. Allí de pie, medio oculto entre las sombras, Willie se sintió brevemente aislado de todo lo que ocurría, un fantasma en su propio banquete, y descubrió que le gustaba la sensación.

Habían dispuesto un pequeño aparador para el bufé, pero ya sólo quedaban los restos dispersos del pollo frito y el buey estofado con chili, junto con un pastel de cumpleaños medio demolido. En un rincón a la derecha del aparador, sentados aparte, había tres hombres. Uno de ellos era Louis, más canoso por entonces que el día que se conocieron, y un poco menos intimidatorio, pero eso era sólo consecuencia del tiempo transcurrido desde que Willie lo conocía. De hecho, en otras circunstancias, Louis aún podía intimidar mucho.

Sentado a la derecha de Louis estaba Ángel, casi treinta centímetros más bajo que su compañero. Se había engalanado para esa noche, lo cual implicaba sólo que se lo veía un poco menos desastrado de lo habitual. Hasta se había afeitado. Eso le daba un aspecto más juvenil. Willie Brew conocía alguna que otra cosa del pasado de Ángel, y sospechaba muchas más. Sabía juzgar a la gente mejor de lo que muchos creían. Willie se había encontrado una vez con un antiguo conocido del padre de Ángel y, por lo que le contó dicho individuo, aquel hombre, el padre, era el mayor hijo de puta que había pisado la faz de la tierra. Había aludido misteriosamente a abusos sexuales, al alquiler del niño por dinero, por alcohol y a veces sólo por diversión. Willie se lo había callado, pero eso explicaba en parte el sólido lazo entre Ángel y Louis. Aunque no sabía nada de la infancia de Louis, intuía que los dos habían sufrido mucho de niños, y cada uno había encontrado un eco de sí mismo en el otro.

Pero era el tercer hombre quien de verdad inquietaba a Willie. Ángel y Louis, socios capitalistas suyos en el negocio del taller mecánico, eran, en cierto modo, menos enigmáticos que su compañero. A Willie no le daban la sensación de que, en su presencia, el mundo corriera el riesgo de desbaratarse, de que existiera algo incognoscible, incluso ajeno a todo. En cambio, ése era el efecto que la otra persona causaba en él. El tercer hombre le inspiraba respeto, incluso simpatía, pero había algo en él..., ¿cómo había dicho Arno?..., algo «etéreo». Willie se había visto obligado a consultar la palabra en el diccionario. No era del todo eso, pero se aproximaba. «Ultraterreno», quizá. Siempre que Willie pasaba un rato con él acudían a su memoria iglesias e incienso, homilías erizadas de amenazas de fuego eterno y condenación, recuerdos de su infancia de monaguillo. Parecía absurdo, pero así era. En ese hombre se advertía una insinuación de la noche. A Willie le recordaba en ciertos aspectos a algunos de los hombres que conoció en Vietnam, aquellos que habían sobrevivido a la experiencia alterados en lo más hondo de su ser por lo que habían visto y hecho, de modo que incluso en la conversación más trivial transmitían la sensación de que una parte de ellos estaba lejos de lo que sucedía alrededor, residía en otro lugar donde siempre reinaba la oscuridad y borrosas siluetas cuchicheaban en las sombras.

También era peligroso ese hombre, tan letal como sus dos acompañantes, aunque la letalidad de éstos formaba parte de su naturaleza, y ambos se habían adaptado a ella, en tanto que el tercero luchaba contra la suya. Había sido policía, pero su mujer y su hija murieron asesinadas, asesinadas de la peor manera posible. Luego él encontró al culpable, lo encontró y acabó con él. Después acabó también con otros, hombres y mujeres abyectos y perversos, a juzgar por lo que Willie sabía, y Ángel y Louis lo ayudaron. Con ello, todos sufrieron. Hubo dolor, heridas, tormento. Louis tenía una lesión en la mano izquierda, los huesos aplastados por un balazo. Ángel pasó meses en el hospital soportando injertos en la espalda, y se le fue parte de la vida en aquella experiencia. Moriría antes de tiempo a causa de ello, a Willie no le cabía la menor duda. El tercero había perdido la licencia de detective privado hacía no mucho y aún no había arreglado las cosas con su novia, ni las arreglaría nunca probablemente, por lo que no veía a su hija con la frecuencia que habría deseado. Por lo último que Willie había sabido, trabajaba de camarero en un bar de Portland. No seguiría así mucho tiempo, no un hombre como él. Tenía un imán para los problemas, y quienes acudían a él en busca de ayuda llegaban seguidos de dragones.

En su compañía, Willie lo llamaba Charlie, y Arno lo llamaba señor Parker. En otro tiempo la gente lo llamaba Bird, pero ése fue un apodo de su época en el cuerpo de policía, y Ángel le había dicho a Willie que no le gustaba. Sin embargo, cuando él no estaba presente, Willie y Arno siempre se referían a él como «el Detective». Nunca lo habían planteado de modo explícito, nunca se habían puesto de acuerdo en que debían llamarlo así. Simplemente, con el tiempo, surgió de manera natural. Así era como Willie pensaba siempre en él como el Detective, con «d» mayúscula. El término tenía el tono justo de respeto. De respeto, y quizás un poco de temor.

El Detective no ofrecía un aspecto muy amenazador, no a primera vista. En eso se diferenciaba de Louis, que incluso rodeado de hadas danzarinas y pajaritos le habría parecido amenazador a cualquiera. El Detective era sólo un poco más alto que la media, en torno al metro setenta y cinco, quizá. Tenía el pelo oscuro, casi negro, asomando ya el gris en las sienes. Presentaba cicatrices en el mentón y junto al ojo derecho. Aparentaba una complexión media, pero debajo escondía una buena musculatura. En sus ojos azules, con las pupilas siempre pequeñas y oscuras, se advertía un matiz verde según como les diera la luz. Incluso cuando se lo veía relajado, como ahora en la fiesta de Willie, parte de él permanecía reservada y oculta, tan reconcentrada que ni siquiera sus ojos permitían el paso de la luz. Eran unos ojos, pensó Willie, que inducían a los demás a desviar la mirada. Al mirar a ciertas personas a los ojos, uno sonreía instintivamente, porque lo que había en su corazón –si de verdad, como decían, los ojos eran el espejo del alma– era en esencia bueno, y eso se transmitía de algún modo a quienes conocían a aquellas personas. El Detective no era así. No es que no fuese un buen hombre: Willie había oído lo suficiente sobre él para saber que era de los que no daban la espalda al dolor ajeno, de los que no podían taparse los oídos con una almohada para ahogar los gritos de los desconocidos. Las cicatrices de su cara eran insignias de valor, y Willie sabía que tenía otras escondidas bajo la ropa, y aun en lugares debajo de la piel y en lo más hondo del alma. No, era más bien que en él la bondad coexistía con la rabia y el dolor y la pérdida. El Detective luchaba contra la corrupción de esa bondad a manos de elementos más oscuros, pero no siempre vencía, y a sus ojos asomaba el testimonio de esa lucha.

–Eh. –Era Arno–. ¿Y a ti qué demonios te pasa esta noche? Se diría que acabas de recibir una llamada de Hacienda.

Willie se encogió de hombros.

–Supongo que es por llegar a una edad con un cero al final. Es un toque de atención.

–¿De atención? ¿A partir de ahora serás más atento? ¿Me prepararás café por las mañanas y me preguntarás cómo he dormido?

Willie le dio un puñetazo en el brazo.

–No, pedazo de adoquín. Cuando digo «toque de atención», me refiero a la necesidad de empezar a pensar en ciertas cosas, a recordar.

–Pues déjalo ya. Hasta la fecha no te ha servido de nada, y ya eres demasiado viejo para que ahora de pronto se te dé bien.

–Sí, supongo que tienes razón.

Le plantaron una cerveza en la mano, una rubia Brooklyn. Había empezado a beber esa marca recientemente. Le gustaba la idea de que hubiese otra vez una pequeña cervecera independiente en Williamsburg, y se sentía obligado a darle apoyo. Contribuía, además, el hecho de que sabía bien, y por tanto Willie no tenía que hacer grandes concesiones.

Echó una última mirada a los tres hombres del rincón. Ángel se la devolvió y levantó el vaso en un gesto de saludo. A su lado, Louis lo imitó, y Willie alzó la botella en reconocimiento. Lo invadió una sensación de calidez y gratitud tan intensa que se le encendieron las mejillas y se le empañaron los ojos. Sabía lo que habían hecho esos hombres en el pasado, y lo que aún eran capaces de hacer. Sin embargo, algo había cambiado en la vida de esos dos. Quizá fuera por influencia del tercero, pero ahora eran, a su modo, los «buenos». Intentó recordar algo que le habían dicho sobre ellos en una ocasión, algo sobre los ángeles.

Ah, sí. Que estaban del lado de los ángeles, aun cuando los ángeles no tuvieran muy claro si eso era para bien o para mal.

Y entonces recordó quién lo había dicho: fue el tercer hombre, Parker. El Detective. Como en respuesta a una señal, el Detective volvió la cabeza, y Willie se sintió atrapado en su mirada. El Detective sonrió, y Willie le devolvió la sonrisa. Ni siquiera al sonreír pudo sacudirse del todo la sensación de que el Detective le había leído el pensamiento.

Willie se estremeció. Había mentido a Arno al decirle que su comportamiento anómalo se debía al cumpleaños. Eso sólo era una parte, no todo. No, durante los últimos dos días Willie tenía la impresión de que algo andaba mal, algo que era incapaz de precisar. El día anterior había visto un Chevrolet Malibú aparcado en la calle frente al taller, con dos hombres en los asientos delanteros, y le pareció que lo vigilaban, porque en cuanto empezó a fijarse en ellos se marcharon. Más tarde le restó importancia, diciéndose que eran paranoias suyas, pero tenía la certeza de haber visto de nuevo el coche ese mismo día, aparcado en esta ocasión calle abajo, con los dos mismos hombres en los asientos delanteros. Pensó en comentárselo a Louis, pero desechó la idea. No era el momento ni el lugar. Quizá simplemente se sentía raro porque acababa de entrar en la séptima década de la vida. Así y todo, no podía dejar de pensar que algo se había torcido ligeramente. Era como cuando su mujer presentó la demanda de divorcio, e iban a quitarle el taller, ese presentimiento de que una grieta había aparecido en su existencia, de que su mundo estaba a punto de verse transformado por algo exterior, algo hostil y peligroso.

Y Willie no podía hacer nada para impedirlo.

4

Era la una de la madrugada pasada. La mayoría de los invitados se habían ido, y del grupo principal sólo quedaban Arno, Willie y un hombre a quien apodaban «el Feliz Saúl». De niño, el Feliz Saúl sufrió una lesión en un nervio de la cara y debido a ello se le quedó la boca contraída en una mueca permanente. En los funerales nadie se sentaba al lado del Feliz Saúl. Causaba mala impresión. Contra lo habitual –ya que a menudo individuos con apodos como «Feliz» o «Sonrisas» tendían a ser seriamente depresivos e iracundos, de esos que siempre que veían un campanario se imaginaban a sí mismos en lo alto eliminando a transeúntes con un rifle–, el Feliz Saúl era un hombre ufano y una grata compañía. En ese preciso momento contaba a Willie y Arno un chiste tan inconcebiblemente verde que Willie supo a ciencia cierta que iría de cabeza al infierno sólo por oírlo.

En el rincón estaban Ángel y Louis solos. El Detective se había marchado. Ya apenas bebía, y a la mañana siguiente tenía que volver temprano a Maine. Pero antes de que se fuera, Willie abrió su regalo: era un albarán por la entrega de unas viejas cajas de embalaje, firmado por el mismísimo Henry Ford, enmarcado junto con una fotografía del gran hombre encima.

–He pensado que podías colgarlo en el taller –dijo el Detective mientras Willie contemplaba la foto y reseguía la firma con el dedo.

–Eso haré –contestó Willie–. Le concederé un lugar preferente en el despacho. Sin nada alrededor. Nada. –Se sintió conmovido y un poco culpable. Sus anteriores reflexiones sobre el Detective se le antojaron de pronto poco generosas. Aun si eran ciertas, en él había algo más que sus demonios. Le estrechó la mano–. Gracias. Por esto, y por venir esta noche.

–No me lo habría perdido por nada. Hasta la vista, Willie.

–Sí, hasta la próxima.

Willie había regresado junto a Arno y el Feliz Saúl.

–Un buen regalo –comentó Arno, sosteniendo el marco entre las manos.

–Sí –convino Willie. Observó al Detective mientras se despedía de Nate y se adentraba en la noche. Aunque Willie llevaba encima media copa de más como mínimo, tenía una expresión en la cara que Arno nunca había visto, y le preocupó–. Sí, lo es...

Los dos hombres estaban sentados muy juntos, pero no demasiado. Louis tenía el brazo apoyado de forma despreocupada en el respaldo de la silla por detrás de su compañero. A Nate le traía sin cuidado su relación, como también a Arno, y a Willie, e incluso al Feliz Saúl, aunque si el Feliz Saúl veía algún inconveniente, no habría habido forma de saberlo sin preguntárselo. Pero no todo el mundo en el bar de Nate era de mentalidad tan liberal, y si bien Ángel y Louis habrían plantado cara con mucho gusto, y luego vapuleado discretamente, a todo aquel que osase cuestionar su sexualidad o cualquier demostración de afecto mutuo que les viniese en gana, preferían no llamar la atención y evitar tales enfrentamientos, en parte por no ocasionar problemas a Nate, y en parte porque otros aspectos de sus vidas les exigían pasar inadvertidos en la medida en que eso era posible para un negro alto, de indumentaria impecable, capaz de hacer sudar a un iceberg en un día frío, y un hombrecillo tan desharrapado que uno, al verlo pasearse por la calle, pensaba que los barrenderos se habían dejado parte de la basura.

Ya estaban en el coñac, y Nate había sacado sus mejores copas para la ocasión. Eran de tal tamaño que podrían haber alojado peces de colores. Sonaba música de fondo: *Sinatra-Basie,* año 62, y Frank cantaba sobre el amor, que es una trampa tierna. Nate, contento, tarareaba mientras sacaba brillo a la barra. Cualquier otro día, a esa hora ya habría empezado a cerrar, pero en ese momento no daba la impresión de tener prisa por echar a la gente. Era una de esas noches en que parecía que los relojes se habían detenido y allí dentro todos se hallaban aislados de los problemas y exigencias del mundo. Para Nate, era un placer dejarlos quedarse así un rato más. Era el obsequio que les hacía.

–Parece que Willie se lo ha pasado bien –comentó Louis.

Willie se balanceaba ligeramente en su silla y tenía en los ojos la expresión de aturdimiento de quien acaba de recibir un sartenazo en la cabeza.

–Sí –coincidió Ángel–. Creo que alguna de esas mujeres quería darle su propio regalo especial. Tiene suerte de seguir vestido.

–Eso es una suerte para todos.

–No diré que no. Esta noche se le ve..., no sé..., un poco raro, ¿no crees?

–Es por la ocasión. Uno se pone filosófico. Tiende a reflexionar sobre su mortalidad.

–Vaya un pensamiento alegre. A lo mejor deberíamos abrir un negocio de tarjetas de felicitación, y poner esa frase: feliz día de la mortalidad.

–Tú también has estado bastante callado esta noche.

–Te quejas cuando hablo demasiado.

–Sólo cuando no tienes nada que decir.

–Yo siempre tengo algo que decir.

–He ahí el problema. Existe un término medio. Quizá Willie debería instalarte un filtro. –Acarició la nuca de su compañero con delicadeza–. ¿Vas a decirme qué te pasa?

Aunque nadie los oía, Ángel echó una ojeada alrededor con naturalidad antes de hablar. Nunca estaba de más ser precavido.

–Me he enterado de algo. ¿Te acuerdas de William Wilson, más conocido como Billy Boy?

Louis asintió con la cabeza.

–Sí, sé quién es.

–Era.

Louis guardó silencio por un momento.

–¿Qué le ha pasado?

–Murió en un lavabo de hombres en Sweetwater, Texas.

–¿De muerte natural?

–Fallo cardiaco. Provocado por una navaja que tenía clavada en el corazón.

–Me extraña. Era bueno en lo suyo. Era una mala bestia, y un bicho raro, pero hacía bien su trabajo. No cualquiera podía acercarse a él tanto como para cargárselo con una navaja.

–Corren rumores de que se había extralimitado, de que había añadido florituras a encargos sencillos.

–Eso también lo he oído yo. –Billy Boy siempre había tenido algo de retorcido. Louis se dio cuenta desde el primer momento, razón por la que decidió no trabajar con él en cuanto estuvo en posición de elegir–. Le gustaba infligir dolor.

—Según parece, alguien decidió que ya había infligido más dolor de la cuenta.

—A lo mejor fue una de esas situaciones: un bar, alcohol, alguien saca una navaja, lo ayudan sus amigos —comentó Louis, pero no parecía muy convencido. Sólo pensaba en voz alta, descartando posibilidades a medida que las lanzaba al aire, como canarios en la mina de carbón de su cabeza.

—Es posible, pero el local estaba casi vacío cuando ocurrió, y hablamos de Billy Boy. Recuerdo lo que me contaste de él, de los viejos tiempos. Quienquiera que se lo haya cargado debe de ser mucho más que bueno en lo suyo.

—Billy empezaba a hacerse viejo.

—Era más joven que tú.

—No mucho, y yo soy consciente de que me hago viejo.

—Yo también lo soy.

—¿De que te haces viejo?

—No, de que tú te haces viejo.

Louis entornó los ojos por un instante.

—¿Te he dicho alguna vez lo gracioso que eres?

—Pues ahora que lo dices, no.

—Eso es porque no lo eres. Al menos ahora ya sabes por qué no te lo he dicho. ¿La hoja penetró por el pecho o por la espalda?

—Por el pecho.

—¿No habrá sido un encargo?

—En ese caso, alguien se habría enterado.

—Puede que alguien lo supiera. ¿Tú de dónde has sacado la noticia?

—Lo he visto por Internet. He hecho un par de llamadas.

Louis le dio la vuelta a la copa entre las manos, calentando el coñac y aspirando los aromas que emanaba. Estaba molesto. Tenían que haberle informado acerca de lo·de Billy Boy, aunque sólo fuese por cortesía. Así era como se hacían las cosas. Había demasiadas víctimas en su pasado como para permitirse el lujo de no estar al corriente de un hecho como ése.

—¿Sigues el rastro a toda la gente con la que trabajé? —preguntó.

—No a jornada completa. Ya no quedan muchos.

—Ahora, muerto Billy Boy, ya no queda ninguno.

—Eso no es verdad.

Louis reflexionó por un momento.

–No, supongo que no.

–Lo que me lleva a lo siguiente –anunció Ángel.

–Adelante.

–La policía interrogó a todos los que estaban en el bar cuando lo encontraron. Sólo se había marchado una persona: un gordito con un traje barato, que se sentó a la barra y bebió whisky de garrafa, con pinta de no tener dinero ni para cambiarse de calzoncillos más de una vez cada dos días.

Louis tomó un sorbo de coñac y, antes de tragarlo, lo dejó reposar en la boca para que le calentara la garganta.

–¿Algo más?

–El camarero creyó que aquel gordo tenía una cicatriz justo por encima del cuello de la camisa, como si se hubiera quemado. También le pareció ver otra en la muñeca derecha.

–Hay muchas personas con quemaduras. –Louis empleó un tono extraño. Casi habría podido calificarse de desapasionado, a no ser porque daba la impresión de que detrás se ocultaba un sentimiento muy profundo.

–Pero no todas van y se cargan a alguien como Billy Boy con una navaja. ¿Crees que es él?

–Un cuchillo... –dijo Louis pensativamente–. ¿Lo encontraron clavado en el cadáver?

–No. Se lo llevó al irse.

–Él no se desprendería así como así de una buena navaja. Era un francotirador, pero siempre prefirió rematar de cerca.

–Suponiendo que sea él.

–Suponiendo que sea él –repitió Louis.

–Ha pasado mucho tiempo, suponiendo que lo sea.

Louis zapateaba con el pie derecho a un ritmo uniforme.

–Sufrió. Debió de tardar un tiempo en recuperarse, en curarse. Debió de cambiar de aspecto otra vez, como ya había hecho antes. Y desde luego no ha salido del escondrijo por un trabajo corriente. Alguien tenía que estar muy cabreado con Billy Boy.

–Pero no es sólo por el dinero, ¿verdad?

–No. Si es él, no.

–Si ha vuelto, es posible que Billy Boy sea sólo el principio. Queda pendiente el pequeño detalle de que intentaste quemarlo vivo.

–Queda eso, sí. Todavía le dolerá, incluso ahora, y él ya no será lo que era.

–Aun así, sigue siendo lo bastante bueno en lo suyo para cargarse a Billy Boy.

–Suponiendo que sea él. –Parecía un mantra. Quizá lo era. Louis siempre había sabido que algún día Ventura regresaría. Si había vuelto, sería casi un alivio. Terminaría la espera–. Eso es porque era muy bueno desde el principio. Incluso con las facultades un poco mermadas, sería mejor que la mayoría. Sin duda, mejor que Billy Boy.

–Billy Boy no ha representado ninguna pérdida.

–No, desde luego.

–Pero el regreso de Ventura tampoco es buena noticia.

–No.

–Yo tenía la esperanza de que hubiera muerto.

Casi todo esto había ocurrido antes de la época de Ángel, antes de que él y Louis se conocieran, aunque se encontraron con Billy Boy una vez en California. Fue en una estación de servicio, por casualidad, y Louis y Billie Boy se movieron en círculo con cautela, uno en torno al otro, como lobos antes de una pelea. En esa ocasión, Ángel no se formó una opinión muy favorable de Billy Boy como ser humano, aunque reconocía que su impresión sobre él podía estar influida por lo que Louis le había contado previamente. En cuanto a Ventura, sólo sabía lo que le hizo a Louis, y que Louis, a su vez, se la devolvió. Louis se lo contó porque era consciente de que el conflicto aún no había terminado.

–No morirá hasta que alguien lo mate, y en eso no hay dinero de por medio –dijo Louis–. No hay dinero, ni comisión.

–A menos que sepas que tiene tu nombre en su lista.

–No creo que lo comunique por correo.

–No, supongo que no.

Ángel bebió medio coñac de un trago y rompió a toser.

–Se toma a sorbos, tío –advirtió Louis–. No es un Alka-Seltzer.

–Una cerveza habría estado mejor.

–No tienes clase.

–La que tengo es sólo por asociación.

Louis meditó por un momento.

–Bueno, sí –dijo–, eso sí...

El apartamento donde vivían los dos no era como habrían imaginado quienes conocían a la pareja superficialmente, dada la disparidad de sus códigos indumentarios, actitudes vitales y comportamiento en general. Ocupaba las dos plantas superiores de un edificio de tres pisos con sótano en la periferia del Upper West Side, donde la distancia entre ricos y pobres empezaba a reducirse de manera significativa. Lo mantenían ordenado de forma escrupulosa. Si bien compartían dormitorio, cada uno tenía su propia habitación a la que retirarse y en la que cultivar sus intereses particulares, y aunque la habitación de Ángel exhibía las señales inconfundibles de alguien cuyo talento residía en abrir cerraduras y socavar sistemas de seguridad –estantes llenos de manuales, herramientas diversas, un banco de trabajo cubierto de componentes eléctricos y mecánicos–, presentaba un orden obvio para cualquiera del oficio. La habitación de Louis era más austera. Contenía un ordenador portátil, un escritorio y una silla. En los estantes había filas de discos y libros; la música tendía, quizá sorprendentemente, hacia el country, con toda una sección dedicada a artistas negros: Dwight Quick, Vicki Vann, Carl Ray y Cowboy Troy Coleman entre los modernos, DeFord Bailey y Stoney Edwards del periodo anterior, junto con un poco de Charlie Pride, *Modern Sounds in Country and Western* de Ray Charles, alguna que otra cosa de Bobby Womack, y *From Where I Stand*, una colección que recogía con detalle la experiencia negra en música country. A Louis le costaba entender por qué a tantos otros de su misma raza les era imposible conectar con esa música: remitía a la pobreza rural, el amor, la desesperación, la fidelidad y la infidelidad, y ésas eran experiencias afines a todos los hombres, tanto negros como blancos. Del mismo modo que los negros pobres tenían más en común con los blancos pobres que con los negros ricos, esa música ofrecía un medio de expresión a aquellos que habían sobrellevado todo el trauma y la tristeza que se abordaba en las letras, independientemente del color. Así y todo, por lo que se refería a este punto de vista, Louis se había resignado a pertenecer a una minoría, y si bien casi había conseguido convencer a su compañero de los méritos de algunas cosas que tal vez él antes se tomaba a risa, entre ellas los cortes de pelo asiduos y las tiendas de ropa no especializadas en saldos, el country negro –de hecho, cualquier country– seguía siendo uno de los muchos puntos ciegos que perduraban en Ángel.

En la planta de abajo del apartamento estaban la cocina, moderna, usada muy rara vez y que comunicaba con un amplio salón comedor, y el taller de Ángel. El piso de arriba incluía un lujoso cuarto de baño del que se había apropiado Louis, dejando a su compañero el aseo con ducha contiguo al dormitorio; el despacho de Louis; una habitación de menor tamaño para invitados y otro pequeño aseo con ducha, ninguno de los cuales se había usado jamás, y el dormitorio principal, revestido de armarios, que, salvo por algún que otro libro, se mantenía, por mutuo acuerdo y esfuerzo de ambos, en un estado de pulcritud propio de un catálogo de diseño de interiores. En el aseo de la habitación de invitados, detrás del espejo, había oculta una caja fuerte con armas. Siempre que estaban en el apartamento, la caja fuerte permanecía abierta. De noche ambos tenían a mano sendas pistolas en el dormitorio principal. Cuando el apartamento se quedaba vacío, cerraban la caja fuerte y colocaban cuidadosamente en su posición original el espejo, provisto de una bisagra y un mecanismo de cierre accionado mediante un pequeño resorte escondido detrás del cristal a un dedo del borde. Ellos mismos se ocupaban de la limpieza y el mantenimiento del piso. No se permitía la entrada a extraños, ni a amigos ni conocidos, de los que, en cualquier caso, tenían pocos.

Aunque a la vista de todos, estos dos hombres vivían ocultos. Empleaban móviles de prepago, que cambiaban con regularidad, pero nunca adquirían ellos personalmente los aparatos: pagaban a indigentes, hombres y mujeres, por efectuar la compra en tiendas dispersas por cuatro estados, y un intermediario recogía y entregaba los teléfonos. Aun así, usaban los móviles sólo cuando era absolutamente necesario. La mayor parte de las llamadas las hacían desde teléfonos públicos.

En el apartamento no disponían de conexión a Internet. Tenían un ordenador en un despacho alquilado a nombre de una de las numerosas empresas fantasma de Louis, que a veces utilizaban para las búsquedas delicadas, pero en general les bastaba con un cibercafé para cubrir sus necesidades. Eludían el correo electrónico, aunque cuando era inevitable, recurrían a Hushmail para enviar mensajes en clave, o códigos insertos en comunicaciones aparentemente inocuas.

Siempre que era posible pagaban en efectivo, sin tarjeta de crédito. No formaban parte de ningún programa de fidelización, y compraban las tarjetas de metro según las necesitaban, las tiraban cuando se agotaban y las sustituían por otras nuevas en lugar de recargar las originales. Pagaban los suministros por mediación de un bufete de abogados. Habían buscado las mejores rutas para eludir las cámaras de seguridad tanto a pie como en coche, y todas las luces que iluminaban las matrículas de sus vehículos contenían bombillas infrarrojas destinadas a cegar las videocámaras con una frecuencia casi infrarroja.

También disponían de otros sistemas de protección menos comunes. El sótano y la planta baja del edificio donde vivían estaban alquilados a una anciana, la señora Evelyn Bondarchuk, que tenía perros pomeranos y parecía haber acaparado el mercado de cretona y porcelana. En su día hubo un señor Bondarchuk, pero le fue arrebatado a su joven esposa a una edad trágicamente temprana, como consecuencia de un malentendido entre el señor Bondarchuk y un tren que pasaba, cuando el señor Bondarchuk, ebrio en aquel momento, confundió la vía con un urinario público. La señora Bondarchuk no había vuelto a casarse, en parte porque nadie habría podido sustituir jamás a su amado pero disoluto marido, y también porque cualquier posible candidato habría sido, por definición, igual de disoluto que su predecesor, o más si cabe, y la señora Bondarchuk no necesitaba tamaño fastidio en su vida. Así pues, un rincón de la sala de estar seguía siendo un santuario, algo polvoriento, en memoria de su difunto marido, y la señora Bondarchuk prodigaba su afecto a sucesivas generaciones de pomeranos, animales que, en general, no se consideran disolutos.

El apartamento de la señora Bondarchuk era de renta limitada. Pagaba una mensualidad irrisoria a una empresa llamada Leroy Frank Properties, Inc. que parecía poco más que un apartado de correos en el Lower Manhattan. Leroy Frank Properties, Inc. había comprado el edificio a principios de los años ochenta, y la señora Bondarchuk temió por un tiempo que su inquilinato se viera afectado por la venta. Sin embargo, le aseguraron por correo que todo seguiría tal como estaba y que podía vivir hasta el final de sus días, rodeada de pomeranos, en el apartamento donde había morado durante casi treinta años. De hecho, incluso se le permitió ampliar su feudo al sótano, que estaba desocupado desde la muerte del inquilino anterior unos años atrás. Tales cosas eran inauditas en la ciudad, como la señora Bondarchuk sabía, e hizo todo lo posible para asegurarse de que, por lo que a ella se refería, continuaran siéndolo. No habló con nadie de su buena suerte, a excepción hecha de su íntima amiga la señora Naughtie, y eso sólo después de obligarla a jurar silencio. La señora Bondarchuk era una mujer inteligente. Se dio cuenta de que algo fuera de lo común sucedía en su edificio, pero como no parecía complicarle la existencia, sino que, antes bien, la mejoraba significativamente, se comportó con sensatez y dejó que las cosas siguieran su curso.

El único cambio notable se produjo cuando, pasado un tiempo, la pareja de arriba, ambos contables, se jubiló y se trasladó a una casa en

Vermont, y ocuparon su lugar un negro callado y exquisitamente vestido y un individuo más bajo y a todas luces peor vestido, que tenía aspecto de querer robarle las joyas, cosa que, si el destino no lo hubiese unido a su actual compañero, bien podría haber sucedido. Así y todo, eran caballeros muy correctos. La señora Bondarchuk sospechaba que eran homosexuales. Lo cual le producía cierto escalofrío, ya que ella, para lo que era la vida en la ciudad, había vivido muy aislada.

Si surgía algún problema en su apartamento, la señora Bondarchuk dejaba un mensaje a una joven encantadora llamada Amy, la telefonista de Leroy Frank Properties, Inc. La realidad era que Amy era telefonista de muchas empresas, ninguna de las cuales requería ni deseaba una presencia física real en la ciudad. Leroy Frank Properties, Inc. poseía varias fincas en Nueva York, siendo la del Upper West Side la única residencial. Amy había recibido órdenes expresas de resolver los problemas de la señora Bondarchuk sin pérdida de tiempo, como máximo antes de la hora de cierre del día en que se recibiese la llamada. Se pagaba un extra al correspondiente fontanero, electricista, carpintero o cualquier otro profesional para asegurarse de que así era. Amy tenía un fichero en su escritorio con una lista de los individuos aprobados, todos ellos conocedores de las necesidades específicas de Leroy Frank Properties, Inc. en relación con aquel edificio.

La señora Bondarchuk conocía los nombres de pila de sus vecinos de arriba, y aludía a ellos, respectivamente, como «señor Louis» y «señor Ángel», pero nunca había relacionado al negro, Louis, con Leroy Frank Properties, Inc., pese a que «Leroy Frank» no andaba muy lejos de «Le Roi Français», y si bien había habido muchos reyes franceses, el nombre más habitual entre ellos era, claro está, Luis. No, la señora Bondarchuk no los relacionó, ya que no era asunto suyo pensar en esas cosas, y como su vida era bastante idílica, no sentía el menor deseo de andar metiendo las narices en rincones oscuros. Tenía dinero de sobra para vivir con relativa comodidad; tenía unos vecinos tranquilos; y la banda sonora de su vida era los gañidos de sus felices pomeranos y los balsámicos acordes de la orquesta Mantovani, que, había descubierto, podía proporcionar un álbum para cada ocasión. Y como la señora Bondarchuk valoraba tanto su situación, protegía celosamente cada una de sus facetas. Cuando los operarios iban a arreglarle un escape o cambiarle una bombilla, llevaban a cabo su tarea bajo la imperturbable mirada de la señora Bondarchuk y varios perros pequeños. El cartero nunca pasaba de la puerta. Al igual que los repartidores, vendedores, niños pequeños en Halloween, niños grandes en cualquier momento, y cualquier adulto que no fuese su vieja amiga, y también viuda, la señora Naughtie, con quien todos los jueves por la noche jugaba unas partidas de backgammon, a menudo ambas de muy mal humor y animadas por un jerez barato.

Leroy Frank Properties, Inc. había instalado un sistema de alarma caro y complicado al adquirir el edificio, y la señora Bondarchuk conocía a fondo el funcionamiento de dicho sistema. Aunque la señora Bondarchuk no lo sabía, ella misma era, a su modo, tan esencial para la seguridad y la paz de espíritu de los dos vecinos de arriba como las armas que a veces llevaban durante su trabajo. Ella era el cancerbero a las puertas de su Hades.

Ahora, tumbada en la cama escuchando la *Rapsodia sueca* en el pequeño reproductor de cedés que le habían regalado ese año por Navidad los señores Ángel y Louis (la señora Bondarchuk prefería acostarse tarde y levantarse tarde: nunca había sido muy madrugadora), los oyó entrar: oyó el leve gemido de la alarma antes de que la desactivaran introduciendo el código y luego un último y único pitido cuando la puerta se cerró y reactivaron el sistema.

–Buenas noches, señora Bondarchuk –saludó el señor Ángel desde el pasillo.

Sin contestar, ella se limitó a sonreír a la vez que apagaba el aparato de música y la luz. Ya habían llegado a casa, y siempre dormía mejor cuando ellos estaban allí.

Por alguna razón que no acababa de explicarse, le daban una sensación de seguridad.

Esa noche Louis se quedó en vela mientras Ángel dormía. Pensó en su pasado, y en el lado oculto del mundo. Pensó en las vidas arrebatadas y las vidas perdidas, en su madre y las mujeres que lo habían criado. Pensó en Ventura. Siguió los hilos en la trama de su vida, deteniéndose allí donde se superponían, allí donde uno entraba en conexión con otro.

Y por fin cerró los ojos y esperó la llegada del Hombre Quemado.

Era un pueblo pequeño, un pueblo con toque de queda para los negros. Eso tenía un claro significado para el chico y aquellos como él. Cierto era que ya no lo anunciaba un letrero a la entrada del pueblo, lo que a su manera podía considerarse un avance, aunque lo mismo habría dado que lo hubiera, porque casi todos los mayores de siete años recordaban dónde había estado, justo al pie de la verja de la granja de Virgil Jellicote. El viejo Virgil se aseguraba de que el letrero no quedara ilegible por la suciedad o, como había ocurrido una vez durante el periodo de agitación posterior al asesinato de Errol Rich, por la acertada aplicación de pintura negra, de modo que donde antes se leía NEGRO, NO DEJES QUE EL SOL SE PONGA SOBRE TI EN ESTE PUEBLO, pasó a decir BLANCO, NO DEJES QUE EL SOL SE PONGA SOBRE TI EN ESTE PUEBLO. El viejo Virgil se llevó un gran disgusto por semejante acto de vandalismo; él y también otras personas, y no todas blancas. Lo que le hicieron a Errol Rich estaba mal, pero irritar a la policía y al ayuntamiento tonteando con su querido letrero era simple y llanamente una estupidez. Aun así, cuando la policía fue a preguntar quién podía ser el responsable de los daños, sólo encontró silencio. Ser mudo no era un delito, todavía no, y la ley tenía muchas otras formas de castigar a la gente de color sin necesidad de añadir una más a la lista.

El pueblo ni siquiera era excepcional en su declarada exclusión de la población negra. Era uno entre miles en todo Estados Unidos, e incluso condados enteros imponían el toque de queda cuando lo hacía la capital del condado. La mitad de los pueblos de Oregón, Ohio, Indiana, los montes Cumberland y los Ozark tuvieron en algún momento toque de queda. Que Dios amparase al negro que estuviera, por ejemplo, en Jonesboro, Illinois, después de ponerse el sol, o cerca de Anna (que tanto blancos como negros llamaban «Aquí Nada de Negros al Anochecer», y que conservaría los letreros a tal efecto en la carretera 127 hasta los años setenta), o en Appleton, Wisconsin, o en barrios residenciales como Levittown, en Long Island, Livonia, en Michigan, o Cedar Key, en Flo-

rida. Ah, y eso también va por vosotros: judíos, chinos, mexicanos, indios americanos. Lárgate, hijo. El tiempo apremia...

El pueblo del chico era bonito, eso sí podía decirse. Estaba limpio y no se oían muchas palabras soeces, no en público. La calle mayor parecía de postal, y las flores que crecían en sus macetas siempre eran las propias de la estación. Pero se trataba de un pueblo pequeño, tan pequeño, de hecho, que se mirara por donde se mirara apenas podía considerárselo pueblo, aunque por aquellos pagos nadie llamaba aldea a ninguna localidad. El lugar en el que uno vivía era un pueblo o no era nada. Un pueblo tenía cierta consistencia. Un pueblo implicaba vecinos, y leyes, y orden en las calles. Un pueblo implicaba aceras, y barberías, y una iglesia para los domingos. Llamar pueblo a una localidad era reconocer cierto nivel de vida, ciertas pautas de comportamiento. Sin duda la gente se apartaba del buen camino de vez en cuando, pero lo importante era que todos conocían ese camino. Cualquier salida del camino era puramente temporal. El carro seguía adelante, y la buena gente procuraba permanecer en él durante todo el viaje, aceptando la posibilidad de alguna parada imprevista en el trayecto.

Pero para el chico nunca había sido en realidad un pueblo, no para él. Poseía todas las características de un pueblo, ciertamente, por escaso que fuera el espacio que ocupaba. Había tiendas, y un cine, y un par de iglesias, aunque ninguna para los católicos, que tenían que desplazarse trece kilómetros al este, hasta Maylersville, o diecinueve al sur, hasta Ludlow, si querían rendir culto a su errónea versión del Señor. También había casas, con un césped bien cuidado delante y cercas de estacas blancas y aspersores que emitían un susurro nada amenazador los tórridos días estivales. Había abogados, y médicos, y floristas, y enterradores. Si mirabas el pueblo con buenos ojos, tenía todo lo necesario para garantizar un nivel de servicio más que suficiente a aquellos que decidían considerarlo su hogar.

El problema, tal como lo veía el chico, residía en que toda esa gente era blanca. El pueblo se había construido para blancos y estaba bajo el control de los blancos. En las tiendas, la gente detrás de los mostradores era blanca, y la gente al otro lado de esos mostradores también era blanca en su mayoría. Los abogados eran blancos y los policías eran blancos y los floristas eran blancos. Se veían negros por el pueblo, pero siempre estaban en movimiento: acarreando, repartiendo, levantando, arrastrando. Únicamente los blancos tenían derecho a quedarse quietos. Los negros hacían lo que tenían que hacer y luego se iban. De noche sólo quedaban blancos en las calles.

No es que por norma la gente tratara con crueldad a las personas de color, o de manera brutal, o con excesiva severidad. Simplemente ambas partes da-

ban por sentado que el mundo era así. Los negros tenían sus propias tiendas, sus garitos, sus lugares de culto, sus propias formas de hacer las cosas. Tenían su propio pueblo, en cierto sentido, aunque era un pueblo que no preocupaba a los urbanistas ni constaba en ningún censo. En general, los blancos no se entrometían en sus vidas, siempre y cuando nadie causara problemas. Los negros vivían en los bosques y los pantanos, y algunos, bien mirado, tenían casas muy bonitas. Nadie les echaba en cara lo que habían construido con sus propias manos. Ni siquiera era raro que algún que otro blanco se contara entre la clientela de uno de esos negocios de negros, sobre todo cuando esos negocios proveían de carne exótica para caballeros exigentes cuyos gustos apuntaban en esa dirección, así que no podía decirse que las dos razas nunca se mezclaran, o que nunca coincidieran. Coincidían más a menudo de lo que la gente quería creer, y esos encuentros generaban un buen dinero.

Pero en ninguno de los dos bandos olvidaba nadie que la ley era blanca. La justicia podía ser ciega, pero la ley no. La justicia era una aspiración, pero la ley era un hecho. La ley era real, tenía uniformes y armas. Olía a sudor y a tabaco. Conducía un coche grande con una estrella en la puerta. Los blancos tenían justicia. Los negros tenían la ley.

El chico entendía todo eso instintivamente. Nadie se había visto obligado a explicárselo. Su madre, antes de morir, nunca lo sentó en su regazo para aclararle las sutilezas de la ley en contraste con la justicia tal como se aplicaba a la comunidad negra. Nadie se planteaba siquiera que existiese una comunidad negra. Sólo había negros. Una comunidad implicaba organización, y mucha gente asociaba organización con amenaza. Los sindicatos se organizaban. Los comunistas se organizaban. Los negros no se organizaban, allí no. Quizás en otras partes, y había quienes sostenían que los tiempos estaban cambiando, pero no en el pueblo. Allí todo iba bien tal como estaba.

Y por eso el chico inquietó tanto al policía que lo observaba a través del espejo unidireccional de la pared. El espejo era una de las pocas concesiones a la modernidad en el pequeño departamento de policía del pueblo. No disponían de aire acondicionado, pese a que se habían instalado los aparatos. El problema era que, al conectarse, saltaban los fusibles del edificio porque el cableado no servía, o eso había explicado el electricista. Para que funcionara el aire acondicionado había que picar las paredes de todo el edificio y tender cables nuevos, y eso sería un trabajo muy caro para una construcción así de vieja. Las autoridades municipales se resistían a aprobar semejante gasto, o al menos si la única finalidad era que el jefe Wooster no sudara durante los calurosos meses del verano. Aunque bien era verdad que, en opinión de algunos, al jefe de policía no le haría ningún daño sudar un poco de vez en cuando, siendo el jefe,

por el consenso general, un saco de grasa con el corazón sometido a un conti-
nuo sobreesfuerzo, y no precisamente por exceso de amor a la humanidad.

Así pues, en la pequeña sala desde la que el jefe observaba al chico no ha-
bía más refrigeración que la de un ventilador de mesa, y en aquel espacio cerra-
do el ventilador de mesa movía el aire menos que un pedo de mosquito. El jefe
tenía el uniforme pegado al cuerpo de tal modo que incluso el perfil de su om-
bligo se veía claramente a través de la tela de algodón tostado, y el sudor le
corría a goterones por la cara, casi cegándolo si calculaba mal el momento de
enjugarse la frente con el pañuelo.

Y sin embargo no se movió de allí. Se quedó observando con curiosidad
al chico, deseando que se viniera abajo. Puede que el jefe Wooster fuera un saco
de grasa, y que su opinión sobre sus congéneres estuviese teñida de un cinismo
rayano en la misantropía, pero no era tonto. El chico despertó su interés. Ha-
bía conseguido matar al amante de su madre, un hombre llamado Deber, sin
ponerle un dedo encima, de eso el jefe estaba convencido, y Deber no era lo que
se consideraría una víctima fácil. El propio Deber había cumplido condena
por un asesinato cometido cuando aún no tenía trece años, y después había ha-
bido otros, aunque nadie hubiera podido atribuírselos. Uno de los homicidios
que se le imputaron a Deber era el de una bonita joven negra en la ciudad. El
hijo de esa bonita joven negra se hallaba sentado al otro lado del espejo y en
ese momento lo interrogaban dos inspectores de la policía del estado. No con-
seguían sacarle al chico nada más de lo que ya le habían sacado los hombres
del jefe, y éstos se habían andado con muchas menos contemplaciones que los
inspectores. Testimonio de eso eran las magulladuras que tenía en la cara y la
hinchazón bajo el ojo derecho. Clark, uno de los hombres en cuestión, dijo al
jefe que el chico había meado sangre cuando lo llevaron al cuarto de baño para
limpiarse. Después de eso, el jefe les ordenó que se lo tomaran con más calma.
Quería una confesión, no un cadáver.

Los policías del estado habían tardado un día en organizarse para viajar
al norte. Durante esas veinticuatro horas, los hombres del jefe se habían cebado
en el chico. Primero con palizas, luego con amenazas contra su familia, que le ha-
bía proporcionado una coartada. Los policías le habían dado un refresco con un
laxante y lo habían dejado allí, atado a una silla. El jefe había observado al
chico mientras contenía el impulso de evacuar, temblándole la boca por el esfuer-
zo, dilatando las aletas de la nariz, cerrando los puños. Cuando vio claro que
el chico no podía soportar más el dolor, envió a Clark a hacerle un ofrecimien-
to: si admitía que había asesinado a Deber, lo llevarían de inmediato al cuarto
de baño. De lo contrario, dejarían que la naturaleza siguiera su curso y que él
se quedara allí encima del resultado. El chico se limitó a negar con la cabeza. El

jefe casi admiró su resistencia, salvo por el hecho de que lo hacía quedar mal a él. Ordenó a Clark que lo acompañara al baño antes de que reventase, porque no quería que apestara la única sala de interrogatorios del edificio. Clark obedeció, aunque de mala gana. Después llevó al chico al patio y le dio un manguerazo en el suelo, con los pantalones alrededor de los tobillos y los otros policías mofándose mientras el chorro de agua le golpeaba dolorosamente las partes íntimas.

Las amenazas contra su familia tampoco habían surtido efecto. Procedía de una casa llena de mujeres. Wooster las conocía. Eran buena gente. Wooster no era racista. Había negros buenos y negros malos, tal como había blancos buenos y blancos malos. Sería faltar a la verdad decir que el jefe los trataba a todos por igual. De haberlo intentado, si hubiera sido ésa su inclinación, no habría durado ni una semana en el cargo, y ya no digamos diez años. En realidad, trataba a los negros y a los blancos pobres de un modo bastante parecido. Los blancos ricos requerían más cuidado. En cuanto a los negros ricos, no había razón para preocuparse, porque no conocía a ninguno.

Wooster creía en la acción policial preventiva. La gente iba a parar a sus celdas sólo cuando había hecho algo muy grave, o cuando había fallado cualquier otro intento de convencerlos para que siguieran el camino de la rectitud y la honradez. Conocía a la gente que tenía a su cargo, y se aseguraba de que sus hombres la conocieran también. El chico y su familia no habían reclamado su atención ni una sola vez durante sus primeros nueve años en el cargo, no hasta que apareció Deber y se ganó el afecto de la madre del chico, si es que era eso lo que de verdad había ocurrido. Nada en Deber inducía a pensar que fuera capaz de despertar el afecto de nadie, y el jefe sospechaba que la relación se había basado más en las amenazas y el miedo que en cualquier sentimiento profundo por cualquiera de las dos partes.

Un día la madre fue asesinada, su cuerpo maltrecho apareció en un callejón detrás de una licorería. Según testimonios, Deber fue visto en esa licorería menos de una hora antes de hallarse el cuerpo, y alguien declaró haber oído una voz de hombre y una voz de mujer discutiendo más o menos a esa hora. Sin embargo, Deber era como el chico sentado ahora en la sala de interrogatorios: no se había venido abajo, y el asesinato de la madre del chico quedó sin resolver. Deber había vuelto a la casa llena de mujeres y se había liado con la tía del chico, o eso se rumoreó en el pueblo. Las mujeres le tenían miedo, y con razón, pero él debería haberlas temido también a ellas. Eran fuertes y listas, y a todos les pareció poco probable que fueran a tolerar la presencia de Deber en su casa durante mucho más tiempo.

Y entonces, no mucho después del inicio de esa relación en particular, alguien había tomado el silbato metálico que utilizaba Deber para llamar a sus cuadrillas de trabajadores, separó sus dos mitades y sustituyó la bola por un explosivo casero. Cuando Deber sopló el silbato, la carga le arrancó casi toda la cara. Vivió aún un par de días, ciego y padeciendo un sufrimiento terrible, pese a los esfuerzos de los médicos por mantenerlo sedado, y al final murió. El jefe estaba convencido de que, dondequiera que Deber estuviese ahora, sus sufrimientos no habían cesado y sin duda continuarían eternamente. Deber no fue una gran pérdida para el mundo, pero eso no cambiaba el hecho de que un hombre había sido asesinado, y debía hallarse al responsable. No convenía dejar suelto a alguien que andaba creando bombas trampa con objetos domésticos, ya fueran dirigidas contra negros o blancos. Una cosa eran las pistolas y las navajas. Éstas eran armas corrientes, al igual que las personas que las usaban. No había nada especialmente inquietante, más allá de la propia brutalidad del acto, en el hecho de que un hombre abriera en canal a otro porque lo contrariaba en un mal día, o de que descerrajara un tiro en la cabeza al hombre que tenía al lado en una discusión por una mujer, por una deuda, o por un par de zapatos. Como jefe de policía, Wooster sabía a qué atenerse con hombres, y mujeres, de esa calaña. No eran extraños ni sorprendentes. En cambio, alguien capaz de matar a un hombre con un silbato representaba una manera de pensar muy distinta en lo que se refería a poner fin a una vida, una manera que el jefe Wooster no tenía la menor intención de alentar o aprobar.

Wooster había conseguido una orden de detención contra el chico el día en que Deber murió. Los inspectores de la policía del estado se echaron a reír cuando les informó por teléfono de lo que había hecho. Deber, le dijeron, tenía tantos enemigos que la lista de sospechosos parecía un listín telefónico. Lo habían matado con un artefacto explosivo en miniatura, construido hábilmente y concebido para asegurarse de que sólo el objetivo previsto se viera afectado y de que dicho objetivo no sobreviviera. Eso implicaba un nivel de planificación que no solía asociarse a negros de quince años que vivían en una chabola junto a un pantano. Wooster había señalado que el negro en cuestión estudiaba en un instituto, y que éste, gracias a una donación de un fondo benéfico del sur, disponía de un laboratorio de ciencias bastante bien equipado donde podían obtenerse sin mayor dificultad los elementos constituyentes del explosivo empleado para matar a Deber –cristales de yodo y amoniaco– descubiertos tras un examen de los restos del silbato. De hecho, prosiguió Wooster, eran justo los elementos que un chico inteligente, y no un asesino experto, emplearía para confeccionar un explosivo, aunque, según el informe sobre el silbato, era un milagro que no hubiera estallado mucho antes de llegar a la boca de Deber, ya que el triyoduro de nitrógeno era un compuesto sabidamente inestable, muy sensible a la fricción. El técnico que había examinado el silbato dio a entender que casi con toda seguridad el asesino había mantenido el compuesto, o incluso el propio objeto reconstruido, en agua el mayor tiempo posible, de modo que apenas se había secado cuando la víctima se lo llevó a la boca por última vez. Fue esta información sobre el carácter del explosivo utilizado y la ausencia de cualquier otra pista lo que indujo a la policía del estado a mandar, aunque de mala gana, a dos inspectores para interrogar al chico.

Ahora uno de esos inspectores se puso en pie y salió de la sala de interrogatorios. Al cabo de un momento, la puerta de la pequeña sala de observación del jefe se abrió y entró ese mismo inspector con un refresco en la mano.

–No vamos a ninguna parte con este chico –dijo.

–Tienen que seguir intentándolo –repuso Wooster.

–Por lo visto, usted ya lo ha intentado por su cuenta.

–Se cayó de camino al lavabo.

–¿Ah, sí? ¿Cuántas veces?

–Rebotó, y no llevé la cuenta.

–¿Seguro que le leyó sus derechos?

–Alguien se los leyó. Yo no.

–¿Pidió un abogado?

–Si lo pidió, yo no lo oí.

El inspector bebió un largo trago del refresco. Unas gotas le resbalaron por el mentón, como un escupitajo de tabaco.

–No lo hizo él. Para algo así se requiere una gran sutileza.

Wooster se enjugó la frente con el pañuelo empapado.

–¿Sutileza? –preguntó–. Yo conocía a Deber. Conozco a la gente con la que andaba. No son sutiles ni por asomo. Si alguien de su propio círculo o alguien que se la tenía jurada quería verlo muerto, le habría pegado un tiro o dado una puñalada, o tal vez le habría cortado primero los huevos sólo para dejar las cosas claras. No habría perdido el tiempo separando y luego soldando un silbato para meterle la cantidad exacta de explosivo capaz de destrozarle la cara y de reducirle el cerebro a pulpa. No son tan listos. Ese chico, en cambio... –Se levantó y señaló el cristal–. Ese chico es listo: tan listo como para colarse en el instituto sin que nadie lo viera y preparar un poco de pólvora casera. Además tenía un móvil: Deber mató a su madre y se follaba a su tía, y no es que Deber se anduviera con muchas delicadezas.

–No hay ninguna prueba de que Deber matara a su madre.

–Pruebas. –Wooster casi escupió la palabra–. No necesito pruebas. Hay cosas que sencillamente las sé.

–Ya, bueno, los tribunales lo ven de otra manera. Soy amigo de los hombres que interrogaron a Deber. Hicieron de todo menos conectarlo a una batería y freírlo para obligarlo a hablar. No se vino abajo. No hay pruebas. No hay testigos. No hay confesión. No hay caso.

En la sala de interrogatorios el chico movió un poco la cabeza, como si pese al grosor de las paredes le hubiesen llegado las voces de los dos hombres. Wooster creyó ver un amago de sonrisa.

–¿Sabe qué más pienso? –preguntó Wooster, ahora en voz más baja.

–Adelante, Sherlock. Escucho.

«Sherlock», pensó Wooster. «Vaya un mierda condescendiente estás tú hecho. Conocí a tu padre, y no era mucho mejor que tú. Era un don nadie, incapaz de encontrar los zapatos por la mañana si no se los daba alguien, y tú eres peor policía aún que él.»

–Creo que si ese chico no hubiese matado a Deber –dijo Wooster–, Deber lo habría matado a él. Y también que ninguno de los dos tenía otra opción. Si ahora no estuviese el chico ahí sentado, estaría Deber.

El inspector apuró el refresco. Algo en la ecuanimidad del tono de Wooster le dio a entender que se había pasado de la raya unos segundos antes. Intentó rectificar.

–Oiga, jefe, puede que tenga razón. El chico tiene algo, eso lo reconozco, pero no nos queda mucho más tiempo para decidir si presentamos cargos o lo dejamos correr.

–Sólo unas horas más. ¿Le ha mencionado a las mujeres? ¿Ha utilizado tal vez alguna amenaza contra ellas para soltarle la lengua?

–Todavía no. ¿Y usted?

–Lo intenté. Fue la única vez que habló.

–¿Qué dijo?

–Me contestó que yo no era la clase de hombre capaz de hacer daño a una mujer.

–¿Sí?

–Sí.

–¿Tenía razón?

El jefe dejó escapar un suspiro.

–Supongo.

–Mierda. Pero hay otras maneras. Maneras informales.

Los dos hombres cruzaron una mirada. Al final, el jefe negó con la cabeza.

–Creo que tampoco usted es esa clase de hombre.

–No, me temo que no.

El inspector aplastó la lata del refresco y la lanzó, con poca destreza, a una papelera. Rebotó en el borde y fue a parar a un rincón de la sala.

–Espero que con la pistola tenga mejor puntería –comentó Wooster.

–¿Por qué? ¿Cree que voy a tener que disparar contra alguien?

–Ojalá las cosas fueran así de fáciles.

El inspector dio una palmada a Wooster en el hombro y se arrepintió de inmediato al notar la mano húmeda de sudor. Se la secó subrepticiamente en la pernera del pantalón.

–Volveremos a intentarlo –dijo.

–Adelante –instó Wooster–. Lo mató él. Sé que lo mató él.

Cuando el inspector salió de la sala, Wooster no lo miró, sino que mantuvo la vista fija en el joven negro al otro lado del espejo, y el joven negro le devolvió la mirada.

Dos horas más tarde Wooster, en su despacho, bebía agua y espantaba las moscas. Los dos inspectores se habían tomado un respiro, cansados del interrogatorio y el calor sofocante de la sala. En mangas de camisa, sentados a las puertas de la comisaría, fumaban en la escalinata con los restos de unas hamburguesas y patatas fritas ante sí. Wooster sabía que el interrogatorio casi había terminado. No tenían nada. Después de casi dos días, el chico sólo había dicho dos frases. La segunda fue su dictamen sobre Wooster. La primera fue para dar su nombre: «Me llamo Louis».

Louis, igual que lo habría pronunciado el cuñado de Wooster, que vivía en Louisiana. A la francesa. No Lewis, sino Lu-i.

Observó a los dos inspectores hablar en voz baja. Uno de ellos volvió a entrar.

–Vamos a por una cerveza –dijo.

Wooster asintió. Habían acabado. Si volvían, sólo sería para recoger el coche, suponiendo que se acordaran de dónde lo habían dejado.

Fuera, en la sala de espera, delante de la mesa de recepción, había una negra sentada, aferrada a su bolso. Era la abuela del chico, pero tenía un rostro tan juvenil que habría podido pasar por su madre. Desde la detención, una u otra de las mujeres de la familia había velado en silencio en esa misma silla dura y fría. Con su aspecto digno, todas daban la sensación de que, allí sentadas, casi hacían un servicio a la sala. Pero ésta, la mayor de todas, causó cierta inquietud a Wooster. Se contaban historias sobre esa mujer. La gente acudía a ella para pedirle que les dijera la buenaventura, averiguar el sexo de su hijo aún por nacer, o para quedarse tranquilos en cuanto a parientes desaparecidos o el alma de niños muertos. Wooster no se creía nada de eso; aun así, trataba a la mujer con respeto. Ella no lo exigía. No le hacía falta. Había que ser necio para no darse cuenta de que lo merecía.

Viéndola allí ahora, esperando pacientemente, convencida de que pronto el chico le sería entregado, Wooster percibió el parecido entre la mujer y el nieto. No era sólo físico, aunque ambos tenían también el mismo porte grácil y esbelto. No, la abuela había legado parte de su desconcertante serenidad al chico. Por alguna razón, Wooster pensó en aguas quietas y oscuras, en hundirse en sus profundidades, cada vez más y más hondo, abajo, abajo, hasta que de pronto unas fauces rosadas se abrían en medio de la luminiscencia pálida, y por fin se revelaba, fatalmente, la naturaleza de la cosa misma, la criatura oculta en esos confines desconocidos.

Wooster pensó que el día ya no podía ir a peor, aunque por lo que a él se refería, el asunto no quedaría así, eso ni hablar. El chico podía volver a su casa con sus tías y su abuela y quienquiera que compartiese su pequeño aquelarre en el bosque, pero Wooster estaría vigilándolo. Adondequiera que fuese, Wooster estaría pisándole la sombra. Al final sometería a ese chico.

Y aún le quedaba por jugar la carta de la homosexualidad. Wooster tenía sus sospechas sobre él. Había oído rumores. Las únicas mujeres que frecuentaba Louis eran las de su familia, y en el instituto para negros había tenido que defenderse un par de veces. Wooster sabía que los chicos a menudo se equivocaban sobre esas cosas: al menor indicio de sensibilidad, de debilidad, de feminidad en un hombre, se le echaban encima como moscas sobre una herida. La mayoría de las veces se equivocaban, pero en algunos casos daban en el clavo. En ese estado había leyes contra la sodomía, y Wooster no tenía ningún inconveniente en imponerlas. Si conseguía cargarle una acusación de sodomía, podría usarla para presionarlo respecto al asesinato de Deber. Ir al trullo con una condena por maricón era prácticamente una garantía de dolor y sufrimiento. Era mejor entrar con la fama de haberle quitado la vida a otro hombre. Al menos eso aseguraba cierto respeto. A Wooster ni siquiera le interesaba ver al chico en la silla eléctrica. Para él, bastaba con demostrar a los otros su error: la policía del estado, su propia gente, que se había reído a sus espaldas porque creía que un chico negro era capaz de un crimen tan sofisticado. Wooster se preguntó si podría tenderle una trampa. Había un par de hombres en el pueblo que no harían ascos a un poco de carne morena. Bastaría con acordar un lugar, una hora, y la llegada casual de Wooster al sitio. Permitiría marcharse al hombre, pero no al chico. Ésa era una posibilidad.

Pero, tal y como se sucederían las cosas, el día de Wooster estaba a punto de empeorar considerablemente, por más que él creyera lo contrario, y sus planes para una posible trampa pronto quedarían en nada.

—¿Jefe?

Era Seth Kavanagh, el más joven de sus hombres. Católico. Irlandés de pura cepa. Habían surgido problemas con algunos vecinos del pueblo cuando Wooster lo contrató, e incluso había recibido la visita amistosa de Little Tom Rudge y un par de sus compinches encapuchados, para sugerirle que tal vez le convenía reconsiderar la contratación de Kavanagh habida cuenta de que aquél era un pueblo baptista. Wooster escuchó el rollo y luego los echó a patadas. Little Tom y los de su calaña le daban grima, y lo que era aún peor, sentía una incipiente culpabilidad cada vez que se cruzaba con ellos. Sabía lo que habían hecho. Sabía que habían dado palizas a negros por seguir dentro de los límites municipales después de ponerse el sol, aun cuando esos límites parecían cambiar según cuánto hubieran bebido en esa ocasión los patanes del pueblo. Sabía lo de los incendios inexplicables en cabañas de negros, y que se cometían violaciones, a las que se quitaba importancia por considerarlas una pequeña diversión en la que a alguien se le había ido la mano.

Y sabía lo de Errol Rich, y lo que le habían hecho delante de muchas de las personas que los domingos alababan a Dios junto con Wooster en la iglesia. Sí, lo sabía muy bien, y tenía conciencia suficiente para reconocer su complicidad en el hecho, aun cuando no hubiera estado cerca ni mucho menos del viejo árbol en el que habían ahorcado y quemado a Errol. Wooster no había consolidado su autoridad en el pueblo, no en aquel entonces, y para cuando se enteró de lo ocurrido ya era tarde para impedirlo, o eso se dijo. Así y todo, después dejó bien claro que semejante acción no debía repetirse, no en aquel pueblo, no si él tenía algo que decir al respecto. Era un asesinato y Wooster no lo aprobaba. Además, inflamó los ánimos de los negros innecesariamente. Rebasó el límite en que la ira amenazaba con vencer al miedo. Por otra parte –y era esto, más que nada, lo que dio que pensar a mierdas como Little Tom–, un hecho así podía atraer a los federales, poco comprensivos con la manera de hacer las cosas en esa clase de pueblos. No lo entendían, ni les gustaba. Su intención era imponer un castigo ejemplar a personas que no se daban cuenta de que los tiempos estaban cambiando, como decía aquel cantante de folk.

Y ésa era otra razón para asegurarse de que el chico recibía su merecido por lo que le había hecho a Deber. Si quedaba impune de un asesinato esta vez, ¿qué vendría a continuación? Quizá se le metiera en la cabeza ir por los hombres que habían asesinado a Errol Rich, los que habían puesto en marcha el coche bajo los pies de Errol para dejarlo pataleando en el aire quieto del verano, los que lo habían rociado de gasolina, los que habían encendido la antorcha y la habían acercado a su ropa, haciendo que se convirtiera en una almenara en plena noche. Porque también corrieron rumores sobre Errol Rich y la madre del chico, y con toda seguridad el chico los había oído. Si un hom-

bre moría de esa manera, bien podía ocurrir que su hijo decidiera vengarse. Wooster sabía que, en tales circunstancias, eso haría él.

Y ahora Kavanagh estaba allí, otro de los pequeños experimentos en cambio social de Wooster, molestándolo con alguna gilipollez, que era lo último que necesitaba en ese momento. Wooster se enjugó la cara con el pañuelo y lo escurrió en la papelera.

–¿Qué pasa?

No alzó la vista. Mantenía la mirada fija en la pared ante él, como si la traspasara para llegar primero a la sala de observación y luego, más allá, hasta el chico que lo había desafiado durante tanto tiempo.

–Tenemos compañía.

Wooster se volvió en la silla. Por la ventana, a sus espaldas, vio salir a los hombres de sus coches. Uno era un Ford normal y corriente. Wooster adivinó la presencia federal, que confirmó cuando Ray Vallance bajó el cristal de la ventanilla del acompañante y tiró una colilla al patio de la comisaría. Vallance era agente especial, subjefe de la delegación local del FBI. Era un tipo aceptable, para lo que corría entre los federales. No pretendía imponer un ritmo demasiado rápido en todo aquello de los derechos civiles, pero tampoco aceptaba dilaciones. Aun así, Wooster tendría unas palabras con él en cuanto a esa colilla. Demostraba una falta de respeto.

El segundo coche era demasiado bueno para proceder del parque móvil oficial. Era de color tostado, con tapicería de piel a juego, y el hombre que se apeó por el lado del conductor tenía más aspecto de chófer que de agente, aunque Wooster pensó que parecía también un hijo de puta de cuidado, y dedujo que el bulto bajo su brazo izquierdo no era un tumor. Abrió la puerta trasera del lado del acompañante, y se unió a ellos un tercer hombre. Aparentaba cierta edad, pero Wooster supuso que no era mucho mayor que él mismo. Sencillamente era de esas personas que siempre parecían viejas. Le recordó a aquel actor inglés, Wilfrid no sé qué, que salía en My Fair Lady, estrenada hacía ya unos años. Wooster la había visto con su mujer. Era mejor de lo que esperaba, creía recordar. El caso es que ese tipo, el tal Wilfrid, también había parecido siempre viejo, incluso de joven. Ahora allí tenía a un pariente cercano, de carne y hueso.

Vallance pareció suspirar en su asiento; luego se apeó del coche y, seguido por dos de sus agentes, se encaminó hacia la puerta del despacho del jefe, pasando por delante del policía sentado a la mesa de recepción para entrar en la zona principal.

–Jefe Wooster –dijo saludando con un gesto de fingida amabilidad.

–Agente especial Vallance –contestó Wooster.

No se puso en pie. Vallance siempre se había dirigido a él por su nombre de pila, y Wooster le había devuelto la familiaridad, incluso cuando tenían trabajo entre manos. Con su saludo, Vallance le daba a entender que la cosa iba en serio, que tanto Wooster como él estaban bajo vigilancia. Así y todo, Wooster no tenía intención de someterse en su propio territorio sin presentar batalla, y quedaba pendiente la cuestión de la colilla.

Wooster miró a los cuatro hombres detrás de Vallance, con el individuo que parecía viejo, de menor estatura que los otros, situado en medio del grupo.

–¿Qué ha traído? ¿Un séquito nupcial? –preguntó Wooster.

–¿Podemos hablar dentro?

–Claro. –Wooster se levantó y extendió las manos en un gesto efusivo–. Aquí todo el mundo es bienvenido.

Sólo entraron Vallance y el hombre de más edad, y éste cerró la puerta. Wooster sintió cómo lo miraban sus hombres y su secretaria mientras él observaba a través del cristal. El hecho de saber que estaba a la vista de su gente lo llevó a guardar las apariencias. Enderezó los hombros y se irguió, de espaldas a la ventana, sin molestarse en ajustar la persiana, de modo que el sol daba a los otros en los ojos.

–¿Cuál es el problema, agente Vallance?

–El problema es el chico al que están haciendo sudar la gota gorda ahí detrás.

–Aquí todo el mundo suda.

–No tanto como él.

–El chico es sospechoso de asesinato.

–Eso tengo entendido. ¿Qué pruebas tienen contra él?

–Una causa probable. Es posible que el hombre a quien mató asesinara a su madre.

–¿Es posible?

–Ya no está por aquí para preguntárselo.

–Según tengo entendido, se lo preguntaron antes de abandonar este mundo. No confesó nada.

–Pero fue él. Quien piense lo contrario también debe de creer en Papá Noel.

–Una causa probable, pues. ¿Eso es lo único que tienen?

–Por ahora.

–¿El chico da señales de rendirse?

–El chico no es de los que se rinden. Pero se vendrá abajo, tarde o temprano.

–Se le ve muy seguro de eso.

–Es un chico, no un hombre, y he doblegado a hombres mejores de lo que él será nunca. ¿Va a decirme a qué viene esto? No creo que tenga jurisdicción aquí, Ray. –Wooster había renunciado a las cortesías–. Esto no es un caso federal.

–Nosotros creemos que sí.

–¿Y eso de dónde lo sacan?

–El muerto era capataz de una cuadrilla en la carretera nueva junto al pantano de Orismachee. Eso es una reserva federal.

–No es una reserva federal, lo será –corrigió Wooster–. Ahora mismo todavía es sólo un pantano.

–No, ese pantano y la carretera que se está construyendo acaban de quedar bajo jurisdicción federal. La declaración se hizo ayer. Apresuradamente. Tengo aquí los papeles.

Se llevó la mano al bolsillo de la chaqueta, sacó un legajo de documentos mecanografiados y se los entregó a Wooster. El jefe buscó las gafas, se las colgó de la nariz y leyó la letra pequeña.

–Bueno –dijo en cuanto acabó–, eso no cambia nada. El crimen se cometió antes de entrar esto en vigor. Sigue siendo mi jurisdicción.

–Sobre eso, jefe, le doy la razón en que no estamos de acuerdo, pero da igual. Lea con más atención. Es una declaración retroactiva, válida desde primeros de mes, justo antes de iniciarse la construcción de la carretera. Por una cuestión de contabilidad, según me dicen. Ya sabe cómo van los asuntos oficiales.

Wooster volvió a examinar el papel. Encontró las fechas en cuestión. Frunció el entrecejo, y la sangre le subió a las mejillas y la frente conforme aumentó su ira.

–Esto es una gilipollez. Además, ¿a qué vienen tantas molestias? Es un asunto entre negros. Aquí no están en juego los derechos civiles. No esperen sacar la menor gloria de esto.

–Ahora se trata de un caso federal, jefe. No presentamos cargos. Tiene que soltar al chico.

Wooster supo que el caso se le escapaba de las manos y con él parte de su autoridad y su prestigio ante su propio personal. Nunca lo recuperaría. Vallance lo había rebajado, y el chico de esa celda iba a marcharse tan campante, y de paso a reírse de Wooster.

Y Wilfrid allí presente, con su pelo prematuramente cano y su ropa limpia aunque un tanto raída, tenía algo que ver, de eso a Wooster no le cabía la menor duda.

–¿Y usted qué pinta en todo esto? –preguntó dirigiendo ahora toda su ira contra el segundo visitante.

–Discúlpeme –dijo el hombrecillo. Dio un paso al frente y le tendió una mano de uñas muy cuidadas–. Me llamo Gabriel.

Wooster no hizo ademán de estrecharle la mano que le ofrecía. Se limitó a dejarla allí, suspendida en el aire, hasta que Gabriel la dejó caer. Jódete, pensó. Jódete, y que se jodan también Vallance y los buenos modales. Jodeos todos.

–No ha contestado a mi pregunta –insistió Wooster.

–Estoy aquí como invitado del agente especial Vallance.

–Trabaja para el Gobierno.

–Proporciono servicios al Gobierno, sí.

Eso no era lo mismo, y Wooster lo sabía. Era lo bastante listo para captar el significado subyacente de lo que acababa de oír. De pronto tuvo la sensación de estar muy fuera de su elemento y de que, por grande que fuera su indignación, sería una insensatez hacer más preguntas a Gabriel. Acababan de maniatarlo como a un cerdo listo para el espetón. Lo único que faltaba era que alguien le metiera el pincho por el culo y empujara hasta sacárselo por la boca, y Wooster se proponía evitar ese destino a toda costa, aun si eso implicaba entregar al chico.

Se sentó en la silla de su despacho y abrió una carpeta. No reparó en lo que era, y no leyó lo que había escrito en sus hojas.

–Llévenselo –dijo–. Es todo suyo.

–Gracias, jefe –respondió Gabriel–. Me disculpo una vez más por las molestias causadas.

Wooster no levantó la vista. Los oyó salir del despacho, y la puerta se cerró suavemente.

Jefe Wooster. El pez gordo. En fin, acababan de dejarle clara la realidad de su situación. Era un pez pequeño en un estanque pequeño que de algún modo se había adentrado en aguas profundas y un tiburón acababa de enseñarle los dientes.

Miró la puerta cerrada del despacho imaginando otra vez la pared al otro lado, la sala de observación detrás de ella, y al chico en su celda, excepto que ahora era Gabriel quien lo observaba, no Wooster. Tiburones. Aguas profundas. Cosas desconocidas que se enroscaban y desenroscaban en sus profundidades. Gabriel observando al chico, el chico observando a Gabriel, hasta que los dos se fundieron convirtiéndose en un solo organismo que se perdió en un mar oscuro como la sangre.

5

A Willie Brew le dolía la cabeza.

En un primer momento las cosas no habían ido tan mal. Al despertar, se sentía deshidratado y tenía plena conciencia de que, pese a no haberse movido ni un milímetro en toda la noche, no había descansado debidamente. Quizá me libre, pensó. Quizá los dioses me sonrían sólo por esta vez. Pero cuando llegó al taller, empezó a palpitarle la cabeza. A mediodía estaba sudoroso y tenía náuseas, y sabía que a partir de ese punto las cosas irían de mal en peor. Sólo deseaba que el día concluyera para poder marcharse a casa, volver a la cama y despertar a la mañana siguiente con la cabeza despejada y una profunda y perdurable sensación de pesar.

Eso le pasaba desde que dejó las bebidas de alta graduación. En sus buenos tiempos, o malos tiempos, podía meterse entre pecho y espalda una botella incluso del peor matarratas y, aun así, a la mañana siguiente estaba en perfectas condiciones. Ahora rara vez bebía algo excepto cerveza, y ésta generalmente con moderación, porque la cerveza lo tumbaba como nunca lo habían tumbado las demás bebidas alcohólicas. Pero un hombre no cumplía seis décadas todos los días, y no sólo correspondía celebrarlo de alguna manera, sino que además eso era lo que esperaban los amigos. Ahora estaba pagando el precio de haber bebido durante siete horas sin parar.

Ni siquiera el almuerzo le había ayudado. El taller se encontraba en un callejón adyacente a la Setenta y Cinco, entre la Treinta y Siete y Roosevelt, cerca del bufete de un abogado indio especializado en inmigración y visados, una astuta elección de razón social por su parte, ya que en la zona vivían más indios que en ciertas partes de la India. La avenida Treinta y Siete tenía restaurantes italianos, afganos y argentinos, entre otros, pero una vez que llegabas a la calle Setenta y Cuatro no había más que indios. Incluso le habían cambiado el nombre, y ahora se llamaba Kalpana Chawla Way, por el astronauta indio que murió en el desastre del transbordador espacial Columbia en 2003, y hombres con turbantes sij repartían la carta de la mañana a la noche a cuantos pasaban por la acera.

Ése era el territorio de Willie. Allí se había criado y esperaba morir allí. De niño iba en bicicleta hasta La Guardia y el estadio Shea y les tiraba piedras a las ratas por el camino. Por entonces vivían en el barrio sobre todo irlandeses y judíos. La calle Noventa y Cuatro era conocida como la línea Mason-Dixon, porque al otro lado todos eran negros. Si no recordaba mal, Willie no había visto una cara negra por debajo de la Noventa y Cuatro hasta finales de los sesenta, si bien en los ochenta había unos cuantos niños blancos en el colegio predominantemente negro de la Noventa y Ocho. Lo curioso era que, al parecer, los blancos se llevaban bastante bien con los negros. Se criaban cerca de ellos, jugaban al baloncesto con ellos y permanecían a su lado cuando algún intruso entraba en su territorio. En esa época, los ochenta, las cosas empezaron a cambiar, y la mayoría de los irlandeses se marcharon a Rockaway. Llegaron las bandas y se propagaron desde Roosevelt. Willie se había quedado y se había enfrentado a ellas, aunque había tenido que poner rejas en las ventanas del pequeño apartamento donde vivía, no muy lejos de donde ahora estaba el taller. Arno, por su parte, siempre había residido en Forley Street, que ahora era Little Mexico, y aún no había aprendido una sola palabra de español. Por debajo de la Ochenta y Tres, el barrio era más colombiano que mexicano y parecía otra ciudad: los hombres voceaban su mercancía en las aceras, gritando y regateando en español, y las tiendas vendían música y películas que ningún blanco compraría jamás. Incluso las películas exhibidas en el Jackson 123 tenían subtítulos en español. Willie sobrevivió a todo aquello. No se largó cuando las cosas se pusieron feas, y cuando Louis se vio obligado a vender el edificio de Kissena, Willie aprovechó la oportunidad para mudarse a un local más cerca de su casa; y ahora él y su negocio formaban parte de la historia del barrio tanto como el bar de Nate. Pero eso no le aliviaba la resaca.

Habían comido en un bufé libre, evitando, como siempre, la cabra al curry, que al parecer era un plato esencial en la gastronomía de esa parte de la ciudad. «¿Has visto alguna vez una cabra?», había preguntado Arno a Willie en una ocasión, y él tuvo que admitir que no, o desde luego no en Queens. Suponía que cualquier cabra que acabase paseándose por la calle Setenta y Cuatro no duraría mucho tiempo dada la evidente demanda de platos en los que era el principal ingrediente. Se mantuvieron, por tanto, fieles al pollo, atracándose de arroz y *naan*. Fue Arno quien convirtió a Willie a los placeres de la comida india, cabra aparte, y Willie descubrió que, si uno eludía el picante y se concentraba en el pan y el arroz, proporcionaba una esponja bastante aceptable después de una noche de juerga.

Ya de vuelta en el taller, Willie contaba los minutos que faltaban para cerrar y marcharse a casa. En voz baja maldijo a la cervecera Brooklyn y toda su producción.

–El mal trabajador echa la culpa a las herramientas –sentenció Arno.

–¿Qué?

Willie no había estado de humor para aguantar a Arno en todo el día. Aquel pequeño danés o sueco o lo que fuera no tenía derecho a estar más fresco que una lechuga. Al fin y al cabo, habían cerrado la noche bebiendo juntos, hablando de los viejos tiempos y de los amigos desaparecidos. Entre esos amigos incluso algunos eran humanos, pero la mayoría tenían cuatro ruedas y motores V8. Arno no hacía ascos al alcohol. La única condición era que debía ser claro como el agua, de modo que siempre tomaba ginebra o vodka, y Arno había bebido un vodka doble con tónica por cada cerveza de Willie. Sin embargo allí estaba, animado y alegre al final de un día lúgubre para Willie, escuchando sus conversaciones privadas con los dioses de la cerveza. Daba la impresión de que Arno nunca tenía resaca. Debía de ser por el metabolismo. Sencillamente quemaba el alcohol.

Ese día Willie odió a Arno.

–La cervecera no tiene ninguna culpa –continuó Arno–. Nadie te obligó a beber semejante cantidad de cerveza.

–Tú me obligaste a beber semejante cantidad de cerveza –señaló Willie–. Yo quería irme a casa.

–No, sólo creías que querías irte a casa. En realidad, querías seguir celebrándolo. Conmigo –añadió, y sonrió como un idiota.

–A ti te veo todos los días –dijo Willie–. Incluso te veo los domingos en la iglesia. Me persigues. Tú eres como el fantasma y yo soy la señora Muir, sólo que a ella el fantasma acabó gustándole.

Willie reflexionó acerca de la analogía y decidió que tenía algo de sospechoso, pero no se retractó por puro cansancio.

–Además, ¿por qué demonios iba a querer celebrarlo contigo?

–Porque soy tu mejor amigo.

–No digas eso. Me entrará la desesperación.

–¿Tienes un amigo mejor que yo?

–No. No lo sé. Oye, en teoría tú sólo trabajas para mí, e incluso eso es dudoso.

–Sé que no lo dices en serio.

–Pues sí.

–No te escucho.

–Maldita sea, te lo digo en serio.

–Tra-la-rá.

Arno entró en el pequeño almacén a la izquierda del área de trabajo principal tarareando a pleno pulmón con un dedo firmemente encajado en cada oído. Willie se planteó lanzarle la tuerca de una rueda y al final lo descartó. Le exigiría demasiado esfuerzo y además en ese momento no confiaba en su puntería. Podía errar el tiro y darle a algo de valor.

Se sentó en una caja de embalaje, apoyó los codos en los muslos y descansó la cabeza en las manos con los ojos cerrados. Eran casi las ocho y fuera ya había oscurecido. Los jueves siempre trabajaban hasta las ocho, así que sólo faltaban unos minutos para cerrar y dar la jornada por concluida. Le diría a Arno que entrara los carteles que anunciaban que allí ajustaban los frenos por 49,99 dólares y cambiaban el aceite por 14,99. Luego vería la televisión en casa un rato antes de arrastrarse hasta la cama.

Después se preguntó si se había quedado dormido por un momento allí mismo, ya que cuando abrió los ojos, tenía a dos hombres delante. Supo de inmediato que no eran de la ciudad. Casi se olía la bosta de vaca. Los dos eran de mediana estatura, y el de más edad contaría poco más de cuarenta años. El cabello, oscuro, le caía desordenadamente alrededor del cuello y las afiladas patillas confluían en el mentón, como si todo su pelo, el de la cabeza y el facial, formara parte de un único peluquín que podía quitarse por la noche y colocar en un cráneo de maniquí. Vestía un polo de golf de colores marrón, amarillo y verde bajo una cazadora de pana marrón, vaqueros marrones y unos Timberland baratos de imitación.

Willie detestaba los polos de golf casi tanto como a los jugadores de golf. Cada vez que entraba alguien en el taller vestido para el campo de golf, o con palos en el coche, Willie mentía y decía que estaba demasiado ocupado para atenderlo. Quizás existían golfistas que no eran gilipollas, pero Willie no había conocido a tantos como para poder conceder a esa patética especie el beneficio de la duda. Además, sabía por experiencia que cuanto más caro era el coche del golfista, más gilipollas era el individuo. Su intensa aversión por los golfistas abarcaba toda su indumentaria, y se redoblaba en el caso de los polos de color flema y de cualquier persona tan patética como para llevar uno en privado o en público, y muy en particular en el lugar de trabajo de Willie Brew cuando éste andaba resacoso.

El segundo hombre era de constitución más ancha que el primero y, pese al aire relativamente frío, vestía sólo una cazadora vaquera descolorida encima de una camiseta y vaqueros gastados. Mascaba chicle y lucía una sonrisa de cretino que inducía a uno a pensar que delante tenía, en carne y hueso, no sólo a un capullo, sino la clase de capullo que consideraba un mal día aquel que no incluía infligir un poco de dolor y sufrimiento a otro ser humano.

Y la cuestión era que los dos miraban a Willie como si ya estuviera muerto.

Willie sabía quiénes eran. Sabía que no muy lejos de la entrada de su querido taller habría aparcado un Chevrolet Malibú azul, listo para llevarse a aquellos dos hombres de regreso al sitio de donde venían tan pronto como concluyeran su trabajo. Debería haber avisado la primera vez que vio el coche. Ahora ya era demasiado tarde.

Willie se puso en pie. Aún tenía una llave de tubo en la mano derecha.

–Ya hemos cerrado, chicos –dijo.

Pero aquellos dos hombres no estaban allí por un coche, y todo lo que Willie dijese en ese sentido no servía más que para retrasar lo inevitable, una farsa para la que no tendrían paciencia. Estaban allí por trabajo, y Willie se preguntó si había molestado a alguien tanto como para echarle a esos dos individuos encima. Llegó a la conclusión de que no. Nadie lo odiaba hasta ese punto. Aquello no tenía que ver con él. Alguien pretendía transmitir un mensaje, y lo hacía a través de Willie, rompiéndole los huesos y acabando con su vida.

De pronto el del chicle sacó una pistola de debajo de la cazadora. Sin apuntar siquiera a Willie, la dejó suspendida a un costado como si entrar en un local y prepararse para matar al dueño fuera lo más natural del mundo. Mantuvo el pulgar y el índice en posición a la vez que extendía los otros dedos, como un atleta relajando los músculos una última vez antes de colocarse en los tacos de salida.

—Tira la llave —ordenó su compañero, el de la perilla.

Willie obedeció. La herramienta produjo un sonoro ruido al caer en el suelo de cemento.

—No tienes buen aspecto —dijo el de la perilla.

Willie intentó en vano localizar el acento. Percibió, quizá, cierto dejo canadiense. Pero no importaba, no en ese momento.

—He tenido una mala noche.

—Pues lamento decir que tu día no va a ser mucho mejor.

El de la perilla dio un puñetazo a Willie. Willie ni siquiera pudo prepararse para el golpe. Lo alcanzó de pleno y le rompió la nariz. Cayó de rodillas, llevándose las manos a la cara para contener la primera emanación de sangre. Oyó al segundo hombre reírse y alejarse. La puerta del almacén se abrió. Willie miró a través de los dedos y vio entrar allí al del chicle, ahora con la pistola en alto. Por una vez en la vida, Willie rezó: «No permitas que Arno haga ninguna tontería».

Ahora el de la perilla empuñaba su propia pistola.

—¿Sabes qué te digo? —prosiguió—. Deberías elegir mejor a las personas con quienes te asocias. Me explico: sé de hombres que frecuentan la compañía de maricones. Yo no siento respeto por ellos, y no puedo decir que me guste mucho lo que hacen juntos, pero son cosas que pasan. Por otra parte, como bien sabe Dios, he conocido a hombres que frecuentan la compañía de asesinos. Podríamos decir que yo soy uno de esos hombres, y mi amigo, ese que está ahí detrás, también. Los dos somos así, en cierto modo: matamos a gente y nos hacemos mutua compañía cuando estamos en ello. Pero tú..., tú rizas el rizo: andas con asesinos maricones, ahí es nada. Supongo que no te sorprenderá lo que viene a continuación.

Apuntó la pistola a la cabeza de Willie, y Willie cerró los ojos. Oyó un disparo e hizo una mueca, pero el sonido no llegó de cerca. De hecho, resonó en el almacén. El ruido distrajo por un instante al de la perilla, que volvió la cabeza. En ese momento, Willie se abalanzó sobre él recogiendo del suelo la llave. La levantó casi hasta el hombro y descargó un golpe seco justo por encima de la mano que empuñaba el arma. Le pareció oír el crujido de un hueso al partirse, y de pronto el arma estaba en el suelo. Willie empujó con todo su peso al hombre contra el maletero del Oldsmobile rojo en el que había estado trabajando Arno. Pese a la mano fracturada, el de la perilla actuó con rapidez. Con el puño izquierdo alcanzó a Willie en la nariz

94

ya rota, y éste sintió nuevas punzadas de dolor en la cara y quedó cegado por un instante; entonces lanzó una patada a bulto con el pie derecho e impactó con la puntera de acero de la bota de trabajo en un muslo, que se adormeció hasta el punto de que su adversario se tambaleó cuando alargaba ya el brazo hacia el arma. Con el golpe, el propio Willie perdió el equilibrio y se cayó. Aun así, consiguió alejar la pistola con un lado del pie y hacerla desaparecer entre las sombras del garaje, y justo entonces oyó un segundo disparo y ruido de cristales rotos. Intentó encogerse, ponerse a cubierto, y cuando alzó la vista, la luna trasera del Oldsmobile había saltado echa añicos y el de la perilla se marchaba rápidamente, cojeando aún por la pierna adormecida. Se oyó un tercer disparo, y el hombro derecho del individuo dio una sacudida hacia delante justo cuando se escabullía por la puerta del garaje. Apremiado por un último disparo que alcanzó los ladrillos cercanos, desapareció en la noche.

Arno, en la entrada del almacén, empuñaba un arma. No la sostenía con mucha firmeza, y parecía demasiado grande para él. A Arno no le gustaban las armas y, que Willie supiera, nunca antes había disparado. Era asombroso que hubiese hecho blanco. Arno avanzó con cautela hacia la puerta del garaje. Se oyó arrancar un coche y el motor que se alejaba.

Willie se puso en pie con dificultad.

–¿Qué le ha pasado al otro? –preguntó.

–Le he dado con un martillo –contestó Arno. Estaba lívido–. Se le ha disparado la pistola al caer. ¿Estás bien?

Willie asintió con la cabeza. Le dolía mucho la nariz, pero estaba vivo. Le temblaban las manos y tenía ganas de vomitar. Alargó el brazo y retiró con delicadeza la pistola de la mano de Arno, a la vez que ponía el seguro.

–¿A qué ha venido esto? –preguntó Arno.

–Tengo que hacer una llamada –dijo Willie–. Busca un trozo de cable y ata al tipo del almacén.

Arno no se movió.

–No creo que haga falta, jefe –dijo.

Willie lo miró.

–Por Dios, ¿tan fuerte le has pegado?

–Era un martillo. ¿Qué esperabas?

Willie cabeceó, aunque no sabía si en un gesto de desesperación o de admiración.

–Ahora resulta que trabajo con el puto Rambo –dijo–. Ni siquiera me explico cómo le has dado al otro.

–Apuntaba a los pies –contestó Arno.

–¿Qué pretendías? ¿Hacerlo bailar? Mira que apuntar a los pies. Dios mío. Cierra la puerta.

Arno obedeció. Willie entró en su despacho y alcanzó el teléfono. Se sabía de memoria el número que marcó.

La llamada se desvió a un contestador. A continuación probó con el servicio, y la tal Amy anotó su número y dijo que transmitiría el mensaje. Por último recurrió al móvil, utilizando el número de esa semana, reservado para los casos de emergencia más graves, pero una voz le dijo que el teléfono estaba desconectado.

Pues Louis y Ángel tenían sus propios problemas.

La señora Bondarchuk estaba en el pasillo cuando oyó el timbre del portero automático. Miró a través de uno de los cristales esmerilados de la puerta interior y vio a un hombre en el portal al otro lado de la puerta de la calle. Vestía un uniforme azul y sostenía un paquete en una mano y una tablilla sujetapapeles en la otra. La señora Bondarchuk pulsó el botón del intercomunicador justo cuando el timbre sonaba otra vez. Los pomeranos empezaron a ladrar.

–¿En qué puedo ayudarlo? –preguntó con un tono que sugería que cualquier clase de ayuda tardaría en llegar. La señora Bondarchuk recelaba de todos los desconocidos, y en especial de los hombres. Sabía cómo eran los hombres. Ninguno era digno de confianza, a excepción hecha de los dos caballeros que vivían arriba.

–Traigo un paquete –contestó la voz.

–¿Un paquete para quién?

Se produjo un silencio.

–La señora Evelyn Bondarchuk.

–Déjelo dentro –indicó la señora Bondarchuk, y pulsó el interruptor que abría sólo la puerta exterior.

–¿Es usted la señora Bondarchuk? –preguntó el mensajero al entrar en el vestíbulo.

–¿Quién voy a ser?

–Tiene que firmar.

La puerta interior tenía una rendija de un par de centímetros de anchura para tales eventualidades.

–Échelo por la ranura –indicó la señora Bondarchuk.

–Señora, eso no puedo hacerlo. Es importante. No puedo desprenderme de esto.

–¿Qué voy a hacer con un sujetapapeles? –preguntó la señora Bondarchuk–. ¿Venderlo y marcharme a Rusia? Pase el sujetapapeles por la ranura.

La puerta de la calle se cerró a espaldas del hombre. Ahora ella lo veía bien. Tenía el pelo oscuro y la piel estropeada.

–Vamos, señora. Sea razonable. Abra y firme.

A la señora Bondarchuk no le gustó la insinuación de que era poco razonable.

–Eso no puedo hacerlo. Tendrá que marcharse, y puede llevarse el paquete. Deje el número y ya pasaré yo misma a recogerlo.

–Eso es una tontería, señora Bondarchuk. Si usted no lo acepta, tendré que cargar con él otra vez hasta el centro. Y ya sabe cómo son estas cosas, igual se pierde –dijo el hombre en una clara indirecta–. Quizá sea un bien perecedero. ¿Y entonces qué?

–Entonces empezará a oler –afirmó la señora Bondarchuk–, y tendrá que tirarlo. Y ahora haga el favor de marcharse.

Pero el hombre, en lugar de irse, sacó una pistola de debajo del uniforme y la apuntó hacia el cristal. Tenía un cilindro acoplado a la boca del cañón. La señora Bondarchuk había visto suficientes películas de policías para reconocer un silenciador cuando lo veía.

–Vieja zorra –dijo el hombre mientras la señora Bondarchuk retiraba el dedo del intercomunicador poniendo fin a la conversación, a la vez que con la mano izquierda activaba la alarma silenciosa. El individuo echó una ojeada por encima del hombro a la calle vacía a sus espaldas, apuntó la pistola hacia el cristal y disparó dos veces. El ruido fue como el reventón de dos bolsas de papel y casi simultáneamente aparecieron las marcas de los dos impactos ante la cara de la señora Bondarchuk, pero el cristal no se rompió. Como casi todo en el edificio, incluida la señora Bondarchuk, el vidrio era más imponente de lo que parecía a simple vista.

El hombre pareció comprender que sus esfuerzos eran en vano. Dio un golpe al cristal con la mano enguantada, como si esperase desalojarlo del marco; luego abrió la puerta de la calle y salió corriendo. Por un momento, reinó el silencio. Poco después la señora Bondarchuk oyó ruidos procedentes del sótano en la parte de atrás de la casa. Consultó el reloj. Habían pasado cinco minutos desde que accionó la alarma silenciosa. Si transcurridos diez minutos no llegaba nadie, tenía instrucciones de avisar a la policía. Sus dos caballeros habían sido muy claros a ese respecto cuando instalaron el nuevo sistema de seguridad, y se lo había repetido el propio señor Leroy Frank en una carta oficial. En ella le informaba de que una empresa de seguridad privada, una muy exclusiva, había sido contratada para vigilar las propiedades del señor Frank a fin de aliviar la presión de las fuerzas del orden de la ciudad. En caso de surgir algún problema, alguien acudiría en menos de diez minutos. Sólo si pasado ese tiempo no había llegado ayuda, debía avisar a la policía.

Continuaron los ruidos en la parte trasera de la casa. Hizo callar a los pomeranos y, sigilosamente, descendió por la escalera hacia la puerta de atrás, que daba a un pequeño espacio pavimentado donde estaban los cubos de basura. Era una puerta blindada, con una mirilla en el centro. Miró por ella y vio a dos hombres, ambos con uniformes de mensajero, que acoplaban algo al exterior de la puerta. Uno de ellos, el hombre que había disparado contra la puerta delantera, alzó la vista y adivinó que ella estaba allí por el cambio en la luz. Blandió un bloque de material blanco, como un trozo de masilla. Sobresalía algo semejante a un trozo de lápiz, con un cable conectado.

–Debería apartarse de la puerta –dijo, y su voz, aunque audible, llegó amortiguada por el blindaje–. O mejor aún, apóyese en ella y verá lo que pasa.

La señora Bondarchuk se apartó tapándose la boca con las manos.

–No –dijo–. Oh, no.

Tenía que llamar a la policía. Retrocedió aún más. Debía volver al apartamento, debía pedir ayuda. El servicio de seguridad del señor Leroy Frank no había llegado. La habían dejado en la estacada, justo cuando más los necesitaba. Empezó a correr y cayó en la cuenta de que lloraba. Los gañidos de los pomeranos la ensordecían.

Sonaron dos disparos al otro lado de la puerta. Las detonaciones fueron más estridentes que las anteriores, y acto seguido se oyó el choque de algo pesado contra el exterior metálico. La señora Bondarchuk se quedó petrificada y luego se volvió hacia la puerta. Se llevó las yemas de los dedos a la boca, que a causa del temblor le golpetearon los labios carnosos.

–¿Señora Bondarchuk? –llamó alguien, y ella reconoció la voz del señor Ángel–. ¿Está usted bien?

–Sí –contestó–. Sí. ¿Quiénes eran esos hombres?

–No lo sabemos, señora Bondarchuk.

«Sabemos», en plural.

–¿Se han ido?

Siguió un silencio.

–Esto..., en cierto modo, sí –repuso el señor Ángel.

La señora Bondarchuk regresó a su apartamento y, tras cerrar la puerta y echar la llave, se sentó con un par de pomeranos en la falda hasta que el señor Ángel fue a verla un rato después con un pastel de chocolate de Zabar's. Juntos, comieron un trozo cada uno, acompañado de un vaso de leche, y el bueno del señor Ángel hizo lo que pudo para tranquilizar a la señora Bondarchuk.

6

Para sorpresa de Willie, y alivio de Arno, el hombre del almacén no estaba muerto. Tenía una fractura de cráneo y sangraba por las orejas, cosa que Willie no consideró buena señal, pero desde luego aún respiraba. Eso ahorró a Willie la decisión acerca del siguiente paso. Como no estaba dispuesto a dejar morir a un extraño en el suelo de su taller, llamó al 911, y Arno y él, mientras esperaban la llegada de la ambulancia y de la inevitable policía, se pusieron de acuerdo sobre su versión de los hechos. Fue un atraco fallido, así de simple. Los hombres buscaban dinero y un coche. Iban armados y Willie y Arno, temiendo por sus vidas, se enfrentaron a ellos, dejando a uno inconsciente en el suelo y poniendo en fuga al otro, que estaba herido.

Willie tomó una precaución más. Con la ayuda de Arno, y empleando una vela que calentó y aplastó en el radiador, tomó las huellas dactilares del hombre sin conocimiento apretando los dedos contra la cera caliente. A continuación dejó la vela detrás de una pila de documentos viejos en el armario del despacho y cerró la puerta con llave. El hombre no llevaba billetero ni ninguna otra forma de identificación, lo que a Willie se le antojó extraño. Sabía que la policía probablemente le tomaría las huellas, pero suponía asimismo que Louis querría hacer averiguaciones por su cuenta. También para ayudar a Louis en dicha empresa, Willie pidió a Arno que hiciera unas fotografías de aquel tipo con su móvil. El móvil de Willie no tenía cámara. Era tan sencillo que a su lado una lata atada al extremo de un cordel semejaba una alternativa viable, pero a Willie ya le parecía bien así.

Al llegar la policía, tanto Willie como Arno representaron sus papeles a la perfección: eran hombres honrados ante una amenaza contra su integridad física y posiblemente contra su vida. Se habían defendido de sus agresores y ahora estaban conmocionados, pero a todas luces vivos, en medio del pequeño taller que habían protegido con tal determinación. Tampoco andaban muy lejos de la verdad. Los policías los escucharon con actitud comprensiva y después les recomendaron que a la mañana siguiente acudieran a la comisaría a fin de prestar declaración formal. Arno preguntó si necesitaría un abogado, pero el inspector respondió que no lo creía. De forma extraoficial comentó que no era probable que se presentasen cargos aun si el maleante moría. A los fiscales no les gustaba interponer acciones judiciales impopulares, y Arno estaba en posición de ampararse en un alegato de defensa propia sin fisuras. El siguiente paso, dijo, era identificar al caballero en cuestión, ya que en los bolsillos sólo llevaba chicle, un rollo de billetes de diez, veinte y cincuenta, y un cargador de reserva para la pistola. Willie y Arno se esmeraron en adoptar una expresión de sorpresa al oír la noticia.

Willie creía que ya prácticamente habían terminado cuando un par de recién llegados, un hombre y una mujer, entraron en el garaje. Los dos vestían traje oscuro, y después de identificarse ante el agente del coche patrulla en la puerta del garaje, éste, tan pronto como entraron, miró por encima del hombro a sus compañeros en el interior y articuló con los labios la palabra «federales», como si ellos no hubieran adivinado ya quiénes eran los visitantes.

Uno de los auxiliares médicos le había vendado la cara a Willie. Le había reducido la fractura de la nariz en su despacho, evitándole así el traslado al hospital, y ahora le palpitaba atrozmente. Si a eso añadía las náuseas debidas a la resaca y la bajada de adrenalina posterior a la pelea, Willie no recordaba la última vez que se había sentido tan mal. Ahora, sentado en un taburete al lado del Oldsmobile tiroteado, con Arno cerca, observó acercarse a los dos agentes y, con una mirada fugaz, indicó a Arno que se avecinaban problemas. Willie no era un experto en fuerzas del orden público, ni en las sutilezas de la jurisdicción, pero había vivido en Queens tiempo suficiente para saber que el FBI no aparecía cada vez que alguien blandía un arma en un taller mecánico, o de lo contrario no tendrían tiempo para nada más.

El hombre era negro, y se presentó como agente especial Wesley Bruce. Su compañera, la agente especial Sidra Lewis, era una rubia teñida con penetrantes ojos azules y el ceño siempre fruncido como si creyera que todos aquellos con quienes se cruzaba durante el trabajo eran culpables de algo, aunque sólo fuera de considerarse mejores que ella. Separaron a Arno y a Willie, la mujer se llevó a Arno al despacho mientras que Bruce se apoyaba en el capó del Oldsmobile, cruzaba los brazos y dirigía a Willie una amplia sonrisa de pocos amigos que a él le recordó la manera de sonreír del masticador de chicle antes de que Arno le arrancara la sonrisa de la cara con un pedazo de metal y madera.

–Y bien, ¿cómo se encuentra? –preguntó Bruce.

–He tenido momentos mejores –contestó Willie. Y ésas fueron las primeras palabras del todo sinceras que pronunciaba desde la llegada de la policía. Tuvo la sensación de que el bueno del agente especial Wesley Bruce allí presente ya se había dado cuenta de ese detalle.

–Por lo visto, nuestros dos amigos se han metido con quienes no debían.

–Eso parece.

–¿Dice que buscaban un coche?

–Un coche, y dinero.

–¿Guarda usted mucho dinero aquí?

–No mucho. La mayoría de la gente paga con cheque o tarjeta de crédito. Aunque todavía hay algunos que prefieren el efectivo. Por aquí las viejas costumbres tardan en perderse.

–Seguro que sí –dijo Bruce, como si Willie no estuviera hablando de pagos en efectivo sino de otra cosa muy distinta. Willie se preguntó qué podía ser, pero eran tantas las posibilidades, legales e ilegales, que no supo con qué quedarse. Finalmente estableció la conexión: como todo lo demás esa noche, tenía que ver con Louis y Ángel. Caer en la cuenta no alteró su comportamiento, pero sí acentuó la antipatía que ya le inspiraba el agente especial Bruce.

Bruce miraba a Willie con severidad.

–Seguro que sí –repitió, y esperó.

Willie oía la voz de Arno procedente del despacho. Hablaba mucho más que Willie. De hecho, la agente especial Lewis parecía tener problemas para mediar palabra.

Bienvenida a mi mundo, pensó Willie.

Bruce, comprendiendo por fin que Willie no iba a venirse abajo y confesar todos los crímenes pendientes de resolución en los libros, reanudó el interrogatorio.

–Así que no se habrían embolsado gran cosa por sus esfuerzos, aun cuando se hubiesen salido con la suya.

–Un par de cientos, quizás, incluida la calderilla.

—Muchas molestias por un par de cientos. Seguro que tenían maneras más fáciles de obtener ganancias.

—No tenemos cámaras.

—¿Cómo dice?

—Cámaras de seguridad. No las usamos. Las hay en la mayoría de los sitios, pero aquí no. Tal vez han deducido que no teníamos y han pensado, qué demonios, intentémoslo.

—En tiempos desesperados, medidas desesperadas.

—Algo así.

—¿Le han parecido hombres desesperados?

Willie se detuvo a pensar.

—Bueno, amables no eran. Desesperados, no sé.

—Dicho de otro modo: ¿le han parecido la clase de hombres que necesitan dinero?

—Todo el mundo necesita dinero —se limitó a contestar Willie.

—Sólo que nuestro amigo, el de la cabeza rota, llevaba cuatrocientos o quinientos dólares encima, por no hablar de una pistola muy bonita. Yo no diría que vivía tan apurado como para atracar un taller mecánico por un par de cientos de pavos.

—Desconozco la psicología criminal. Ése es su terreno.

—Conque desconoce la psicología criminal, ¿eh? —Bruce pareció encontrar gracioso el comentario. Incluso se rió, aunque sin la menor naturalidad. Fue como si alguien hubiese escrito las palabras «ja, ja, ja» delante de él y luego, poniéndole una pistola en la cabeza, le hubiese obligado a leerlas en voz alta.

—¿Y el coche? —preguntó Bruce cuando acabó de reírse.

—¿Qué pasa con el coche?

—Según lo que usted le ha contado a la policía, vinieron aquí en coche, y el otro..., esto..., el otro «presunto» ladrón se marchó en el mismo vehículo. ¿Por qué iban a necesitar un coche si ya tenían uno?

—Puede que estuvieran planeando un atraco y quisieran un vehículo que no hubiera forma de relacionar con ellos.

—En ese caso les habrían matado a usted y a su compañero para que no pudieran identificarlos ni a ellos ni al coche.

—Bueno, por eso uno acabó con un martillo en la cabeza en lugar de un sombrero. Oiga, señor Bruce...

—Prefiero «agente especial Bruce».

Willie miró a Bruce sin inmutarse. Se produjo un silencio tenso, hasta que Willie soltó un suspiro teatral y continuó.

–... Agente especial Bruce, no entiendo cuál es su problema. No hemos tenido ocasión de prepararles una taza de café a esos individuos para invitarlos a sentarse a que nos explicaran sus motivaciones. Se han presentado aquí, me han roto la nariz, me han dicho lo que querían, y el resto ya lo sabe.

–Sí, lo sé. Son ustedes unos héroes. Ya hay un reportero del *Post* ahí fuera esperando para sacarles una foto. Van a hacerse famosos. Será bueno para el negocio.

–Seguro –dijo Willie con una pizca de inquietud.

–No parece que le haga mucha gracia –señaló Bruce.

–¿Quién necesita esa clase de publicidad?

Bruce desplegó una amplia sonrisa.

–¡Precisamente! –exclamó–. A eso iba yo. ¿Quién la necesita? Usted no, y tal que vez tampoco su socio en el negocio.

–No sé de qué está hablando.

–¿Ah, no? ¿Quién lo sacó de apuros en su día? Su ex mujer quería obligarlo a vender el taller como parte del acuerdo de divorcio, ¿no es así? Las cosas no pintaban bien para usted y de pronto, ¡zas!, recibió el dinero para pagarle sin necesidad de vender. ¿De dónde salió?

Daba la impresión de que el agente especial Bruce estaba muy al corriente de sus asuntos. Willie no sabía hasta qué punto le parecía bien que sus dólares como contribuyente se gastaran así.

–De un buen samaritano –contestó.

–¿Cómo se llamaba?

–Fue a través de una agencia. No recuerdo ningún nombre.

–Ya, Inversiones Última Esperanza, cuya existencia duró poco más o menos como la vida de una efímera.

–Lo suficiente para ayudarme a salir del paso. A mí eso es lo único que me importa.

–¿Devolvió el préstamo?

–Lo intenté, pero como usted dice, Última Esperanza ya no existe.

–No me extraña, si iban por ahí haciendo préstamos y luego no intentaban recuperar el dinero. Un nombre curioso, además, ¿no cree?

–No es problema mío. Declaré el préstamo. Estoy limpio.

–¿Quién es el propietario de este edificio?

–Una empresa.

–Leroy Frank Properties, Incorporated.

–Exacto.

–¿Le paga un alquiler a Leroy Frank?

–Mil quinientos al mes.

–No es mucho por un local tan grande como éste.

–Es suficiente.

–¿Conoce a Leroy Frank?

–¿Cree que si trabajase en un edificio de Trump conocería a Donald?

–Quizá sí, si fuese amigo suyo.

–Dudo que Donald Trump sea amigo de muchos de sus inquilinos. Es Donald, no...

–... no Leroy Frank –concluyó Bruce por él.

Willie negó con la cabeza, un hombre sencillo enfrentado a alguien resuelto a malinterpretar intencionadamente todas sus palabras.

–Ya se lo he dicho: no conozco a Leroy Frank. Estoy al día con el alquiler, llevo un negocio, pago mis impuestos y nunca en la vida me han puesto siquiera una multa de aparcamiento, así que estoy en paz con la ley.

–Ya –dijo Bruce–, debe de ser usted el hombre más honrado de aquí a Jersey.

–Quizás incluso hasta más lejos –añadió Willie–. He conocido a gente de Jersey.

Bruce frunció el entrecejo.

–Yo soy de Jersey –dijo.

–Quizás usted sea la excepción –respondió Willie.

Confuso por un momento, Bruce decidió dejar de lado ese tema en particular.

–Es difícil de localizar, ese Leroy Frank –prosiguió–. Hay un rastro de papel impresionante en torno a sus empresas. Sí, está todo limpio y claro, no me malinterprete, pero él es todo un misterio. Hoy día resulta difícil ser tan enigmático.

Willie se quedó callado.

–Verá, lo que pasa es que con la amenaza del terrorismo y demás, hemos destinado mucho más tiempo a investigar las finanzas que no cuadran como debieran –explicó Bruce–. Ahora es más fácil. Tenemos más atribuciones que antes. Por supuesto, si usted es inocente, no tiene nada que temer...

–Tengo entendido que eso mismo decía Joe McCarthy –comentó Willie–, pero creo que mentía.

Bruce comprendió que por el momento no iba a llegar a ninguna parte. Retiró su considerable peso del Oldsmobile, que pareció lanzar un gemido de alivio. Se le borró la sonrisa y volvió a tener el ceño fruncido. Willie pensó que ese ceño debía de disfrutar sólo de brevísimos periodos de vacaciones en el mejor de los casos.

–Bueno, me marcho, pero volveremos a vernos –anunció Bruce–. Si por una de esas casualidades viera al misterioso Leroy Frank, dele saludos de mi parte. Es una pena que todo esto haya ocurrido en una de sus propiedades. Sería una lástima si alguien dijera a la prensa que tal vez conviniese investigar quién es el propietario de este local. Podría ser una amenaza para su anonimato, podría obligarlo a salir a la luz.

–Yo me limito a hacer un ingreso en el banco –dijo Willie–. Lo único que pregunto es: «¿Me da un recibo?».

La agente especial Lewis salió del despacho. Si acaso, tenía una expresión más contraída que antes y casi temblaba de frustración. Willie reprimió una sonrisa. Arno ejercía ese efecto en las personas. Intentar sonsacarle respuestas cuando no quería darlas era como pretender enderezar a una serpiente. Bruce enseguida percibió el descontento de su compañera, pero no hizo ningún comentario.

–Como le he dicho, volveremos –recordó a Willie.

–Aquí nos encontrarán –contestó Willie.

Cuando los dos agentes se marcharon, Arno apareció junto a él.

–Caray, qué tensa estaba esa mujer –comentó–. Pero me ha caído bien. Hemos tenido una charla agradable.

–¿Sobre qué?

–La ética.

–¿La ética?

–Sí, ya sabes. La ética. El bien y el mal de las cosas.

Willie cabeceó.

–Vete a casa –dijo–. Me das más dolor de cabeza aún.

Llamó a Arno justo cuando el hombrecillo se disponía a desaparecer en la noche.

–Ten cuidado con lo que dices por teléfono –advirtió.

Arno lo miró perplejo.

–Lo único que digo siempre por teléfono es «Aún no lo tenemos listo» –respondió–. Eso y «Va a costarle un poco más». ¿Crees que algo así puede interesar al FBI?

Willie frunció el entrecejo. Allí todo el mundo tenía vis cómica.

–Vete a saber qué les interesa –contestó–. Tú ten cuidado con lo que dices, y ya está. Por cierto, no hables con los periodistas que esperan ahí fuera. Y muéstrame un poco de respeto, maldita sea. Soy yo quien te paga el sueldo.

—Ya, ya —dijo Arno mientras la puerta se cerraba lentamente a sus espaldas—. Y yo voy a comprarme un yate con el dinero de esta semana.

Louis telefoneó en cuanto se deshicieron de los cadáveres. Era una cuestión de prioridades. Dejó su nombre en el servicio contestador pensando que la voz en el otro extremo de la línea era muy parecida a la de la mujer que atendía las llamadas para Leroy Frank. A lo mejor las incubaban en algún sitio, como a los pollos.

Le devolvieron la llamada al cabo de diez minutos.

—El señor De Angelis dice que estará disponible en el doce veintiséis mañana, a eso de las siete —le indicó la mujer con voz neutra.

Louis le dio las gracias y dijo que había quedado claro. Cuando colgó, lo asaltaron los recuerdos de encuentros anteriores, y casi sonrió. De Angelis: de los ángeles. Ése sí era un nombre poco apropiado.

Poco después de las siete de la tarde del día siguiente, Louis se hallaba en la esquina de Lexington con la Ochenta y Cuatro. Ya había anochecido. En ese peculiar rincón entre algunas de las principales arterias de la ciudad, las aceras estaban relativamente tranquilas, porque la mayoría de los establecimientos, salvo algún que otro bar o restaurante, ya había cerrado. Una neblina húmeda se extendía sobre Manhattan presagiando lluvia y confiriendo un aire de irrealidad al entorno, como si hubieran colocado una imagen fotográfica sobre el perfil urbano. A la izquierda, seguía encendido el letrero de la farmacia Lascoff, un letrero antiguo, y si uno entornaba los ojos, era posible imaginar ese tramo de Lexington tal como debió de ser hacía más de medio siglo.

La heladería y cafetería Lexington era un remanente de esa era. De hecho, tenía raíces aún más lejanas: la fundó el viejo Soterios en 1925 como chocolatería y bar de refrescos; con el tiempo se la dejó a su hijo, Peter Philis, quien, a su vez, se la dejó al suyo, el actual propietario, John Philis, que aún se sentaba tras la caja y saludaba a los clientes por su nombre. El escaparate exhibía botellas de Coca-Cola de ediciones especiales junto con un tren de plástico, unas cuantas fotos de celebridades y un bate firmado por Rusty Staub, el gran bateador de los Mets. Generaciones de niños lo habían conocido como «Refrescos y helados», porque eso era lo que se leía en el rótulo encima de la puerta, y la fachada había permanecido inalterada desde tiempos inmemoriales. Louis vio a dos de los camareros vestidos de blanco moverse por el interior pese a que ya habían cerrado, dado que la heladería y cafetería Lexington sólo abría de siete a siete, de lunes a sábado. No obstante, el felpudo verde de plástico continuaba ante la puerta esperando a que lo retirasen por esa noche. En él se leía la dirección numérica de «Refrescos y helados»: 1226.

Louis cruzó la calle y llamó al cristal con los nudillos. Uno de los hombres que limpiaba dirigió una rápida mirada a su izquierda y salió enseguida de detrás de la barra. Dejó entrar a Louis y, tras saludarlo con un simple gesto, cerró y echó la llave. A continuación, él y su compañero abandonaron sus tareas y desaparecieron por otra puerta, al fondo, donde se leía: PROHIBIDO EL PASO. SÓLO EMPLEADOS.

El local seguía tal como Louis lo recordaba a pesar de los años transcurridos desde su última visita. Conservaba la barra verde, con la marca de los platos y las tazas calientes servidos durante décadas, así como los taburetes de vinilo verde que giraban completamente sobre su base, una fuente de diversión interminable para los niños. Detrás de la barra se alzaban dos grandes cafeteras de gas idénticas, una batidora de leche malteada Hamilton Beach de 1942 y una expendedora de malta en polvo Borden a juego, junto con un exprimidor automático de la misma época.

«Helados y refrescos» era un establecimiento famoso por su limonada recién hecha. Exprimían los limones ante los ojos del cliente, luego añadían al zumo sirope de azúcar y lo servían en un vaso con hielo picado. Ahora había dos vasos de esa misma limonada ante el hombre que ocupaba el reservado del rincón. Los camareros habían atenuado la intensidad de los fluorescentes antes de marcharse, y Louis tuvo la impresión de que el anciano que lo esperaba había absorbido de algún modo la luz del local, como un agujero negro de forma humana, una fisura en el tiempo y el espacio que succionase cuanto lo rodeaba, lo bueno y lo malo, la luz y la no luz, alimentando su propia existencia a costa de todo aquel que entrara en su área de influencia.

Hacía muchos años que Louis y aquel hombre, llamado Gabriel, no se veían, pero cuando dos vidas han estado en otro tiempo tan estrechamente unidas, sus lazos nunca pueden romperse del todo. En cierto sentido, era Gabriel quien había otorgado la existencia a Louis, quien había encontrado a un chico de innegable talento y forjado en él a un hombre al que podía blandir como un arma. Gabriel era a quien acudían en el pasado aquellos que necesitaban los servicios de Louis. Él era el contacto, el filtro. Resultaba difícil precisar qué papel representaba exactamente. Era un amañador, un intermediario. No tenía sangre en las manos, o al menos no se veía. Louis confiaba en él, en cierta medida, y desconfiaba en una medida mucho mayor. Había en torno a Gabriel muchas cosas desconocidas e incognoscibles. Así y todo, Louis sentía algo parecido al afecto por su viejo maestro, de eso era consciente.

Encogido por el paso del tiempo se lo veía más pequeño de lo que Louis lo recordaba. Tenía el pelo y la barba muy blancos y parecía perderse dentro de su enorme abrigo negro. Al coger el vaso y llevárselo a los labios le tembló un poco la mano derecha y parte de la limonada se derramó en la mesa.

—¿No hace un poco de frío para una limonada? —preguntó Louis.

—El frío no me molesta —contestó Gabriel—. Y un café puedes tomarlo en cualquier sitio, aunque el de aquí sea especialmente bueno. Sospecho que tiene que ver con las cafeteras de gas. Pero una limonada excelente..., en fin, eso es aún más difícil de encontrar y hay que aprovechar la oportunidad de saborearla cuando se presenta.

—Si tú lo dices —repuso Louis mientras se deslizaba en el asiento de enfrente, tomando la precaución de mantener a la vista la salida del personal y la puerta de entrada, y dejaba en el centro de la mesa el periódico que llevaba. No tocó el vaso.

—¿Sabes que aquí se rodaron escenas de *Los tres días del cóndor*? Creo que Redford se sentó justo donde tú estás ahora.

—Eso ya me lo dijiste —contestó Louis—. Hace mucho tiempo.

—¿Ah, sí? —preguntó Gabriel, en apariencia pesaroso—. Me ha parecido oportuno mencionarlo dadas las circunstancias. —Tosió—. Ha pasado mucho tiempo, una década o más, desde que descubriste tu conciencia.

—Siempre estuvo ahí. Sólo que antes no le prestaba mucha atención.

—Me di cuenta de que te perdía mucho antes de que nuestros caminos se separasen.

—¿Y eso?

—Empezaste a preguntar «¿Por qué?».

–Comencé a verle la importancia.

–La importancia es relativa. En nuestro oficio, algunos consideran ese «¿Por qué?» un preludio a preguntas tipo «¿A qué profundidad quieres ser enterrado?» y «¿Rosas o azucenas?».

–Pero ¿tú no eras uno de ésos?

Gabriel se encogió de hombros.

–Yo no diría tanto. Sencillamente no estaba dispuesto a echarte los perros. Pero intenté aplacar tus inquietudes antes de darte la libertad.

–¿Dármela?

–Concédele un capricho a un viejo. Al fin y al cabo, no todo el mundo pudo dejarlo.

–Tampoco es que quedaran muchos cuando yo me fui.

–Y desde luego ninguno como tú.

Louis no agradeció el cumplido.

–Y si me permites el comentario, mi brújula moral era más fiable de lo que tú creías –dijo Gabriel.

–A ese respecto tengo mis dudas, sin ánimo de ofender.

–No me ofendes. Pero es verdad. Siempre elegí con cuidado los trabajos que te asignaba. En algunos momentos estuve en la cuerda floja, pero, que yo recuerde, nunca me extralimité intencionadamente, al menos no contigo.

–Te lo agradezco. Sólo que, a mi manera de ver, esa cuerda, con el tiempo, se volvió cada vez más floja.

–Quizás –admitió Gabriel–, quizás. Y bien, ¿qué pasó anoche? Tuviste visita, según he sabido.

A Louis no le sorprendió que Gabriel se hubiese enterado de lo ocurrido en el edificio de apartamentos. Como mínimo habría hecho indagaciones después de recibir la llamada de Louis, si bien éste sospechaba que Gabriel ya sabía entonces lo ocurrido. Alguien se lo habría dicho. Así funcionaba el sistema antiguamente y por eso le había inquietado tanto el silencio en torno a la muerte de Billy Boy.

–Fue un trabajo de aficionados –aclaró Louis.

–Sí. En cambio, lo del taller mecánico fue una sorpresa. Parecía innecesario, y burdo, a no ser que alguien pretendiera transmitir un mensaje. Y en tal caso, ¿por qué actuar contra tu lugar de residencia al mismo tiempo?

–No lo sé –contestó Louis–. Y ha salido en los periódicos. A Willie no le gustará la publicidad. Tampoco a mí me gusta. Atraerá la atención.

110

Gabriel restó importancia con un gesto a las preocupaciones de Louis.

–A los diarios no les interesan los dueños de los locales, sino sólo quién muere en ellos y quién tiene relaciones sexuales en ellos, y no necesariamente por ese orden.

–Yo no hablaba de la prensa.

Gabriel echó una mirada por la ventana como si esperase que de pronto unos agentes de la policía del estado surgiesen de la oscuridad. Pareció decepcionado al ver que no era así. Louis se preguntó si Gabriel se habría alejado mucho de su anterior vida. Ya no tenía a sus asesinos, a sus Hombres de la Guadaña, pero no debía de haberse resignado a una plácida jubilación. Sabía demasiado, pero siempre deseaba saber más. Quizás ya no enviaba a asesinos a hacer el trabajo sucio para otros, pero continuaba formando parte de ese mundo.

Discretamente, Louis tamborileó sobre el periódico. Dentro estaba la vela aplastada con las huellas del herido y copias de las fotografías tomadas con el móvil de Arno, junto con instantáneas adicionales de los dos hombres que habían muerto en el edificio de apartamentos.

–Te he traído ciertos objetos que han llamado mi atención. Me gustaría que les echases una ojeada.

–Sin duda la policía también estará examinándolos.

–A lo mejor tú puedes hacerlo más deprisa. Si le pides un favor a tus amigos.

–No son de los que conceden favores sin algo a cambio.

–Pues en ese caso estarás en deuda con ellos por partida doble, porque quiero pedirte otra cosa.

–Adelante.

–Dos agentes federales fueron a husmear al taller de Willie. Preguntaron por Leroy Frank.

–No sé nada de una investigación. Podría ser que hayan encontrado un hilo en otra parte y tirado de la madeja. Aunque claro, en estos últimos años se han vuelto mucho más obstinados. Antes el terrorismo era bueno para el negocio. Ahora se ha complicado todo mucho: a la menor sospecha de un pago irregular empiezan a surgir toda clase de preguntas, incluso acerca de alguien tan intachable en tales cuestiones como Leroy Frank.

–Pues para mucha gente sería molesto si siguieran tirando del hilo.

–Seguro que puede hacerse algo –dijo Gabriel–. Entretanto, tenemos asuntos más apremiantes: quién está detrás de esto y cómo podemos asegurarnos de que no vuelva a ocurrir.

–¿Podemos?

–Aún a estas alturas me siento de alguna manera responsable de tu bienestar. En cierto sentido, tus problemas son a la vez mis problemas, sobre todo si guardan relación con algo que ha sucedido en mi turno de guardia, por así decirlo. También podría ocurrir, claro está, que estuviera relacionado con tus otras actividades. Tu amigo Parker tiene el don de crearse enemigos interesantes.

–Willie dijo que el hombre no mencionó a Parker. Tenía que ver conmigo.

–Bien.

–¿Bien?

–Eso reduce las posibilidades. No me consta que hayan puesto precio a tu cabeza y, como tú has dicho, fue un trabajo de aficionados. Cualquiera que contratase a alguien para eliminarte buscaría a gente más profesional. Yo que tú me ofendería si alguien creyera que podía acabar contigo de una manera tan burda.

–Sí, estoy que trino. Y por cierto, espero que hayas mandado flores a Billy Boy.

Gabriel movió la cabeza en un gesto de compasión.

–No fue algo del todo inesperado. Su enfermedad estaba en una fase muy avanzada. Se requería cirugía radical. Por lo visto, alguien se ofreció a practicarla.

–Seguro que él habría preferido pedir una segunda opinión.

–Recibió el mejor tratamiento disponible. El final, cuando llegó, fue rápido.

–Un final «venturoso», incluso.

Un espasmo de malestar sacudió el rostro de Gabriel.

–Alguien debería habérmelo dicho –reprochó Louis.

–¿Qué sabes?

–Rumores, nada más.

–Hacía mucho tiempo que nadie se encontraba con él. Incluso se insinuó que había muerto.

–La gente se hace muchas ilusiones.

–¿Estás asustado? –preguntó Gabriel ladinamente, recuperando su anterior expresión de serenidad.

–¿Hay alguna razón para que deba asustarme?

–Ninguna que yo sepa. Pero si se trata del caballero al que te referías, yo no tengo acceso a esa clase de información. Lleva mucho tiempo fuera del alcance del radar, pero vosotros dos tenéis un pasado común. Si ha vuelto, es posible que le apetezca renovar antiguos contactos.

–Eso no es muy tranquilizador para mí. Quizá tampoco lo sea para ti.

–Yo soy un viejo.

–Ya ha matado a viejos antes.

–Yo soy distinto.

Louis admitió que así era.

–En cualquier caso, tu compañero y tú habéis manejado el asunto de hoy bastante bien. Imagino que para él tú representarías todo un reto, incluso después de tantos años. ¿Qué habéis hecho con la basura?

–He pedido que se la llevaran. Al vertedero.

–¿Y la anciana?

–La hemos invitado a pastel de chocolate.

–Ojalá todo el mundo se apaciguara tan fácilmente. ¿Cómo están tus amigos del taller?

–Alterados. Les he dicho que cierren un par de días. Se encuentran en un hotel.

Gabriel apuró la limonada y, al ponerse en pie, alcanzó el periódico y se lo metió en el bolsillo del abrigo.

–Tendré algo para ti dentro de uno o dos días –dijo.

–Te lo agradecería.

–En fin, no es bueno que pasen estas cosas. Hacen quedar mal a todo el mundo.

–Y eso no conviene.

–Claro que no. Ve con cuidado.

Dicho esto, Gabriel se fue.

7

Al cabo de dos días, por la mañana, Gabriel tuvo otra reunión, esta vez en Central Park. El cielo estaba despejado y azul, sin nube alguna que lo empañara después de la negrura de los días anteriores, y en el aire se percibía frescura, pureza, igual que si durante la noche hubieran limpiado de forma milagrosa parte de los humos y la inmundicia de la ciudad, aunque sólo fuera por un breve espacio de tiempo. Era un día como los de su infancia, pero a Gabriel, en la vejez, le costaba recordar sus primeros años de vida. Los fragmentos de memoria que conservaba parecían atañer a otra persona, ajena a él y, sin embargo, vagamente familiar. Era una sensación semejante a la de ver una película antigua y recordar, ah, sí, ya la he visto y en su día, en un tiempo lejano, significó algo para mí.

Aborrecía envejecer. Aborrecía ser viejo. Ver a Louis le había recordado todo lo que él había sido antes, el poder y la influencia que había poseído. Pero aún le quedaba algo de eso. Ya no tenía a los Hombres de la Guadaña en la palma de la mano, dispuestos a obedecerlo a él u obedecer a otros por dinero, pero le debían favores por favores realizados, por confidencias guardadas, por problemas enterrados y vidas acabadas. Gabriel había almacenado cuidadosamente los secretos de todos ellos, porque sabía que su propia vida dependía de ellos. Eran su seguro, y una moneda de cambio a la que recurrir en caso de necesidad.

Un hombre más joven que él se acercó y se puso a su lado. Le sacaba una cabeza a Gabriel, pero éste tenía casi tres décadas más de experiencia, a menudo amarga. Su nombre en clave era Mercurio, por el dios de los espías, pero Gabriel lo conocía como Milton. Sospechaba que ése podía ser su verdadero nombre, porque si bien Milton poseía cierta cultura, sus conocimientos no parecían abarcar el ámbito literario, ya que había reaccionado con una mirada inexpresiva ante una alusión de Gabriel a *El paraíso perdido* en los primeros tiempos de su relación. Aunque, por otro lado, con los hombres de la agencia uno nunca sabía, sobre todo con los que tenían el pedigrí de Milton. Uno podría haber ofrecido a Milton pruebas íntimas de sus propias preferencias sexuales, junto con fotografías, ilustraciones, incluso antiguas compañeras, y encontrarse con esa misma reacción: una mirada inexpresiva. Inexpresiva. En este caso, era una palabra exacta. Todo en Milton inducía a pensar en un hombre creado en un laboratorio a fin de no atraer la menor atención: estatura media, aspecto medio, pelo medio, ropa media. Nada en él destacaba. De hecho, era tan anodino que la mirada tendía a resbalar por encima de él, sin registrar apenas su presencia y olvidando al instante lo que había visto. Había que ser un individuo excepcional para pasar por la vida tan inadvertido.

Milton y Gabriel pasearon junto al lago caminando relativamente despacio para dejarse adelantar por quienes hacían *footing* pero no tanto como para no darse cuenta si alguien los seguía. Milton llevaba un abrigo gris de lana y una bufanda gris, y sus zapatos negros brillaban bajo el sol otoñal. A su lado, Gabriel, con el pelo blanco asomando en desorden por debajo del gorro de lana, parecía un vagabundo jovial. Transcurridos unos minutos, Milton habló.

–Me alegro de volver a verte –dijo.

Tenía la voz tan corriente como todo lo demás, hasta el punto de que ni siquiera Gabriel, que lo conocía desde hacía años, habría sabido decir si era sincero o no. Decidió que quizás el sentimiento era auténtico. No era, por lo que él recordaba, algo que Milton dijera muy a menudo.

–Lo mismo digo –mintió Gabriel, y Milton sonrió, pues vio compensada cualquier posible ofensa ante tal insinceridad por la satisfacción de captarla. Milton, pensó Gabriel, era la clase de hombre que sólo se sentía a gusto cuando el mundo lo decepcionaba y respondía, por tanto, a sus expectativas–. No esperaba que vinieras en persona.

–No tenemos muchas ocasiones de vernos últimamente. Nuestros caminos ya no se cruzan como antes.

–Soy un viejo –dijo Gabriel, y recordó el contexto en el que había utilizado esas mismas palabras pocos días antes. Se preguntó si realmente, como había dicho, su edad y su anterior posición bastarían para protegerlo de la depredación de Ventura. La duda lo inquietaba. Lo que le había sucedido a Ventura era en parte responsabilidad suya, aunque no debió de sorprenderse al recibir el castigo; la animadversión entre Ventura y Louis, en cambio, era de carácter más personal. No, si Ventura había vuelto, no tendría a Gabriel en la mira.

–No tan viejo –dijo Milton. Ahora era él quien mentía.

–Tengo edad suficiente para ver la luz al final del túnel –replicó Gabriel–. En todo caso, éste es un mundo nuevo con reglas nuevas. Me cuesta reconocer mi lugar en él.

–Las reglas siguen siendo las mismas –afirmó Milton–. Sólo que hay menos.

–Eso parece nostalgia.

–Tal vez lo sea. Echo de menos el trato con iguales, con quienes piensan como yo. Ya no comprendo a nuestros enemigos. Sus objetivos son demasiado vagos. Ni siquiera ellos mismos los conocen. No tienen ideología. Sólo tienen su fe.

–A la gente le gusta luchar por su religión –dijo Gabriel–. Es un asunto tan intrascendente que pueden concederle una profunda importancia.

Milton no dijo nada. Gabriel sospechó que Milton era creyente. No judío. Quizá católico, aunque carecía de la imaginación necesaria para ser un buen católico. No, Milton debía de ser protestante, de una adscripción indefinida, miembro de una iglesia especialmente lúgubre cuyos feligreses se encontraban a gusto sentados en bancos duros y escuchando largos sermones. La imagen de Milton en una iglesia llevó a Gabriel a imaginar cómo debía de ser la señora Milton, si existía. Milton no llevaba alianza, pero eso no significaba nada. Los hombres como él revelaban la menor información posible. A partir de algo tan sencillo como una alianza nupcial, otros podían concebir toda una existencia. Gabriel se representó a la esposa de Milton como una mujer tensa, tan severa e inflexible como su religión, una de esas que escupían la palabra «amor».

–Conque te has puesto en contacto con nuestra oveja descarriada –dijo Milton cambiando de tema.

–Parece que le va bien.

–Salvo por el hecho de que alguien intenta matarlo.

–Salvo por eso.

–La policía no encontró nada en el primer juego de huellas –dijo Milton–. Nosotros tampoco. Una vela: muy ingenioso. La pistola incautada en el taller también estaba limpia, según los informes de la policía. No se había usado antes.

–Eso me extraña.

–¿Por qué?

–Eran aficionados. Los aficionados tienden a cometer pequeños errores antes de cometer los grandes.

–A veces. Puede que estos caballeros se lanzaran de cabeza y pasaran derechos de cero a menos uno.

Gabriel cabeceó. No concordaba. Apartó el dato al fondo de su mente y lo dejó hervir como una cazuela en un fogón.

–En cambio, tuvimos más suerte con una huella del segundo juego. Es curioso que los dueños de esas huellas todavía no hayan salido a la superficie.

–El vertedero –informó Gabriel–. Es difícil salir a la superficie cuando estás a diez metros bajo tierra.

–Ciertamente. Las huellas eran de un hombre llamado Mark van Der Saar. Un apellido poco común. Holandés. No hay muchos Van Der Saar en esta parte del mundo. Ese Van Der Saar en concreto cumplió tres años de condena en la penitenciaría de Gouverneur, en el norte del estado, por delitos a mano armada.

–¿Era de allí?

–De Massena. No muy lejos.

–¿Y sus jefes?

–Estamos investigándolo. Uno de sus cómplices conocidos es o, mejor dicho, era, dado el estado de defunción recientemente adquirido por el señor Van Der Saar, un tal Kyle Benton. Benton cumplió cuatro años en la penitenciaría de Ogdensburg, también, qué casualidad, por delitos a mano armada. Ogdensburg se encuentra asimismo en el norte del estado, por si no lo sabías.

–Gracias por la lección de geografía. Sigue, por favor.

–Benton trabaja para Arthur Leehagen.

Se advirtió una vacilación en el ritmo de los pasos de Gabriel, pero duró sólo un instante.

–Un nombre del pasado –dijo–. ¿No tienes nada más?

–De momento, no. Pensé que te impresionaría: es más de lo que sabías antes de vernos.

Siguieron caminando en silencio mientras Gabriel reflexionaba acerca de lo que acababa de oír. Movió las piezas del rompecabezas en su mente. Louis. Arthur Leehagen. Billy Boy. Había pasado mucho tiempo. Sintió un ligero placer al encajar las piezas y establecer la conexión.

—¿Conoces a dos agentes del FBI que se llaman Bruce y Lewis? —preguntó una vez satisfecho de sus conclusiones. Milton consultó el reloj, clara señal de que la reunión estaba a punto de finalizar.

—¿Tendría que conocerlos?

—Han estado indagando en los asuntos de nuestro común amigo.

—En ese caso, no sé hasta qué punto yo usaría la palabra «amigo».

—Ha sido lo bastante buen amigo para mantener la boca cerrada durante muchos años. Creo que eso es más amigable de lo que sueles encontrarte.

Milton no lo contradijo, y Gabriel supo que se había anotado un tanto.

—¿Qué les interesa en concreto?

—Según parece, están hurgando en sus inversiones inmobiliarias.

Milton sacó una mano del bolsillo, llevaba guantes y la movió en un gesto de desdén.

—Es toda esa mierda de después del 11-S —aclaró. Gabriel se sorprendió al oírlo usar semejante vocabulario. Milton rara vez exteriorizaba sentimientos tan profundos—. Tienen órdenes de seguir rastros de papel: inversiones inusuales, acuerdos financieros sospechosos, compañías de transporte e inmobiliarias que no cuadran. Son nuestra cruz.

—Él no es un terrorista.

—La mayoría no lo son, pero a veces de paso se desentierra información útil y se hace un seguimiento. Les habrá llegado a esos agentes y ahora sienten curiosidad.

—Es más que curiosidad. Da la impresión de que saben algo de su pasado.

—Eso no es precisamente un secreto de Estado.

—Bueno, una parte sí lo es —rectificó Gabriel.

Los dos se detuvieron, con los ojos entornados por la luz del sol y mezclándose sus alientos en el aire seco.

—Se ha ganado cierta fama —dijo Milton—. Ha estado frecuentando malas compañías, si es que eso es humanamente posible dada su propia naturaleza.

—Supongo que te refieres al investigador privado.

—Parker. Y creo que es un ex investigador. Le han retirado la licencia.

—Quizás ha encontrado ocupaciones más pacíficas.

—Lo dudo. Por lo poco que sé de él, no puede vivir sin problemas.

118

–Y sin embargo, si no conociera bien a Louis, diría que casi le tiene afecto.

–Afecto suficiente para matar por él. Si ha atraído la atención, ha sido obra exclusivamente suya. Lo único que me extraña es que el FBI haya tardado tanto en llamar a su puerta.

–No lo niego –dijo Gabriel–, pero sobre él son tantas las cosas que se saben como las que se desconocen, y estoy seguro de que tú prefieres que eso siga así.

–Espero que no me estés amenazando.

Gabriel apoyó la mano en el brazo del hombre de menos edad y le dio unas palmadas en la manga del abrigo.

–Me conoces de sobra para saber que no –aseguró–. Lo que quiero decir es que al final cualquier investigación topará con un muro de ladrillo, un muro de ladrillo construido por ti y tus colegas. Pero tales barreras no son inexpugnables, y las preguntas adecuadas hechas en los sitios adecuados podrían sacar a la luz información molesta para ambas partes.

–Siempre podríamos deshacernos de él –observó Milton. Si bien lo dijo con una sonrisa en la cara, Gabriel procesó el comentario con expresión de cautela.

–Si ésa fuese tu intención, ya lo habrías hecho hace mucho tiempo –dijo Gabriel–. ¿Y también te habrías librado de mí?

Milton echó a andar otra vez, y Gabriel se colocó a su lado.

–Muy a pesar mío –respondió Milton.

–Por alguna razón, eso casi me consuela.

–¿Qué quieres que haga?

–Retira a los sabuesos –contestó Gabriel.

–¿Crees que es tan fácil? Al FBI no le gusta que otras agencias se entrometan en sus asuntos.

–Pensaba que estabais todos en el mismo bando.

–Lo estamos: cada uno en el suyo. No obstante, hablaré con ciertas personas y veré qué puedo hacer.

–Te lo agradecería mucho. Al fin y al cabo, estarás protegiendo un bien valioso.

–Un bien valioso en otro tiempo –corrigió Milton–, a menos, claro, que esté en el mercado para algún trabajo.

–Por desgracia, parece que ha elegido otro camino.

–Es una lástima. Era bueno. Uno de los mejores.

–Esto me recuerda una cosa –dijo Gabriel como si acabara de

ocurrírsele y no fuera algo que le corroía desde que se enteró de la muerte de Billy Boy–. ¿Qué sabes de Ventura?

–Para mí, la ventura consiste en saborear un whisky Laphroaig y un buen puro –contestó Milton–. ¿O no te referías a eso?

–No exactamente.

–Perdimos el contacto con él hace muchos años. Además, para empezar, nunca lo tuvimos en nuestra lista de felicitaciones navideñas. Me resultaba un individuo desagradable. No derramé ninguna lágrima cuando cayó en desgracia.

–Pero tú lo utilizaste.

–Un par de veces. Y siempre por mediación tuya. Aprendí a contener la respiración, y después me lavaba las manos. Según tengo entendido, tu «amigo» y tú os las arreglasteis para poner fin a su carrera.

–No fue un éxito absoluto –respondió Gabriel.

–Absoluto, no. Os quedasteis cortos con el explosivo.

–Sólo queríamos matarlo a él, no a la mitad de la gente que andaba cerca.

–En ciertos círculos, ese gesto humanitario podría verse como un signo de debilidad.

–Por eso he dedicado tanto tiempo y energía a reducir el tamaño de esos círculos. Como, según creo, has hecho tú.

Milton inclinó la cabeza en un ademán de modesto asentimiento.

–Sin embargo, hay razones para pensar que Ventura podría haber vuelto al radar.

–¿Ah, sí? –Milton miró a Gabriel a la cara por primera vez–. ¿Y por qué será?

Gabriel había aprendido a interpretar los rostros y los tonos de voz, contrapesar las palabras pronunciadas y los gestos, reparar en las más nimias inflexiones que pudieran revelar la falsedad de lo que se decía. Mientras oía hablar a Milton, tuvo la certeza de que éste no le había dicho todo lo que sabía.

–Tal vez si te enteras de algo más, tengas a bien telefonearme.

–Tal vez –dijo Milton.

Gabriel le tendió la mano. Milton se la estrechó y, durante el apretón, Gabriel le introdujo limpiamente un trozo de papel bajo el puño de la camisa.

–Una pequeña muestra de gratitud –añadió Gabriel–. Un contenedor que no sería recomendable dejar salir del vertedero en cuestión.

Milton movió la cabeza en un gesto de agradecimiento.

120

—Cuando veas a la oveja descarriada, dale recuerdos de mi parte.

—Lo haré, no te quepa duda. Me consta que te aprecia.

Milton hizo una mueca.

—¿Sabes una cosa? —dijo—. Eso no me resulta muy reconfortante.

Gabriel se puso en contacto con Louis a última hora de ese mismo día, otra vez por mediación de sus respectivos servicios contestadores. Hablaron sólo durante unos minutos en un taxi que iba al Performance Space de Broadway. El taxista estuvo absorto en una larga y animada conversación telefónica, toda ella en urdu. Por un rato, Gabriel se entretuvo en intentar seguir lo que decía.

—He recibido una llamada —informó Gabriel—. Era de un caballero que trabaja para Nicholas Hoyle.

—¿Hoyle? ¿El millonario?

—Millonario, recluso, como quieras llamarlo.

—¿Y qué ha dicho?

—Según parece, al señor Hoyle le gustaría verte. Dice que tiene cierta información que podría serte útil, información relativa a los acontecimientos de los últimos días.

—¿En territorio neutral?

Gabriel cambió de posición en el asiento.

—No. Hoyle nunca sale de su ático. Por lo que cuentan, es un hombre muy suyo. Tendrás que ir a su casa.

—No es así como se hacen las cosas —replicó Louis.

—Se ha dirigido a ti por mediación mía. Y las cosas sí se hacen así. Seguro que conoce las posibles consecuencias si no se atiene a las formalidades de rigor.

—Quizás él envió a aquellos hombres para obligarme a salir a la luz.

—Si ésa hubiese sido su intención, podría haberse limitado a contratar una ayuda mejor y completar el trabajo allí mismo. En todo caso, no tiene ningún motivo para actuar contra ti, o ninguno que yo conozca, a menos que lo hayas irritado en el transcurso de alguna de tus recientes actividades.

Miró a Louis enarcando una ceja en un gesto de interrogación.

—No me consta —contestó Louis.

—Por otro lado —dijo Gabriel—, dudo que tú y tu amigo de Maine dejéis muchos cabos sueltos. El cáncer ofrece un índice de supervivencia más alto que cruzarse con vosotros. Teniendo eso en cuenta, imagino que Hoyle prevé algún acuerdo beneficioso para ambos. Pero la decisión es tuya. Yo sólo transmito el mensaje.

–¿Tú qué harías en mi situación?

–Hablaría con él. De momento no hemos avanzado en las averiguaciones acerca de los hombres que participaron ni de quién estaba detrás de ellos.

Gabriel lanzó una rápida mirada a Louis. Éste se había tragado la mentira. Bien. Gabriel esperaría a enterarse por Louis de lo que tenía que decir Hoyle. Entretanto, había empezado a hacer indagaciones sobre Arthur Leehagen. Aún no estaba en condiciones de informar a Louis sobre lo que Milton le había dicho. Gabriel siempre se protegía a sí mismo en primer lugar y por encima de todo. Pese al afecto que pudiera conservar por Louis, lo echaría a los perros salvajes antes que ponerse en peligro.

–¿Esos hombres eran aficionados pero su jefe no lo es? Sigo sin verle el sentido, a menos que volvamos a considerar la posibilidad de que alguien quiera obligarme a salir de mi madriguera.

–Encontrarte no es tan difícil como quieres creer. Prueba de ello son los últimos sucesos. Aquí se nos escapa algo, y es posible que sea Hoyle quien nos aclare las cosas. Ese hombre no envía invitaciones a su morada todos los días. En otras circunstancias, podría considerarse un honor.

Louis, vuelto hacia la ventanilla, observó pasar la ciudad como una exhalación. Todo –el taxi, la gente, las luces– parecía moverse demasiado deprisa. Louis era un hombre a quien le gustaba tener las cosas bajo control, pero de pronto ese control estaba en manos de otros: de Gabriel, de sus contactos invisibles y ahora de Nicholas Hoyle.

–De acuerdo, organízalo.

–Así lo haré. Tienes que ir desarmado. Hoyle no permite armas dentro del ático.

–Las cosas pintan cada vez mejor.

–Estoy seguro de que puedes hacer frente a cualquier imprevisto. Por cierto, he planteado el asunto federal a ciertas partes que acaso estén interesadas. Creo que quedará resuelto a tu entera satisfacción.

–¿Y quiénes son esas partes interesadas?

–Vamos, sabes que eso no debes preguntarlo. Y ahora, si me dejas aquí, seguiré mi camino. Y por favor, paga tú al taxista. Es lo mínimo que puedes hacer por mí después de todo lo que he hecho por ti.

Ventura conducía hacia el norte, una silueta anónima en una carretera anónima, sólo otro par de faros taladrando la oscuridad con su blancura. Pronto abandonaría la carretera y buscaría un lugar donde descansar esa noche. Descansar, no dormir. No dormía bien desde hacía muchos años y vivía con un dolor permanente. Deseaba el plácido abandono del sueño casi más que nada en el mundo, pero había aprendido a sobrevivir con unas pocas horas de sueño, conciliado por el extremo cansancio que al final vencía a su sufrimiento residual. Debido al tratamiento de las heridas y al esfuerzo de mantenerse por delante de sus perseguidores, no sólo estaba mermado físicamente, sino que también se resentía ya su economía. Se había visto obligado a salir a la luz, pero había elegido con cuidado su fuente de financiación. En Leehagen había encontrado a alguien capaz de satisfacer tanto sus necesidades económicas como sus necesidades personales.

La botella que contenía la sangre de Billy Boy se hallaba en la caja acolchada en el fondo del pequeño maletín de Ventura. Leehagen hubiera preferido que lo mataran en su territorio, pero Ventura se había negado. Era demasiado peligroso. Con todo, cuando la navaja salió de su mano y, antes de morir, la cara de Billy Boy reflejó claramente que era consciente de lo que sucedía, Ventura supo que conservaba intactas sus dotes. Lo cual le dio seguridad para lo que estaba por venir.

Esa noche, tumbado en la cama de una habitación de motel modesta y limpia, tarareando para sí, pensó en Louis con el ardor de un amante que viaja para reunirse con su amada.

8

La sede de Hoyle Enterprises estaba a unas pocas manzanas de la ONU, y las calles de los alrededores eran, por tanto, una Babel de matrículas diplomáticas, lo cual provocaba que se estableciesen relaciones incómodas entre enconados enemigos internacionales obligados a compartir un valioso espacio de aparcamiento. El edificio de Hoyle no destacaba: era más viejo y pequeño que la mayoría de los rascacielos cercanos y se alzaba en el extremo este de un área pública que abarcaba también parte de las manzanas contiguas al norte, sur y oeste, creando una frontera natural entre Hoyle y los edificios que lo rodeaban.

En las veinticuatro horas transcurridas desde la reunión con Gabriel, Louis y Ángel habían localizado los planos del edificio de Hoyle, y Ángel, auxiliado por Willie Brew, que estaba muy aburrido, y Arno, un tanto menos aburrido, lo habían vigilado durante todo un día. Era una precaución, un esfuerzo por formarse una idea aproximada de los ritmos del edificio, cómo se organizaban los repartos, los cambios de turno y los descansos para comer de los guardias de seguridad. No era tiempo suficiente para determinar con toda precisión los riesgos que implicaba entrar, pero era mejor que nada.

En realidad, para Willie era peor que no hacer nada. Podría no haber hecho nada en la relativa comodidad de su apartamento, en lugar de hacer algo que no le divertía lejos de cualquier comodidad. Arno había dedicado a la lectura la mayor parte de su turno de vigilancia, lo que a ojos de Willie era contrario al objetivo de permanecer atento al edificio, pero, por otro lado, Willie supuso que Arno se limitaba a matar el tiempo. Louis era reacio a dejarlos volver al taller por el momento, y eso significaba que Willie podía quedarse sentado en su apartamento viendo programas de televisión que no le interesaban, o quedarse sentado en un coche viendo un edificio que tampoco le interesaba. Algo bueno se había desprendido de sus esfuerzos: Willie había decidido que, con o sin el consentimiento de Louis, Arno y él pronto volverían al trabajo. Incluso después de sólo un par de días de holganza, Willie se sentía como si algo se muriera dentro de él.

El ático de Hoyle ocupaba las tres plantas superiores del edificio. El resto estaba destinado a las oficinas. Si bien Hoyle tenía empresas en la minería, el sector inmobiliario, los seguros y la investigación farmacéutica, entre otras áreas de interés, el corazón de sus negocios latía detrás de la modesta fachada de la sede de Manhattan. Aquélla era la empresa matriz, y era allí donde residía en último extremo todo el poder. Una reducida pero uniforme cantidad de gente entraba y salía del vestíbulo a lo largo del día, aumentando el flujo entre las doce y las dos y casi convirtiéndose en tráfico de un solo sentido a partir de las cinco de la tarde. Ángel no había observado nada digno de preocupación durante su periodo de vigilancia, como tampoco Willie y Arno. No vio hombres con granadas propulsadas escondidos detrás de las columnas, ni artillería pesada entre las macetas.

Por otra parte, como había dicho Gabriel, Hoyle había abordado a Louis a través de los canales adecuados, un concepto propio de otra época en esta era moderna, y cuya fuerza dependía del buen nombre de Gabriel y de los favores que le debían. Si se quebrantaba el protocolo de algún modo, Hoyle conocía sin duda las posibles repercusiones. Por lo que a Gabriel se refería, pues, Louis no tenía motivos para extremar la cautela más que de costumbre, y por consiguiente Louis y Ángel sí extremaron al máximo la cautela al entrar en el edificio poco después de las ocho de esa tarde.

El guardia de seguridad, sentado detrás del mostrador, se limitó a dejarles pasar con un gesto. Sólo uno de los ascensores tenía las puertas abiertas en el vestíbulo, sin botones dentro ni fuera. El interior estaba recubierto de espejos. No se veía ninguna cámara. Eso implicaba, dedujo Ángel, que lo más probable fuera que hubiese al menos tres: una detrás de cada espejo, y tal vez una cuarta cámara estenopeica detrás del pequeño panel que mostraba los números de las plantas. Como seguramente el ascensor tenía micrófonos ocultos, ninguno de los dos habló. Tan sólo observaron sus reflejos en el reluciente metal de las puertas, uno aparentemente satisfecho, el otro con ojo crítico. A Ángel no le gustaban los espejos. Como Louis había señalado en una ocasión, él tampoco gustaba a los espejos, y añadió el comentario de que «incluso puede que tu reflejo deje mancha».

Cuando en el panel se leyó «Ático», el ascensor se detuvo y las puertas se abrieron sin hacer ruido. Dos hombres los esperaban en el recibidor, por lo demás vacío, también revestido de espejos y decorado con un jarrón lleno de flores recién cortadas sobre un pequeño pedestal de mármol. Los dos hombres vestían traje negro y corbatas fúnebres a juego, y los dos estaban provistos de varitas detectoras de metales. Examinaron con ellas a Ángel y Louis, deteniéndose en los cinturones, monedas y relojes, y luego les franquearon el paso. Se abrió una puerta de dos hojas, labrada, de origen oriental y sin duda antigua, y al otro lado apareció un tercer hombre. Vestía de manera más informal: pantalón negro y chaqueta de lana negra encima de una camisa blanca con el cuello desabrochado. No llevaba el pelo ni muy largo ni muy corto, echado hacia atrás por encima de las orejas, como si le preocupara lo justo para mantenerlo aseado, y nada más. Tenía los ojos castaños, y Ángel detectó en sus facciones una mezcla de diversión, frustración y envidia profesional. Poseía la complexión de un nadador: ancho de hombros pero esbelto y musculoso en conjunto. La chaqueta le quedaba lo bastante holgada para esconder un arma, y la llevaba desabotonada.

Ángel notó que Louis se relajaba un poco, pero era la reacción contraria a la que cabía pensar. Cuando Louis se relajaba, era indicio de que había cerca una amenaza y se preparaba para actuar, como cuando un arquero suelta el aire al mismo tiempo que la flecha, canalizando así toda la tensión a través del proyectil emplumado. Los dos hombres se escrutaron en silencio por un momento y después el otro individuo habló.

–Me llamo Simeon –dijo–. Soy el ayudante personal del señor Hoyle. Gracias por venir. El señor Hoyle enseguida se reunirá con ustedes.

Ángel no sabía bien cuáles eran las obligaciones de Simeon en su calidad de ayudante, pero casi con toda seguridad no incluían mecanografiar ni responder el teléfono. Tampoco era un simple guardaespaldas, a diferencia de los hombres que los habían registrado. No, Ángel ya había conocido antes a hombres como Simeon, y Louis también. Aquél era un especialista, y Ángel se preguntó por qué un hombre de negocios, incluso uno tan rico y propenso a la reclusión como Nicholas Hoyle, necesitaba a alguien con las aptitudes que Simeon sin duda poseía.

Simeon detuvo la mirada brevemente en Ángel, decidió que no había allí nada digno de atención y volvió a concentrarse en Louis.

Retrocedió hacia el interior de la habitación a la vez que extendía la mano derecha en un gesto de bienvenida. No dio la espalda a Louis, cosa que quedó como señal de respeto y al mismo tiempo de cautela.

Entraron en un salón de planta abierta, amplio, tenuemente iluminado, con estanterías desde el suelo hasta el techo que contenían una combinación de libros, esculturas y armas antiguas: cuchillos, hachas, dagas, todos montados sobre peanas de cristal transparente. Allí dentro hacía tanto frío que a Ángel se le puso la carne de gallina. Las tablas del suelo eran de madera reciclada; los sofás y sillones, oscuros y cómodos. En conjunto, daba la sensación de que aquélla era la morada de un hombre de armas y letras, un hombre arraigado en otra era. El propio salón habría podido pertenecer a otro siglo, de no ser por una mampara de cristal desde donde se veía, en un nivel inferior, una piscina cubierta, cuyas aguas formaban tenues ondas que se reflejaban en las paredes interiores. Si bien en un primer momento el contraste era desconcertante, Ángel llegó a la conclusión de que complementaba la decoración, más que socavarla. Salvo si uno se acercaba al cristal, la piscina permanecía invisible, de modo que lo único que se percibía de ella eran los espectros de las ondas en las paredes. Uno tenía la sensación de estar en el camarote de un gran barco en el mar.

—Caray, qué azul —comentó Ángel, contemplando el agua, y así era: de un azul artificial, como si le hubieran añadido tinte. Ángel pensó que él jamás se zambulliría en esa piscina, ni aun suponiendo que practicase la natación. Parecía una cuba de sustancias químicas.

—El agua de la piscina se somete semanalmente a un tratamiento a cargo de un servicio profesional —explicó Simeon—. El señor Hoyle da mucha importancia a la limpieza.

En su voz se podía apreciar un peculiar tonillo al decirlo, cierto sarcasmo. Louis lo percibió y se preguntó cuál sería el grado de compromiso con su jefe. Había conocido antes a hombres que eran para sus jefes algo más que guardaespaldas, sin llegar a ser amigos. Eran como perros guardianes que con el tiempo acababan queriendo a los hombres que les echaban las sobras de la comida, adorándolos en momentos de afecto y viendo todo gesto de ira dirigido contra ellos como prueba de un fracaso por su parte. Simeon no parecía esa clase de hombre. Aquello era un acuerdo económico, simple y llanamente, y mientras Hoyle siguiera ingresando dinero en la cuenta de Simeon, éste continuaría protegiendo la vida de Hoyle. Las dos partes conocían con toda exactitud cuál era su posición, y Louis suponía que tanto Hoyle como Simeon lo preferían así.

—Oiga, ¿Simeon es su nombre o su apellido? —preguntó Ángel.

—¿Eso importa?

—Era por entablar conversación.

—Pues no se le da muy bien —observó Simeon.

Ángel lo miró con expresión de desánimo.

—No es la primera vez que me lo dicen.

Louis examinaba una punta de lanza en uno de los estantes. Sin tocarla, movió la peana de cristal con cuidado para verla de frente, como si apuntara hacia su cara.

—Es de una lanza hicsa —explicó Simeon—. Los hicsos invadieron Egipto mil setecientos años antes de Cristo y crearon la decimoquinta dinastía.

—¿Lo ha leído usted en algún sitio? —preguntó Louis.

—No, lo ha leído en algún sitio el señor Hoyle. Ha tenido la amabilidad de compartir conmigo sus conocimientos, y ahora yo se los transmito a ustedes.

—Muy interesante. Debería organizar visitas turísticas. —Louis se volvió hacia Simeon—. ¿Lleva mucho tiempo trabajando para él?

—Suficiente.

—Eso admite dos interpretaciones.

—Supongo.

—¿En qué cuerpo sirvió?

—¿Por qué cree que he estado en el ejército?

—Tengo ojos en la cara.

Simeon se detuvo a pensar antes de responder.

—Infantería de marina.

—A ver si lo adivino: la unidad de reconocimiento.

—No. Antiterrorismo, cerca de Norfolk.

Antiterrorismo: el Equipo de Seguridad Antiterrorista de la Flota de la Infantería de Marina, formado a finales de los ochenta para proporcionar una mayor protección a corto plazo cuando la amenaza excedía las posibilidades de las fuerzas de seguridad convencionales. Simeon había sido instruido, pues, para evaluar amenazas, preparar planes de seguridad, proteger a VIPs. A su pesar, Louis estaba impresionado.

—Esto debe de ser un cambio agradable para usted —observó Ángel, uniéndose a la conversación—. Ahora lo más pesado que tiene que levantar es una varita. –Sonrió sin mala intención–. Es como ser un hada madrina.

Louis se acercó a un objeto que parecía una combinación de daga y hacha, con una malévola hoja triangular.

–Eso es una daga-hacha ko. –Un hombre había entrado en la sala desde una puerta situada a la derecha. Tenía una mata de pelo canoso, bien cortado, y llevaba un polo rojo de manga larga y pantalones de lona de color tostado. Calzaba mocasines marrones, gastados y cómodos. Estaba ligeramente bronceado. Al sonreír, revelaba unos dientes un tanto irregulares, y no demasiado blancos. Las gafas le agrandaban como lentes de aumento los ojos azules. Fuera lo que fuese, no parecía un hombre vanidoso, o cuando menos había dejado de hacer las concesiones más obvias a la vanidad. En su aspecto, sólo llamaban la atención los guantes blancos que le cubrían las manos–. Soy Nicholas Hoyle. Bienvenidos, caballeros, bienvenidos.

Se acercó a Louis, aún junto al estante, complacido a todas luces de la oportunidad de exhibir su colección.

–Siglo once o diez antes de Cristo –prosiguió y levantó el arma para que Louis la examinara de cerca–. Causaron sensación en Pa-Shu durante la dinastía zhou oriental, pero ésa es de Shansi.

Colocó el hacha en su sitio y pasó a otra arma.

–Este objeto es interesante. –Separó con cuidado una daga curva de su peana–. Es de la última etapa Shang, entre los siglos trece y doce antes de Cristo. Fíjese, tiene un cascabel en el extremo de la empuñadura. –Agitó el arma con delicadeza–. No servía para matar en silencio, imagino.

Por último, eligió un hacha de aspecto tosco que ocupaba todo un estante.

–Ésta es una de las armas más antiguas que poseo –dijo–. Hungshan, de la región del río Liao, en la China nororiental. Neolítica. Tres mil años de antigüedad, como mínimo, quizás incluso cuatro mil o más. Tenga, cójala en las manos.

Entregó el hacha a Louis. Detrás de él, Ángel vio tensarse un poco a Simeon. Aun después de tantos años, el hacha era claramente capaz de infligir daño. Parecía mucho menos antigua de lo que era, testimonio de la destreza implícita en su manufactura. Louis observó que la parte superior de la cabeza del hacha estaba labrada en forma de águila. Recorrió el contorno con la yema del índice.

–Tiene un significado religioso –explicó Hoyle–. Por entonces se creía que el primer mensajero del Soberano Celestial fue un ave. Se creía que las águilas comunicaban los deseos humanos a los dioses; en este caso, cabe suponer, la muerte de un enemigo.

–Una colección impresionante –opinó Louis, devolviéndole el hacha.

–Empecé a coleccionar de niño –contó Hoyle–. Primero con balas Minié recogidas en el campo de batalla del monte Kennesaw. Mi padre era un entusiasta de la guerra de secesión y en vacaciones le gustaba llevarnos a los campos de batalla. A mi madre, si no recuerdo mal, aquello no le parecía nada extraordinario. Incluso llegué a crear mi propia mezcla de sebo y cera de abeja para lubricarlas, tal como hacían los soldados a fin de prevenir que se ensuciara el interior del cañón con residuos de pólvora quemada. De lo contrario...

–Se atascaban en el cañón –concluyó Louis–. Lo sé. Yo también las coleccionaba.

–¿Y eso dónde? –preguntó Hoyle.

–Da igual –contestó Louis–. Fue hace mucho tiempo.

–Ya –dijo Hoyle.

Incómodo, pareció advertir que se había extralimitado al preguntar a Louis acerca de su pasado. Por lo visto, para él eso no era habitual. A fin de ocultar su malestar, señaló un par de sillones y dos sofás idénticos en torno a una mesa baja de secoya. Louis ocupó uno de los sillones, Hoyle el otro, y Ángel se sentó en un sofá. Les ofrecieron bebidas alcohólicas, pero Ángel y Louis las rechazaron. Sirvieron, pues, té verde, y unos caramelos japoneses que a Ángel se le pegaron a los dientes y le llenaron la boca de un sabor a limón y rábanos picantes que no era desagradable, sino sencillamente peculiar.

–Sabrán perdonarme por no estrecharles la mano –se disculpó Hoyle. Lo planteó con habilidad como un ruego, como un favor concedido por otro pese a que la decisión era sólo suya–. Aun con los guantes, tiendo a ser muy cuidadoso con esas cosas. En la mano humana se acumulan bacterias tanto residentes como transitorias, un auténtico pozo negro de gérmenes, pero son las transitorias las que más cautela exigen. Mi sistema inmune no es lo que era... Una carencia congénita... y ya no me atrevo a abandonar estas cuatro paredes. No obstante, conservo buena salud, pero debo tomar precauciones, en especial por lo que se refiere a las visitas. Espero que no se ofendan.

Ni a Ángel ni a Louis se los veía ofendidos. Louis permanecía impasible. Ángel parecía perplejo. Se miró discretamente las manos. Las tenía limpias, pero sabía qué era un pozo negro. Tomó un sorbo de té verde. No tenía apenas sabor. Contempló la posibilidad de usarlo para lavarse las manos.

–Ha llegado a mis oídos que atraviesa usted un momento difícil –dijo Hoyle.

Dirigió sus comentarios sólo a Louis. Ángel ya estaba acostumbrado a eso. No le molestaba. Significaba que, en caso de surgir problemas, por lo general tenía ventaja sobre aquellos que, como Simeon y su jefe, lo habían infravalorado.

–Se le ve bien informado –dijo Louis.

–Hago lo posible por estarlo –respondió Hoyle–. En este caso, por lo visto, sus intereses y los míos coinciden. Sé quién envió a esos hombres a su casa y al taller de Queens. Sé por qué los enviaron. También sé que lo más probable es que la situación se deteriore aún más si no actúa usted de inmediato.

Louis aguardó.

–En 1983 –prosiguió Hoyle– mató a un hombre llamado Luther Berger. Éste recibió un balazo a quemarropa en la parte posterior de la cabeza cuando salía de una reunión de trabajo en San Antonio. Cobró usted cincuenta mil dólares por el encargo. En aquel entonces era una buena cantidad, aun repartiéndola con el conductor del vehículo de huida. Fiel al protocolo, usted no preguntó por qué lo contrataron para liquidar a Berger.

»Pero, por desgracia, ese hombre en realidad no se llamaba Luther Berger. Era Jon Leehagen, o "Jonny Lee", como también se lo conocía. Su padre era un tal Arthur Leehagen. Arthur Leehagen no se tomó a bien que mataran a su hijo mayor. Ha dedicado mucho tiempo a averiguar quién estaba detrás del asesinato. En los últimos doce meses ha hecho avances notables. El hombre que lo contrató a usted por mediación de Gabriel..., Ballantine se llamaba, aunque usted no llegó a conocerlo..., murió hace una semana. Lo llevaron a la finca de Leehagen, lo mataron y dieron de comer los restos a los cerdos. Leehagen también pudo establecer su identidad, y la identidad del conductor del vehículo con el que abandonó el lugar de los hechos. Creo que usted lo conocía como Billy Boy. Al igual que a Ballantine, lo asesinaron: murió apuñalado en un lavabo, según tengo entendido, aunque es posible que usted conozca las circunstancias mejor que yo.

»A los hombres que atacaron su casa y el taller de Queens los envió Leehagen. Y los seguirán otros. No me cabe duda de que es usted capaz de ocuparse de la mayoría de ellos, pero les basta con tener suerte una vez, como a los terroristas, en tanto que usted necesitará suerte y al mismo tiempo destreza en todo momento. También imagino que preferirá no atraer sobre sí o sobre sus actividades profesionales más atención de la absolutamente necesaria. Por lo tanto, le conviene actuar sin pérdida de tiempo.

–¿Y cómo sabe usted todo eso?

–Porque estoy en guerra con Arthur Leehagen –respondió Hoyle–. Pongo todo mi empeño en saber lo máximo posible sobre sus acciones.

–Y en el supuesto de que algo de eso sea verdad, ¿por qué tiene tanto interés en hacernos partícipes? –preguntó Louis.

–Arthur Leehagen y yo sentimos un profundo rencor el uno por el otro. Viene de lejos. Nos criamos cerca, pero nuestras vidas han tomado rumbos un tanto divergentes. A pesar de eso, el destino ha querido ponernos en conflicto en repetidas ocasiones. Me gustaría vivir más que él, y me gustaría que ese proceso se inicie cuanto antes.

–Debe de ser un rencor muy profundo –observó Louis.

Hoyle hizo una seña a Simeon. Éste colocó un reproductor portátil de DVD en la mesa. Pulsó el botón. Al cabo de uno o dos segundos dio comienzo una película muy granulada.

–Esto llegó hace dos meses –dijo Hoyle. Eludiendo la pantalla, contempló el reflejo de las ondas en la pared detrás de ellos.

La película mostró a una mujer rubia, guapa, de unos treinta años. Parecía muerta y tenía la cara y el pelo embadurnados de barro. Estaba desnuda, pero la mayor parte de su cuerpo quedaba oculta bajo las cabezas enormes de los cerdos que la devoraban. Ángel desvió la mirada. Simeon pulsó el botón de «Pausa» y congeló la imagen.

–¿Quién es?

–Mi hija, Loretta –contestó Hoyle–. Salía con el hijo superviviente de Leehagen, Michael. Lo hacía por despecho. Me culpaba a mí de todo lo que le iba mal en la vida. Consideraba que acostarse con el hijo de un hombre a quien yo despreciaba era una buena manera de desquitarse, pero subestimó la capacidad de la familia Leehagen para la violencia y la venganza.

–¿Y por qué iba a hacer Leehagen algo así? –preguntó Louis en voz baja.

Hoyle apartó la vista, incapaz de mirar a Louis a los ojos.

–Eso da igual –respondió, dejando clara la insinuación de que tal reacción había sido provocada por una vileza equiparable.

–¿Por qué no acudió a la policía?

–Porque no había pruebas de que Leehagen fuese el responsable de esto. Sé que esta grabación la mandó él..., lo intuyo..., pero aun cuando consiguiera convencer a la policía de que Leehagen fue el culpable, no me cabe duda de que no encontrarían el menor rastro de mi hija, aun suponiendo que localizaran la granja de cerdos en cuestión. Además, está el asunto de mis propias acciones contra Leehagen. Ninguno de los dos es del todo inocente, pero ya hemos llegado muy lejos para detenernos.

Hizo una señal a Simeon, que tomó el reproductor de DVD y lo llevó a un hueco en penumbra. Luego desapareció en una de las habitaciones del fondo.

–Debo añadir que usted no es mi primera escala en este asunto –continuó Hoyle–. Primero contraté a un tal Kandic, un serbio, para que matara al otro hijo de Leehagen y, a ser posible, al propio Leehagen. Me informaron de que Kandic era el mejor en lo suyo.

–¿Y cómo acabó la cosa? –preguntó Louis.

Simeon regresó. Sostenía en las manos un tarro de cristal con una cabeza humana. Las corneas habían perdido el color por efecto del líquido de embalsamamiento y la piel se había blanqueado hasta adquirir un color hueso. En la base del cuello, la carne colgaba en jirones.

–No muy bien –contestó irónicamente–. Esto llegó hace una semana. O me informaron mal al decirme que Kandic era el mejor, o es mala señal para cualquiera que se plantee seguir sus pasos.

–Y ahora quiere que Leehagen pague por lo que le pasó a su hija.

–Quiero que esto acabe, y acabará sólo cuando uno de los dos haya muerto. Naturalmente, como he dicho, preferiría que Leehagen falleciese antes que yo.

Louis se puso en pie. Al verlo, los dos hombres junto a la puerta se llevaron las manos a sus armas, pero Simeon los detuvo con un gesto.

–Bien –dijo Louis–, todo esto ha sido muy interesante. No sé de dónde ha sacado la información, pero debería hablar con su fuente, porque le ha proporcionado un material un tanto pobre. Yo no conozco a ningún Luther Berger, y no he manejado un arma en la vida.

Soy un hombre de negocios, sólo eso. Por otra parte, yo, en su lugar, me cuidaría de repetir algunas de esas cosas en voz alta. Podría traerle problemas con la policía.

Louis se encaminó hacia la puerta seguido de Ángel. Nadie intentó detenerlos y nadie dijo nada hasta que entraron en el recibidor y se detuvieron a esperar el ascensor.

–Gracias por su tiempo, caballeros –se despidió Hoyle–. Estoy seguro de que no tardaré en tener noticias suyas.

Las puertas del ascensor se abrieron, Louis y Ángel entraron y bajaron en silencio para desaparecer luego en las calles.

Tras marcharse del edificio de Hoyle, Louis condujo en silencio. Alrededor, la ciudad se movía al compás de su propio latido oculto, un ritmo que cambiaba de hora en hora, ligado a los movimientos de los individuos que la habitaban de manera que a veces Louis no sabía si la ciudad dictaba la forma de vida de la gente o si era ésta quien influía en la vida de la ciudad.

–Los guantes me han parecido un toque interesante –comentó Ángel–. Si hubiese estado un poco más moreno, habría podido pasar por Al Jolson.

No hubo respuesta. Un semáforo cambió frente a ellos, pero Louis pisó el acelerador y pasó en rojo. Louis era muy consciente de que no le convenía arriesgarse a atraer la atención de la policía, pero ahora, al parecer, no quería detenerse por ninguna razón. Ángel también advirtió que conducía atento a los retrovisores, pendiente de los coches que venían detrás, o circulaban a izquierda o derecha.

Ángel miró por la ventanilla y vio pasar a toda velocidad los escaparates de las tiendas.

–¿Qué vamos a hacer? –preguntó. El tono, aunque suave y neutro, indicó a su compañero que convenía dar alguna respuesta.

–Haré unas llamadas. Averiguaré cuánto de lo que ha dicho Hoyle es verdad.

–¿No confías en él?

–No confío en nadie con tanto dinero.

–La cabeza del tarro era bastante convincente. ¿Es cierto que nunca has oído hablar de ese hombre al que contrató?

–No, nunca.

–No podía ser tan bueno en lo suyo si tú no lo conocías de nada.

–El hecho de que ahora su cabeza se encuentre en un tarro tiende a corroborarlo –dijo Louis.

–¿Y?

–Por poco que haya de verdad en lo que dice Hoyle, vamos a tener que enfrentarnos a ese Leehagen –contestó Louis–. Tendremos que actuar deprisa. Por fuerza sabe que intentaremos descubrir quién pretende eliminarnos. Tendrá que salirnos al paso antes de que lo averigüemos. Así que, como te he dicho, haré unas cuantas llamadas, y después ya decidiremos.

Ángel suspiró.

–Y a mí que empezaba a gustarme la vida tranquila.

–Sí, pero necesitas el ruido para valorar el silencio.

Ángel lo miró.

–¿Y tú quién eres? ¿Buda?

–Debo de haberlo leído en algún sitio.

–Sí, en una galleta de la fortuna.

–Tienes el alma como una pasa, ¿lo sabes?

–Tú conduce. Esta alma mía como una pasa necesita paz.

Ángel volvió a mirar por la ventanilla, pero sus ojos no asimilaban nada de lo que veía.

9

Ángel estaba sentado solo ante su banco de trabajo. Esparcidos ante él se hallaban los componentes de diversos sistemas de entrada sin llave: auriculares de portero automático con botones, paneles numéricos con cableado, cerrojos inalámbricos con mando a distancia, e incluso un lector de tarjetas por proximidad y un lector de huellas dactilares. Este último representaba por sí solo unos dos mil dólares en material electrónico destripado. A Ángel le gustaba mantenerse al día sobre los avances en su esfera de actividad. La mayor parte del equipo que examinaba podía usarse tanto con fines comerciales como domésticos, pero por experiencia sabía que los contratistas y los particulares no habían incorporado aún la nueva tecnología. Análogamente, la mayoría de los cerrajeros preferían evitar las cerraduras sin llave. Muchos recelaban de los nuevos sistemas, al considerar que eran más susceptibles de corrupción o avería. La realidad era que los sistemas electrónicos tenían menos partes móviles y, una vez instalados, dificultaban mucho más el acceso que los sistemas mecánicos tradicionales. Ángel podía abrir una cerradura de tambor de cinco pines con un destornillador y una ganzúa. Un lector biométrico ya era otro cantar.

Normalmente quedaba fascinado por el equipo que desmontaba, como un anatomista ante la oportunidad de examinar los órganos internos de un espécimen único, pero esta vez tenía la cabeza en otra parte. El intento de incursión en el edificio donde vivían lo había alterado, y la reunión de esa tarde en el ático de Hoyle no había contribuido a tranquilizarlo. Después de las agresiones, Louis y él habían comentado la posibilidad de desaparecer durante un tiempo, pero enseguida la habían descartado. Para empezar, estaba la señora Bondarchuk, que se negaba a trasladarse aduciendo que sería un trastorno para sus pomeranos. Señaló asimismo que su abuelo se había negado a huir de los comunistas en Rusia, quedándose a luchar del lado de los blancos, y que su padre había combatido contra los nazis en Stalingrado. Ninguno de los dos había huido, y tampoco ella lo haría. La circunstancia de que tanto su abuelo como su padre hubiesen muerto al plantar cara al enemigo no tuvo la menor incidencia en su argumentación.

Louis, por su parte, no creía que sus enemigos volvieran a atacarlos en el apartamento. Entre ese incidente y el enfrentamiento en el taller habían perdido a tres hombres. Como mínimo, estarían lamiéndose las heridas. Con ello habían ganado un poco de tiempo, y era mejor utilizarlo en casa, no en un piso franco improvisado o un hotel vulnerable. Ángel había coincidido con él, pero algo en la manera de hablar de Louis lo había inquietado.

«Quiere que vengan», pensó. «Quiere que esto continúe. Le gusta.»

Ángel no le había dicho a nadie que a veces Louis lo asustaba. Ni siquiera se lo había dicho a Louis, aunque se preguntaba si él no lo habría adivinado por su cuenta. No era que temiese que Louis se volviera contra él. Si bien su compañero podía describirse benévolamente como un hombre «mordaz» en determinadas ocasiones, la violencia de la que era capaz nunca la había dirigido contra Ángel. No, lo que asustaba a Ángel era la necesidad de violencia de Louis. Anidaba dentro de él una sed que sólo se saciaba con violencia, y Ángel no acababa de comprender el origen de esa sed. Conocía el pasado de Louis bastante bien, pero no lo sabía todo: partes de ese pasado permanecían ocultas, incluso para él. Por otro lado, también era cierto que Ángel no se lo había contado todo a Louis sobre sí mismo. Al fin y al cabo, ninguna relación podía desarrollarse o sobrevivir bajo el peso de una sinceridad absoluta.

Pero los detalles del pasado de Louis no bastaban para explicar la clase de hombre en que se había convertido, no para Ángel. Enfrentado a una amenaza contra su propia seguridad y la de las mujeres con quienes vivía, el joven Louis había actuado de manera inmediata para eliminar esa amenaza. A sangre fría, había planeado matar al tal Deber, sospechoso del asesinato de su madre, que después había regresado a la casa donde ella vivió con su propia madre, sus hermanas y su hijo adolescente, para sustituirla por otra. Louis había olido en él la sangre de su madre, y Deber, por su parte, con los sentidos alerta para captar toda amenaza potencial, había visto borbotear el deseo de venganza bajo la superficie plácida del muchacho. En su pequeño mundo no había cabida para ambos, y Deber no dudaba de que el chico, llegado el momento, actuaría como un joven exaltado. Sería algo directo: una navaja o una pistola barata adquirida con ese fin. Deber lo vería venir. El chico querría mirarle a los ojos mientras moría, porque ésa era la clase de venganza que buscaría un niño. A distancia no encontraría gratificación, creía Deber.

Pero el chico no era así. Desde su tierna infancia, había en él algo impalpable, un alma vieja en un cuerpo joven. Deber era astuto y cruel, pero el chico era listo y desapasionado. Deber no murió de una herida de bala, ni de una puñalada en el pecho o las tripas. No vio acercarse la muerte, porque la muerte llegó camuflada. Llegó disfrazada de silbato metálico barato, un objeto al que le tenía un desmesurado cariño. Lo utilizaba para llamar al chico a la hora de comer, para captar la atención de su mujer, para organizar las cuadrillas de hombres cuyo trabajo supervisaba. Cuando se lo llevó a la boca aquella fatídica mañana, acaso sólo tuvo tiempo para preguntarse por qué no emitía el penetrante pitido habitual antes de que la pequeña bola de explosivo de fabricación casera le volara la cara y parte del cráneo. El último recuerdo que el chico conservaba de Deber era el de un hombrecillo atildado saliendo de casa camino del trabajo, con el silbato colgado al cuello de una cadena. Para resarcirse, no necesitó ver el momento de alzarse el silbato ni el estallido rojo y negro que acompañó a la explosión, como tampoco necesitó contemplar al ser humano destrozado que agonizaba en una cama para indigentes.

Para Louis, asesinar a Deber había sido algo natural. No podía decirse, pues, que su primera acción violenta fatal lo hubiese puesto en el camino de convertirse en lo que ahora era. Esa capacidad siempre había anidado en él, y el catalizador de su erupción en el mundo fue en esencia intrascendente. Pero una vez desencadenada, corrió por sus venas con la misma naturalidad que la sangre.

También Ángel había matado, pero las razones detrás de sus actos habían sido menos complejas que las que motivaron a Louis. Ángel había matado en varias ocasiones porque se había visto obligado a ello; porque de no haberlo hecho habría muerto él, y porque, básicamente, le había parecido que era lo que correspondía en ese momento. No se sentía perseguido ni atormentado por aquellos a quienes había matado. Se preguntaba, alguna que otra vez, si eso significaba que no era una persona normal. Sospechaba que no lo era. Pero Ángel no experimentaba el impulso de matar. No buscaba a hombres violentos para enfrentarse a ellos, o para ponerse a prueba ante ellos. Si alguien le hubiese anunciado que, a partir de ese día, nunca más tendría que empuñar un arma y que durante el resto de su vida no afrontaría mayor desafío que el de forzar cerraduras y comer fritos, se habría dado por satisfecho, siempre y cuando tuviese a Louis a su lado. Pero ahí residía el problema: una vida así excedía las posibilidades de Louis, y para Ángel acogerse a tal existencia habría implicado sacrificar a su compañero. La violencia de Ángel surgía de las circunstancias; la de Louis era consustancial.

A eso se debía, en parte, que perdurase su estrecha amistad con Charlie Parker a lo largo de tantos años. Ángel estaba en deuda con el detective privado, que hizo cuanto estuvo en sus manos, siendo policía, para proteger a Ángel de aquellos que le habrían causado graves perjuicios cuando cumplía condena. Ángel nunca entendió del todo por qué Parker decidió actuar de esa manera. Ángel lo había ayudado de vez en cuando con información, a condición de que no requiriera dar demasiados nombres, y estaba convencido, aunque nunca habían hablado de ello, de que Parker sabía algo sobre el pasado de Ángel, sobre los malos tratos que había padecido en la niñez. Pero eran muchos los delincuentes que podían aducir infancias atribuladas, algunas incluso peores que la de Ángel; la lástima, o la empatía, no bastaba para explicar por qué Parker decidió ayudarlo y, en última instancia, entablar amistad con él. Era casi, pensó Ángel, como si Parker supiera lo que vendría después. No, no que lo supiera, no era eso. Había cosas en Parker fuera de lo común, incluso a todas luces escalofriantes, pero no era un vidente. Quizá se trataba de algo tan sencillo como conocer a otro ser humano y comprender, de manera inmediata y profunda, que ese individuo formaba parte de la propia vida, por razones obvias o aún por revelarse.

A Louis le había costado entenderlo, al menos en un principio. Louis no quería policías ni ex policías en su vida. Pero sabía lo que Parker había hecho por Ángel, sabía que Ángel no estaría vivo a no ser por ese extraño y atormentado detective que parecía a punto de romperse bajo el peso del dolor y la pérdida y sin embargo se negaba a sucumbir. A su debido tiempo, Louis vio algo de sí mismo en el otro hombre. Empezaron a respetarse, y eso se desarrolló hasta convertirse en una especie de amistad, aunque la relación fue puesta a prueba más de una vez.

Pero lo que Louis y Parker tenían en común era más que nada, creía Ángel, una suerte de oscuridad. Una versión del fuego de Louis ardía en Parker; una forma más extraña aunque más refinada de la sed de Louis lo corroía. En cierto modo, se utilizaban mutuamente, pero cada uno lo hacía a sabiendas, y con el consentimiento, del otro.

No obstante, en los últimos meses las cosas habían cambiado. Parker ya no tenía licencia de detective privado. Intuía que quienes le habían quitado la licencia lo vigilaban, que un paso en falso podía llevarlo a la cárcel, o atraer la atención sobre sus amigos, sobre Louis y Ángel. Ángel no se explicaba cómo habían conseguido eludir esa atención hasta el momento. Habían actuado con cautela y de manera profesional, y a veces la suerte había intervenido a su favor, pero esos factores no bastaban en sí mismos, no podían bastar. Era un enigma.

Ahora, con Parker inactivo, Louis se veía privado de una de las válvulas de escape a sus impulsos. Había empezado a hablar de aceptar encargos otra vez. La acción contra los rusos no se había inspirado tanto en la amenaza inmediata para Parker como en el deseo de ejercitar los músculos. Ahora parecía que Ángel y él sufrían el ataque de fuerzas no del todo identificadas. Y lo que más inquietaba a Ángel era la sospecha de que a Louis le complacía secretamente esa circunstancia.

Por otro lado estaba Gabriel, en parte responsable de su actual situación, ya que, si lo que había dicho Hoyle era verdad, fue él quien envió a Louis a matar al hijo de Leehagen. Ángel no conocía al anciano, pero lo sabía todo sobre él. La relación que existía entre Gabriel y Louis era inefablemente compleja. Louis parecía sentirse en deuda con Gabriel, pese a que, a juicio de Ángel, Gabriel había manipulado y acaso corrompido a Louis en su propio beneficio. Ahora Gabriel había vuelto, aunque de forma periférica, a la vida de Louis, como una araña en hibernación puesta en movimiento por el calor del sol y las vibraciones de los insectos cercanos a su polvorienta telaraña. Eso inducía a Ángel a pensar que ciertos aspectos del pasado de Louis, de su antigua vida, empezaban a filtrarse en el presente y a la vez a envenenarlos a ambos.

Si Louis a veces asustaba a Ángel, éste seguía siendo incognoscible para su compañero hasta límites frustrantes. Pese a todo lo que le había sucedido a Ángel, se adivinaba en su corazón cierta delicadeza que casi habría podido interpretarse como debilidad. Ángel sentía cosas: compasión, empatía, pena. Las sentía por quienes más se parecían a él, sobre todo por los niños atribulados, ya que, como Louis sabía, todo adulto que había sido víctima de malos tratos en la infancia conserva a ese niño para siempre en el corazón. Eso no era motivo para admirar menos sus emociones, y Louis reconocía que a él mismo le había influido y había cambiado durante los años que había vivido en compañía de este hombre de cabello alborotado. Lo había humanizado, y sin embargo lo que era una virtud en Ángel se convertía en una grieta en la armadura de Louis. En efecto, tan pronto como empezó a sentir algo por Ángel, sacrificó un elemento crucial de sus defensas. En cierto sentido, sus fuerzas quedaron divididas. Mientras que en otro tiempo sólo tenía que preocuparse por sí mismo –y esa inquietud estaba vinculada al carácter de su profesión–, ahora debía lidiar con sus miedos por otro. Cuando estuvieron a punto de arrebatarle a Ángel, secuestrado por una familia que lo mutiló y exigió un rescate sin la menor intención de devolverlo con vida, Louis vio, por un instante, aquello en lo que se convertiría él sin su compañero: una criatura hecha de pura rabia que sería consumida por su propio fuego.

Lo que no le dijo a Ángel fue que parte de él deseaba fervientemente ser consumido así.

También Parker había alterado algo dentro de Louis, porque éste veía combinados en el detective elementos tanto de Ángel como de sí mismo: poseía la compasión de Ángel, su deseo de impedir que los débiles fuesen pisoteados por los fuertes y los crueles; pero también tenía algo de la predisposición de Louis a golpear, juzgar y administrar el castigo, la predisposición e incluso la necesidad. Existía un delicado equilibrio entre Parker y Louis, como éste sabía: Parker mantenía a raya lo peor de Louis, pero Louis ofrecía una válvula de escape a lo peor de Parker. ¿Y Ángel qué pintaba ahí? Bueno, Ángel era el pivote en torno al que giraban los otros dos, el confidente de ambos, y contenía dentro de sí ecos tanto de Louis como de Parker. Pero ¿no podía decirse eso mismo de los tres? Era lo que los unía, eso y una sensación de que Parker avanzaba hacia un enfrentamiento en el que también ellos estaban destinados a participar.

Nunca había imaginado que acabaría atado a un hombre como Ángel. De hecho, durante muchos años había optado por no reconocer su sexualidad. De joven le parecía un aspecto vergonzoso de sí mismo, y lo había reprimido tan bien que, al hacerse mayor, cualquier manifestación le había generado conflicto.

Hasta que un día ese hombre de aspecto extraño entró a robar en su apartamento. Ni siquiera lo hizo especialmente bien: prueba de ello era que acabó ante la pistola de Louis mientras intentaba sacar un televisor por la ventana. ¿Quién, se preguntaba Louis a menudo, entra en un apartamento decorado obviamente con un gusto exquisito, lleno de obras de arte, pequeñas y fáciles de transportar, e intenta robar un pesado televisor? No era extraño que Ángel hubiese ido a parar a la cárcel. Como ladrón era un fracaso estrepitoso, pero cuando se trataba de abrir cerraduras... En fin, ahí residía su verdadero genio. En ese sentido, tenía talento. Era, sospechaba Louis, la pequeña broma de Dios a Ángel; le concedió la habilidad necesaria para acceder a cualquier espacio cerrado, pero luego lo privó de la malicia necesaria para dar uso práctico a esa habilidad, a no ser, claro está, que se convirtiera en cerrajero y se ganara la vida con un trabajo honrado y un sueldo honrado, concepto que a Ángel le repugnaba.

Casi tanto como repugnaba a Louis el peculiar sentido de la moda de su compañero. Al principio, Louis pensó que era una afectación; eso o simple cicatería. Ángel daba batidas entre las pilas de saldos de Filene's, T.J. Maxx, Marshall's, cualquier sitio donde se unieran colores primarios en combinaciones inverosímiles. No le interesaban mucho los centros comerciales de *outlets,* a menos que dichas tiendas incluyeran, además, una sección con artículos tan rebajados que los establecimientos prácticamente pagaran a los clientes por llevarse el género. No, los *outlets* eran un recurso demasiado fácil. A Ángel le gustaba la caza, la emoción de la persecución, ese momento de placer derivado de encontrar de manera inesperada una camisa de Armani de color verde lima rebajada a una décima parte de su precio original, y un par de vaqueros de diseño a juego, en el supuesto de que al decir «a juego» uno entendiese «desentonar de manera insoportable». La cuestión era que Ángel se enorgullecía mucho y muy sinceramente de sus adquisiciones, y Louis había tardado años en darse cuenta de que cada vez que él hacía un comentario desfavorable sobre la elección de la indumentaria de su compañero, algo dentro de Ángel se encogía, como le ocurriría a un niño que intentase complacer a su padre o su madre preparando una comida y luego confundiese todos los ingredientes y acabase castigado en lugar de elogiado por sus esfuerzos. No importaba que, por lo que se refería a la ropa, Ángel pareciera daltónico. Aquello era ropa de diseño. No le había costado casi nada, pero era de buena calidad y tenía una etiqueta que la gente reconocía. Probablemente de niño Ángel soñaba con ponerse ropa bonita, con tener cosas caras, pero de adulto no podía justificar el alto coste de tales artículos. Estaban destinados a otros, no a él. No se consideraba digno de ellos. Pero podía engañarse comprándolos por casi nada, ya que si eran baratos, no requerían justificación.

Louis regaló una vez a Ángel una preciosa chaqueta de Brioni, y la prenda había languidecido en el armario durante años. Cuando Louis por fin se lo planteó abiertamente, Ángel explicó que era demasiado cara para ponérsela, y él no era de los que vestían ropa cara. En ese momento Louis no entendió la respuesta, y no estaba muy seguro de entenderla ahora mucho mejor, pero desde entonces había aprendido a morderse la lengua cuando Ángel le mostraba sus últimas adquisiciones para su aprobación, a menos que se tratara de una provocación más allá de los límites de la tolerancia de un mortal. Ángel, por su parte, había empezado a aprender que una ganga no era una ganga si nadie era capaz de mirarla sin gafas de sol o un antiemético. Por lo tanto, habían llegado a una especie de acuerdo.

Ahora, mientras Ángel estaba en su taller, con la mirada perdida, ante los componentes electrónicos esparcidos sobre la mesa, Louis se hallaba en un despacho anónimo a diez manzanas de allí, frente a la pantalla de un ordenador, preguntándose si no sería mejor ocuparse él solo de Leehagen, dejando al margen a Ángel. La idea duró tanto como un insecto en un horno. Ángel no lo aceptaría. Sin embargo, a diferencia de Ángel, Louis tenía un único propósito: cazar, proporcionar la solución final a cualquier problema. Disfrutaba con eso. Desde la aparición de la amenaza de Leehagen se había sentido más vivo que en cualquier otro momento del último año. Viejos músculos volvieron a la vida, viejos instintos se pusieron otra vez en primer plano. Él y las cosas y las personas que le importaban estaban en peligro, pero se sentía capaz de atajar y neutralizar la amenaza. Ángel permanecería a su lado, pero no compartiría el placer de Louis en lo que estaba por venir, y Louis procuraría ocultar el suyo lo mejor posible. No era el placer de matar, se dijo, sino el placer de un artesano en el ejercicio de sus habilidades. Sin esa oportunidad era un simple mortal, y a Louis no le gustaba ser un «simple» nada.

Encendió el ordenador y empezó a seguir el rastro de Arthur Leehagen.

Gabriel estaba sentado en la sala de observación de Wooster. El chico era alto, aunque quizá demasiado delgado, pero eso ya cambiaría. Ya era apuesto, y lo sería aún más. Poseía una serenidad que era buena señal. Pese a las horas de interrogatorio, mantenía la cabeza en alto. Tenía en los ojos una expresión despierta y vigilante. Parpadeaba poco.

Transcurridos un par de minutos, cambió ligeramente de postura. Se puso tenso y ladeó la cabeza, como un animal que presiente la proximidad de otro pero no ha decidido aún si representa una amenaza. Sabía que alguien lo observaba y que ya no era Wooster.

Gabriel se inclinó en el asiento, tocó el cristal y fue delineando con los dedos la cabeza, los pómulos y el mentón del chico, como un criador al verificar las cualidades de un purasangre. Sí, pensó, tienes el potencial para convertirte en lo que necesito.

Hay un Hombre de la Guadaña en ti.

Gabriel sabía que la gran mayoría de los hombres no eran asesinos natos. Si bien es verdad que muchos se creían capaces de matar, y era posible condicionar a hombres para ser asesinos, pocos nacían con esa capacidad innata para quitar la vida a otro. Se sabe, de hecho, que a lo largo de la historia muchos hombres en combate han demostrado un claro rechazo a matar, y algunos incluso se han negado a hacerlo cuando peligraba su propia vida, o la vida de sus compañeros. Se calcula que durante la segunda guerra mundial no más del quince por ciento de todos los fusileros norteamericanos en combate dispararon realmente sus armas contra el enemigo. Algunas disparaban a un lado o hacia arriba, si es que disparaban. Otros asumían tareas auxiliares tales como llevar mensajes, transportar munición e incluso rescatar a otros soldados heridos bajo el fuego, a veces corriendo un riesgo mucho mayor que el que habría representado quedarse en sus puestos y utilizar las armas. Dicho de otro modo, no era una cuestión de cobardía, sino consecuencia de una oposición innata en los humanos a matar a los de su propia especie.

Todo eso cambiaría, claro está, con las mejoras en el condicionamiento de los soldados para matar. Pero una cosa era el condicionamiento y otra encontrar al hombre para el que no hacía falta un condicionamiento. En momentos de miedo o ira, los seres humanos dejan de pensar con el prosencéfalo, que es, de hecho, el primer filtro intelectual contra el asesinato, y empiezan a pensar con el mesencéfalo, su faceta animal, que actúa como un segundo filtro. Si bien, según algunos, en esta etapa intervenía el mecanismo de «lucha o huida», el espectro de respuestas era en realidad mucho más complejo: luchar o huir era la última alternativa, una vez descartados el fingimiento o la sumisión.

La superación de ese segundo filtro era uno de los objetivos del condicionamiento, pero algunas personas carecían del filtro del mesencéfalo. Era el caso de los sociópatas, y la finalidad del condicionamiento era, en cierto sentido, crear un seudosociópata, uno al que pudiera controlarse, uno que obedeciera la orden de luchar y matar. El sociópata no obedecía órdenes y por tanto escapaba a todo control. Un soldado instruido de forma debida y condicionado era un arma en sí mismo. En ese proceso, lógicamente, se perdía algo bueno, quizás incluso la mejor parte del ser humano en cuestión: era la comprensión de que no existimos sólo como entidades independientes, sino que somos parte de un todo colectivo y cada muerte es una merma para ese todo y, por extensión, para nosotros mismos. En la instrucción militar, esa comprensión debía anularse, esa conciencia debía cauterizarse. El problema era que, como los primeros procedimientos quirúrgicos de la antigüedad, este proceso de cauterización se basaba en un conocimiento insuficiente de la mecánica del ser humano.

El miedo a la muerte o al daño físico no era la principal causa del colapso mental en combate: se había descubierto que éste, de hecho, se contaba entre los factores menos importantes. Tampoco lo era el agotamiento, aunque podía contribuir. Más bien era la carga de matar, y de matar de cerca y saber que era tu bala o tu bayoneta la que había puesto fin a una vida. En la marina no se daban bajas psiquiátricas en igual medida ni mucho menos. Tampoco entre los pilotos de bombardero que descargaban a gran altura sobre ciudades que quizás estuvieran, desde su lejana posición, totalmente deshabitadas. La diferencia estribaba en la proximidad, en la, a falta de una palabra mejor, intimidad. Hablamos de la muerte oída y olida y saboreada y palpada. Hablamos de enfrentarse a la agresividad y la hostilidad de otro dirigidas por entero contra uno mismo, y de reconocer a la vez la propia agresividad y el propio odio.

Hablamos de tomar conciencia de que uno se ha convertido, potencialmente, tanto en víctima como en verdugo. Hablamos de negar la propia humanidad y la humanidad de los otros.

Aquel chico, Louis, era especial: un individuo que había respondido a un estímulo hostil con el prosencéfalo, abordando la amenaza como un problema que resolver. No se trataba sin más de que se hubiese superado el segundo filtro, el mesencéfalo; más bien la cuestión era, se preguntó Gabriel, si siquiera se había llegado a esa etapa. Aquello había sido un asesinato premeditado, a sangre fría. Indicaba un considerable potencial. La dificultad, desde el punto de vista de Gabriel, residía en la distancia física respecto al propio asesinato que había mantenido el chico. Gabriel comprendía la relación entre proximidad física y el trauma de matar. Era más difícil matar a alguien de cerca con una navaja que dispararle de lejos con un rifle de mira telescópica. Análogamente, la duración de la sensación de euforia que con frecuencia acompañaba a un asesinato era menor cuanto más cerca estaba el asesino de su víctima, ya que en esta situación la culpabilidad estaba tan cerca como el cadáver. Gabriel sabía incluso de soldados que reconfortaron al hombre cuya vida habían quitado mientras agonizaba, susurrándole disculpas.

En términos reales, la aparente facilidad con que el chico había matado denotaba una posible disociación, una reticencia o incapacidad de reconocer las consecuencias de sus actos; eso, o la comprensión intelectual de que había asesinado a alguien combinada con la negación emocional del acto, y con ello cualquier responsabilidad real. Habría que someterlo a más pruebas para llegar a conocer su verdadera naturaleza. El chico no parecía manifestar señales de excesivo estrés. Al parecer, se había comportado con calma frente a un interrogatorio a ratos violento. No se había venido abajo. No buscaba una oportunidad de confesar, de expiar su pecado. Cierto era que el estrés podía manifestarse más adelante, pero de momento se lo veía relativamente poco afectado por lo que había hecho.

Era sólo un pequeño porcentaje de hombres, un escurridizo dos por ciento, el que, en determinadas circunstancias, podía matar sin remordimientos. Esas circunstancias no implicaban necesariamente un riesgo personal, ni siquiera un riesgo para las vidas de otros. Era, a cierto nivel, una cuestión de condicionamiento y situación. En algún momento habría que colocar al chico en el entorno adecuado para ver cómo respondía. Si no reaccionaba bien, allí se acabaría la historia. Eso también podía implicar, como Gabriel bien sabía, la muerte del chico.

146

Estaba por otra parte la cuestión de cómo respondería a la autoridad. Una cosa era matar por propia iniciativa y otra muy distinta matar porque alguien te lo ordenaba. Era más probable que los soldados dispararan sus armas en presencia de sus jefes, y su eficacia aumentaba cuando existía un vínculo de respeto entre ellos y ese jefe. Gabriel se hallaba en una posición distinta: sus subalternos tenían que hacer lo que él ordenara incluso en su ausencia. Era como un general, pero sin subordinados en el campo de batalla para asegurarse de que sus órdenes se cumplían al pie de la letra. A su vez, los jefes en el combate poseían cierto grado de legitimidad derivado de su rango en la jerarquía de sus naciones, pero la posición de Gabriel era mucho más ambigua.

Por todas estas razones, Gabriel elegía a quienes utilizaba con sumo cuidado. Los auténticos sociópatas no le servían, porque no respetaban la autoridad. Cuanto menor era la edad de sus subalternos, tanto mejor, ya que los jóvenes eran más susceptibles de manipulación. Buscaba puntos débiles que explotar, maneras de llenar los vacíos en sus vidas. Aquel chico, Louis, carecía de figura paterna, pero no estaba tan desesperado por encontrarla como para someterse a la autoridad de Deber, ni para huir de él a fin de encontrar a otro cuando se hizo evidente que Deber lo consideraba una amenaza. Gabriel tendría que andarse con pies de plomo. No le sería fácil ganarse la confianza de Louis.

Pero, por lo que Gabriel había averiguado, Louis era también solitario por naturaleza. No tenía amigos íntimos, y era el único hombre en una familia de mujeres. No era de los que entablarían relaciones en el seno de grupos más amplios, lo que significaba que si se canalizaban sus instintos naturales, no buscaría en otros la absolución de sus actos. La absolución era algo que Gabriel no podía ofrecer, y por esa misma razón prefería a quienes no se dejaban incomodar más de lo necesario por la culpa. Tampoco quería a aquellos que podían identificarse en exceso con sus víctimas. Para hacer lo que les exigía, se requería distancia emocional, y a veces Gabriel estaba dispuesto a alterar su planteamiento a fin de explotar diferencias sociales, morales o culturales entre sus Hombres de la Guadaña y las víctimas. Ahora bien, no pretendía erradicar la empatía por completo, ya que la ausencia de empatía era otro indicador de sociopatía. Cierta empatía era un freno necesario al comportamiento hostil o sádico. Debía mantenerse un delicado equilibrio. Era la diferencia entre estar preparado para hacer daño a alguien cuando se requería y hacer daño a alguien cuando se deseaba.

Según lo que Gabriel había averiguado antes de llegar al pequeño departamento de policía, el chico era un luchador, uno que se mantenía firme cuando lo provocaban. Eso era bueno. Indicaba una importante predisposición a la agresividad, incluso el anhelo de una oportunidad para desplegarla. Las experiencias de Louis con Deber habían sido el detonante de lo que siguió pero, para completar la analogía, el arma ya estaba cargada desde mucho antes. Corrían también rumores de que el chico era homosexual; si no activo, ya que aún era muy joven, había mostrado como mínimo su tendencia lo suficiente para que en el pueblo circularan rumores sobre su sexualidad. En cuanto a la sexualidad individual, como en muchos otros ámbitos, Gabriel tenía una visión abierta. Distinguía entre aquellos aspectos que eran aberrantes –una predilección hacia la violencia, por ejemplo, o el impulso a abusar de menores– y aquellos que no lo eran. Una conducta sexual aberrante era indicio de una fiabilidad dudosa que también tendía a manifestarse en otras esferas, motivo por el que quienes la practicaban no se acomodaban a las necesidades de Gabriel. Él no era homosexual, pero entendía la naturaleza del deseo sexual, del mismo modo que entendía la naturaleza de la agresividad y la hostilidad, ya que no estaban tan alejadas como algunos querían creer. Si bien había aspectos de la conducta humana que podían controlarse y alterarse, había otros que no, y entre ellos estaba la orientación sexual. La sexualidad de Louis sólo interesaba a Gabriel en el sentido de que podía volverlo vulnerable o crearle un conflicto. Esa debilidad podía explotarse.

Así pues, Gabriel observó a Louis a través del cristal, y el chico fijó la mirada en él. Pasaron cinco minutos así, y al final Gabriel asintió, aparentemente satisfecho. A continuación, se puso en pie y salió de la sala para enfrentarse al asesino de quince años.

Como cualquier buen jefe, Gabriel, a su manera, apreciaba a los suyos, pese a que estaba dispuesto en todo momento a sacrificarlos si surgía la necesidad. En los años posteriores, Louis cumplió, incluso superó, las expectativas de Gabriel, salvo en un aspecto: se negó a matar a mujeres por orden de Gabriel. Era, supuso Gabriel, un legado de su educación, y Gabriel condescendió, porque ciertamente apreciaba a Louis. Se convirtió en un hijo para él, y Gabriel, a su vez, se convirtió en su padre.

Gabriel entró en la sala de interrogatorios y tomó asiento frente a Louis al otro lado de la mesa. La sala olía a transpiración y otras cosas más desagradables, pero Gabriel hizo como si no lo notara. Al chico le resplandecía el rostro por el sudor.

Gabriel desenchufó la grabadora de la toma y apoyó las manos en la mesa.

–Me llamo Gabriel –se presentó–, y tú, según creo, eres Louis.

148

Sin contestar, el chico se limitó a observar al hombre, esperando a ver qué venía a continuación.

–Por cierto, puedes marcharte –dijo Gabriel–. No se te acusará de ningún delito.

Esta vez el chico sí reaccionó. Abrió un poco la boca y levantó las cejas visiblemente. Miró la puerta.

–Sí, puedes salir de aquí ahora mismo, si es lo que quieres –continuó Gabriel–. Nadie intentará detenerte. Tu abuela te espera ahí fuera. Te llevará a vuestra pequeña cabaña. Podrás dormir en tu propia cama y estar entre los objetos que te son familiares. Será todo igual que antes.

Sonrió. El chico no se había movido.

–¿O no te lo crees?

–¿Qué quiere? –preguntó Louis.

–¿Qué quiero? Quiero ayudarte. Creo que eres un muchacho muy poco común. Incluso me atrevería a decir que tienes talento, aunque es un talento que tal vez no se valore en círculos como éstos.

Abarcó con un suave gesto de la mano derecha la sala de interrogatorios, la comisaría, Wooster, la ley...

–Puedo ayudarte a encontrar un lugar en el mundo. A cambio, tus aptitudes estarían mejor aprovechadas que en este pueblo. Verás, si te quedas aquí, tarde o temprano darás un paso en falso. Te desafiarán, te amenazarán. Esa amenaza puede venir de la policía o de otros. Tú responderás a ella, pero ahora ya te conocen. No saldrás impune por segunda vez, y morirás.

–No sé de qué me está hablando.

Gabriel blandió un dedo en dirección a él, pero no era un gesto de desaprobación.

–Muy bien, muy bien –dijo. Rió entre dientes y luego dejó que el sonido se desvaneciera en el silencio antes de volver a hablar–. Permíteme que te explique lo que pasará a partir de ahora. Deber tenía amigos, o quizá «conocidos» sería una manera más exacta de describirlos. Son hombres como él, y peores. No pueden consentir que su muerte pase inadvertida. Dañaría su propia reputación e indicaría un grado de debilidad que podría volverlos vulnerables al ataque de otros. A estas alturas ya se habrán enterado de que te han interrogado por su asesinato, y ellos no serán tan escépticos como la policía del estado. Si vuelves a tu casa, te encontrarán y te matarán. Quizá, de paso, hagan daño a las mujeres que comparten la casa contigo. Incluso si huyes, irán a por ti.

–¿Y a usted por qué habría de importarle?

–¿Importarme? No, no me importa. Puedo marcharme de aquí, y abandonaros a tu familia y a ti a vuestra suerte, y no lo lamentaré en absoluto.

O bien puedes escuchar mi ofrecimiento, y tal vez redunde en beneficio mutuo. Tu problema es que no me conoces, y por lo tanto no puedes confiar en mí. Me hago cargo de tu delicada situación. Soy consciente de que necesitas tiempo para pensar en mi propuesta...

—No sé cuál es su propuesta —repuso Louis—. No me la ha dicho.

Este chico es casi gracioso, pensó Gabriel. Para quince años, tiene una cabeza muy madura.

—Ofrezco disciplina, formación. Te ofrezco una manera de canalizar tu ira, de usar tu talento.

—¿Protección?

—Puedo ayudarte a protegerte.

—¿Y a mi familia?

—Corren peligro sólo mientras tú sigas aquí, y sólo si saben dónde estás.

—Entonces, ¿puedo irme con usted, o puedo marcharme de aquí?

—Exacto.

Louis apretó los labios, pensativo.

—Gracias por su tiempo, señor —dijo, transcurrido un momento—. Me voy ya.

Gabriel asintió. Se llevó la mano al bolsillo de la chaqueta y sacó un sobre. Se lo entregó al chico. Tras una vacilación, Louis lo tomó y lo abrió. Intentó disimular su reacción al ver el contenido, pero la expresión de sus ojos, muy abiertos, lo traicionó.

—En ese sobre hay mil dólares —dijo Gabriel—. También hay una tarjeta con un número de teléfono. Estoy localizable en ese número a cualquier hora del día o la noche. Piensa en mi ofrecimiento, pero recuerda lo que te he dicho: no puedes volver a casa. Tienes que irte de aquí, tienes que irte muy, muy lejos, y luego tienes que decidir qué harás cuando esos hombres te encuentren. Porque no te quepa duda de que darán contigo.

Louis cerró el sobre y abandonó la sala. Gabriel no lo siguió. No era necesario. Sabía que el chico se marcharía de aquel pueblo. En caso contrario, Gabriel se habría equivocado con él y de todos modos no le serviría. El dinero daba igual. Gabriel confiaba en su propio criterio. Recuperaría ese dinero con creces.

Tras salir en libertad, Louis regresó con su abuela a la cabaña del bosque. No hablaron, pese a que era una caminata de casi cuatro kilómetros. Cuando llegaron, Louis llenó una bolsa con ropa y algún que otro recuerdo de su madre —fotos, una o dos joyas que le había dejado—, y luego sacó doscientos dólares del sobre y escondió los billetes en distintos bolsillos, en una raja en la cinturilla del pantalón, y en uno de los zapatos. El resto lo dividió en dos montones, se metió el más pequeño en el bolsillo anterior derecho del vaquero y el otro volvió a guardarlo en el sobre. A continuación dio un beso de despedida a las mujeres que lo habían criado, entregó el sobre con los quinientos dólares a su abuela y recurrió al señor Otis para que lo llevara en su furgoneta a la estación de autobuses. Por el camino le pidió que hiciera sólo un alto. Aunque reacio a complacerlo, el señor Otis vio en el chico lo mismo que había visto Wooster, y también Gabriel, y comprendió que no debía contrariarlo, ni con aquello ni con ninguna otra cosa. Así que el señor Otis se detuvo nada más pasar el bar de Little Tom, ocultó la furgoneta entre los arbustos que flanqueaban la carretera y observó al chico encaminarse hacia el aparcamiento de tierra y perderse de vista.

El señor Otis empezó a sudar.

Little Tom alzó la vista del periódico abierto sobre la barra. No había clientes que lo distrajesen, todavía no, y por la radio daban un partido de fútbol. Le gustaban aquellos momentos de calma. Durante el resto de la noche serviría bebidas y charlaría de banalidades con sus clientes. Hablarían de deportes, del tiempo, de las relaciones de los hombres con sus mujeres (ya que en el bar de Little Tom las mujeres no importunaban, no más que los negros, y por eso el local era refugio de cierta clase de hombres). Little Tom entendía el papel que desempeñaba su bar: allí no se tomaban decisiones de gran trascendencia, ni se desarrollaban conversaciones de la menor importancia. No había altercados, porque Little Tom no los toleraría, ni borracheras, porque Little Tom tampoco las aprobaba. Cuando un hombre había consumido lo que Little Tom consideraba «suficiente», lo obligaba a seguir su camino aconsejándole que condujera con prudencia y evitara las discusiones al llegar a casa. Rara vez era necesaria la presencia de la policía en el local de Little Tom. Mantenía buenas relaciones con los patriarcas del pueblo.

Esto no obstaba para que, como muchos hombres que practicaban una versión pública y superficial de lo que consideraban una forma de vida razonable, Little Tom fuese un pedazo de animal, una criatura de apetitos violentos y soeces, sexualmente incontinente y rebosante de desprecio por todos aquellos distintos de él: las mujeres, en particular las que se negaban a tocarlo a menos que hubiese dinero por medio; los judíos, aunque no conocía a ninguno; los creyentes de cualquier tendencia o credo liberal; los polacos, los irlandeses, los alemanes y los de cualquier nacionalidad que hablaran el inglés con

151

acento o tuvieran apellidos que Little Tom no podía pronunciar fácilmente, y toda la gente de color sin excepción.

Y ahora, desde el umbral del bar, un joven negro miraba a Little Tom mientras él leía el periódico. Little Tom no sabía cuánto tiempo llevaba allí de pie aquel muchacho, pero fuera el tiempo que fuese, era demasiado.

–Sigue tu camino, chico –dijo Little Tom–. Éste no es lugar para ti.

El chico no se movió. Little Tom se irguió y se dirigió hacia la trampilla de la barra, que estaba levantada. De paso, agarró el bate que guardaba debajo de la barra. Allí Little Tom tenía también una escopeta, pero supuso que al negro le bastaría con ver el bate.

–¿No me has oído? Largo de aquí.

El chico habló.

–Sé lo que hiciste –dijo.

Little Tom se detuvo. La serenidad del chico lo puso nervioso. Mantenía un tono ecuánime, y no había parpadeado desde el momento en que Little Tom advirtió su presencia, ni una sola vez. Su mirada parecía traspasar el cráneo de Little Tom y pasearse como una araña por la superficie de su cerebro.

–¿A qué demonios te refieres?

–Sé lo que le hiciste a Errol Rich.

Little Tom sonrió. La sonrisa se ensanchó despacio, extendiéndose como una mancha de aceite. Así que se trataba de eso: un chico de color, un negro de mierda, dejándose arrastrar por la ira. Pues bien, Little Tom sabía cómo tratar con negros incapaces de medir sus palabras cuando estaban delante de un blanco.

–Recibió su merecido –afirmó Little Tom–. Y tú estás a punto de recibirlo también.

Con un rápido movimiento, sin levantar el bate, lanzó un golpe desde abajo, apuntando hacia las costillas del chico. Pero éste, en lugar de apartarse, dio un paso al frente con gran agilidad para atajar el golpe, de modo que el bate chocó contra el marco de la puerta a la vez que el chico agarraba a Little Tom por el cuello y lo empujaba contra la pared. Al impactar el bate contra la madera, Little Tom sintió una dolorosa vibración en el brazo, y se le notaba aún débil cuando el chico le asestó un golpe en la muñeca con el borde de la mano izquierda. El bate cayó al suelo.

Sorprendido, Little Tom fue incapaz de reaccionar. Nunca antes lo había tocado un negro, ni siquiera una mujer, porque Little Tom no tenía trato con otras razas, ni por la fuerza ni con su consentimiento. Olió el aliento del chico cuando se inclinó hacia él. Los dedos del negro se cerraron en su garganta, y de pronto oyó abrirse la puerta trasera del bar y la voz de un hombre. Sintió que el apretón cedía un poco y al instante se vio despedido hacia un lado, tropezó con un taburete y se cayó pesadamente.

–¡Eh, tú! –gritó el recién llegado, y Little Tom reconoció la voz áspera de Willard Hoag–. ¿Qué coño haces, chico?

El chico cogió el bate y se volvió para encarar la nueva amenaza. Hoag, desarmado, se detuvo. El chico miró a Little Tom.

–Otra vez será –dijo.

Caminando de espaldas, salió del bar con el bate. Al cabo de unos segundos, el bate traspasó ruidosamente la ventana del local salpicando el suelo de cristales rotos. Little Tom oyó arrancar y alejarse una furgoneta, pero cuando llegó a la carretera, ya no se veía, y nunca averiguó quién había llevado al negro hasta allí. Aquello le preocupó durante mucho tiempo, incluso después de descubrir la identidad del chico y encontrar la manera de comunicársela a quienes tenían sus propias razones para ocuparse de él. Conforme envejeció, la ofensa se enturbió en su memoria. Muchos de los recuerdos se desvanecieron, pues Little Tom, en el momento de su muerte, había sucumbido desde hacía tiempo a la demencia, pese a que consiguió disimular sus efectos ante aquellos que frecuentaban su bar en declive, ya que el negocio empezó a decaer mucho antes que su dueño. Por eso cuando el chico, ya mayor, regresó por fin y lo obligó a pagar el precio de lo que le había hecho a Errol Rich, Little Tom no fue capaz de relacionarlo con el único negro que le había puesto la mano encima.

Y en cuanto a la razón por la que Louis tardó tanto en vengar la muerte de Errol Rich..., en fin, como se complacía en decir a Ángel, Little Tom se merecía la muerte, pero no se merecía un largo viaje para matarlo, así que Louis esperó a estar de paso en la zona. Fue, decía, por una cuestión de simple comodidad.

Pero eso sucedió después. De momento enfiló al oeste y no se detuvo hasta que vio y olió el mar. Encontró un sitio donde vivir y trabajar, y allí aguardó la llegada de los hombres.

10

Louis llegó temprano a su cita con Gabriel en el bar de Nate. No le gustaba llegar antes de hora a encuentros de esa clase. Prefería que los demás lo esperaran a él, consciente de las ventajas psicológicas que podían obtenerse incluso en los encuentros más aparentemente inocuos. Habría podido pensarse que tales precauciones no serían necesarias en una reunión entre Gabriel y él, ya que se conocían desde hacía muchos años, pero los dos hombres tenían plena conciencia de lo difícil que era su relación. No eran iguales, y aunque Gabriel había sido una figura paterna para Louis más que cualquier otro hombre en su vida, tomándolo bajo su ala cuando era aún adolescente, enseñándole a sobrevivir en el mundo mediante el perfeccionamiento de sus propias habilidades naturales, los dos sabían por qué lo había hecho. Si uno veía los instintos de Louis como una forma de corrupción, su predisposición al uso de la violencia, hasta el punto del asesinato, como una debilidad moral más que fortaleza de carácter, Gabriel había explotado esa corrupción, ahondándola y realzándola a fin de convertir a Louis en un arma que poder esgrimir de forma eficaz contra otros. Louis no era tan ingenuo como para creer que, de no haber conocido a Gabriel, habría podido salvarse de sí mismo. Sabía que, si Gabriel no hubiese entrado en su vida, probablemente ya estaría muerto, pero había pagado un precio por la salvación ofrecida. Cuando Louis, el último de los Hombres de la Guadaña, se alejó de Gabriel, lo hizo sin lamentarse y sin volver la espalda, y durante muchos años se mantuvo alerta, a sabiendas de que había quienes tal vez preferirían silenciarlo para siempre, y que acaso Gabriel fuera uno de ellos.

El viejo había formado parte de la vida de Louis durante más tiempo que cualquier otra persona, sin contar a las pocas mujeres aún con vida de su familia, e incluso a ellas las mantenía a distancia y, para acallar su propia conciencia, se aseguraba de que no les faltase dinero, aun cuando se daba cuenta de que tenían poca necesidad de lo que les enviaba y de que sus regalos eran más para su paz de espíritu que la de ellas. Gabriel, en cambio, había estado presente desde los últimos años cruciales de su adolescencia y luego en su vida adulta, hasta que Louis cortó los lazos. Ahora volvían a estar juntos, uno en la mediana edad, el otro en el ocaso de la vida. Se habían visto envejecer, y resultaba extraño pensar que, cuando se conocieron, Gabriel era más joven que Louis ahora.

Louis miró su reloj. En esta ocasión lamentaba especialmente llegar antes de hora, porque no estaba de humor para esperar. Sintió crecer la tensión dentro de él, pero no hizo nada por disiparla. Comprendió que se debía a la expectación. Louis sabía que se avecinaban conflictos y violencia, y su cuerpo y su mente se preparaban para ello. La tensión formaba parte de eso, y era buena. Habían llegado a su fin los meses de normalidad, de indolencia, de vida corriente. Pese a que Ángel y él habían viajado a Maine ese año, un tiempo antes, para ayudar a Parker con el vengador, Merrick, apenas se habían requerido sus servicios especializados, y él había regresado a Nueva York frustrado y decepcionado. Habían sido guardaespaldas con pretensiones, nada más. Ahora Ángel y él estaban bajo amenaza, y él se preparaba para responder. Lo que lo inquietaba era que no se había formado aún una imagen clara de esa amenaza. Por eso estaba allí, esperando en el viejo bar no lejos del taller de Willie Brew. Gabriel había prometido aclararle y confirmarle la información ofrecida por Hoyle, y Gabriel, cualesquiera que fueran sus defectos, no era hombre que incumpliera sus promesas.

La entrada de servicio del fondo del bar se abrió con un leve chirrido, y Gabriel entró. A petición de Louis, no se había echado el pestillo de la puerta, y Nate los dejó solos en el bar, por lo demás vacío. Nate sabía que no debía molestarlos. El bar era otro de los negocios en que Louis participaba como socio capitalista, un lugar donde reunirse y guardar algunos objetos esenciales por si algún día tenía necesidad de esconderse: dinero, una pequeña cantidad de diamantes y krugerrands, una pistola y munición. Los tenía en una caja cerrada con llave dentro de una caja fuerte detrás de los estantes del despacho de Nate, y sólo Louis sabía la combinación. Mantenía nidos como ése en cinco sitios distintos por todo Nueva York y Nueva Inglaterra, dos de los cuales, ése incluido, ni siquiera los conocía Ángel.

Gabriel se sentó e hizo una seña a Nate para que sirviera un café. No cruzaron palabra hasta que la taza llegó y volvieron a quedarse solos. Gabriel tomó un sorbo, con el meñique cuidadosamente apartado del asa. El viejo, pensó Louis, siempre respetaba los pequeños detalles de la vida civilizada, aun cuando estuviera organizando las cosas para que hombres y mujeres fueran barridos de la faz de la tierra.

–Cuéntame –dijo Louis.

Gabriel, inquieto, cambió de posición.

–Ballantine desapareció el día doce. Lo investigaba la SEC, la comisión encargada de la supervisión de la Bolsa y los mercados financieros. Sus activos estaban a punto de inmovilizarse. Por lo visto, alguien denunció el tráfico de información privilegiada en empresas dirigidas por Ballantine. Se enfrentaba a varias acusaciones. Se pensó que se había escondido, o que había huido a otra jurisdicción.

–¿Hay alguna prueba que indique lo contrario?

–Tiene mujer y tres hijos. Los interrogaron y parecían sinceramente incapaces de explicar su ausencia. No se ha puesto en contacto con ellos. Encontraron su pasaporte en el escritorio de su casa. Tenía una caja fuerte en el suelo de un armario. Su mujer no sabía la combinación, o eso dijo. Se consiguió una orden judicial para abrirla. Contenía cerca de cien mil dólares en efectivo y casi el doble de esa cantidad en títulos negociables.

–No es la clase de chucherías que dejaría atrás un fugitivo.

–No, y menos un cabeza de familia tan formal como el señor Ballantine.

Las palabras de Gabriel destilaron sarcasmo como veneno de serpiente.

–¿Demasiado limpio para estar limpio?

–Tenía una casa en los Adirondacks a nombre de una de sus compañías. Un sitio donde entretener a clientes, cabe suponer. Y donde le entretuviesen también a él.

–¿Has encontrado a quien lo entretenía?

–Una prostituta. De alto nivel. Le recomendaron que permaneciera callada, aunque la verdad es que sabía bien poco. Llegaron unos hombres. Se llevaron a Ballantine. La dejaron a ella.

–¿Tú ya sabías que él había desaparecido cuando te pedí que hicieras indagaciones?

Gabriel le sostuvo la mirada, pero fue un gesto postizo.

156

–No me mantengo al día sobre las actividades de mis antiguos clientes.

–Eso es mentira.

Gabriel se encogió de hombros.

–No del todo. Algunos continúan en el radar por buenas razones, pero de otros me desentiendo. Ballantine no me interesaba. Era un intermediario, nada más. Me utilizó. De vez en cuando también yo lo utilicé a él, pero lo mismo hicieron otros muchos. Tú precisamente deberías saber cómo van estas cosas.

–Exacto. Por eso intento ver cuánto me ocultas.

Por primera vez desde su llegada, Gabriel sonrió.

–Todos necesitamos secretos. Incluso tú.

–¿Kandic era uno de los tuyos?

–No. Cuando me dejaste, perdí el interés en esos asuntos. Ahora hay una nueva raza de contratistas independientes, algunos de ellos veteranos de los conflictos en Chechenia y Bosnia. Son criminales de guerra. La mitad huye de las Naciones Unidas, la otra mitad de su propio pueblo. Kandic huía de los dos. Era ex miembro de los Escorpiones, una unidad de la policía serbia vinculada a las atrocidades en los Balcanes, pero, por lo que se ve, ya tenía una historia que esconder mucho antes de matar a viejos en Kosovo. Cuando se volvieron las tornas, entregó a sus propios camaradas a los musulmanes y se vino para aquí. Todavía no he podido averiguar el canal por el que lo contrató Hoyle.

–¿Era bueno?

–Estoy seguro de que tenía excelentes recomendaciones.

–Ya me gustaría a mí ver esas referencias. Seguro que no mencionan que era propenso a la decapitación. ¿No tienes nada más para mí?

–Casi nada.

Hoyle había confirmado lo que Milton había contado a Gabriel: existía una conexión con Leehagen. A continuación, Gabriel explicó lo que sabía del tal Kyle Benton y su relación con Leehagen y con uno de los hombres que habían muerto detrás del edificio de Louis, aunque no dijo a Louis desde cuándo poseía esa información.

–Estoy indagando acerca de lo demás –concluyó–. Estas cosas llevan su tiempo.

–¿Cuánto?

–Unos días. No más. ¿Te creíste todo lo que te contó Hoyle?

—Vi una cabeza en un tarro, y una chica devorada por los cerdos. Las dos me parecieron bastante reales. ¿Sabías que Luther Berger era en realidad Jon Leehagen?

—Sí.

—Y no me lo dijiste.

—¿Acaso habría cambiado algo?

—Por aquel entonces, no —admitió Louis—. ¿Sabías quién era el padre?

—De oídas. Ese individuo era un mar de contradicciones. Un matón salido de la nada y un hombre de negocios sagaz. Ignorante, pero ladino. Criador de ganado y chulo de putas, pero propietario de minas. Siempre ha traficado con mujeres y las ha maltratado, pero ha querido a sus hijos. No era una amenaza, no en los círculos en que tú y yo nos movíamos. Ahora tiene cáncer de pulmón, hígado y páncreas. No puede respirar sin aparatos. Está prácticamente inmovilizado en casa, excepto por algún que otro paseo en silla de ruedas dentro de los límites de su propiedad para sentir el aire fresco en la cara. Ahí reside el problema. Sospecho que Hoyle quizá tenga razón: si Leehagen está detrás de esto, irá por ti hasta salirse con la suya, porque no tiene nada que perder. Querrá que mueras antes que él.

—¿Y la enemistad con Hoyle?

—Es cierta, por lo que he averiguado. Son rivales en los negocios desde hace mucho tiempo, y antiguamente fueron rivales en el amor. Ella se quedó con Leehagen y le dio dos hijos. Murió de cáncer, quizá la misma clase de cáncer que está matando ahora al propio Leehagen. Su antagonismo mutuo es bien conocido, aunque el origen exacto por lo visto se pierde en el pasado.

—¿Merecía morir, el hijo?

—¿Sabes qué te digo? —contestó Gabriel—. Creo que te prefería cuando no eras tan escrupuloso.

—Eso no contesta a mi pregunta.

Gabriel levantó las manos en un gesto de resignación.

—¿Qué significa «merecer»? El hijo no se diferenciaba mucho del padre. Tenía menos pecados, pero como consecuencia de la edad, no del esfuerzo. Un creyente diría que hubiera bastado con un pecado para condenarlo. Si eso es verdad, estaba cien veces condenado.

Por un momento, los rasgos de Louis, normalmente impasibles, se alteraron. Parecía cansado. Gabriel lo advirtió, pero no hizo ningún comentario. Aun así, le bastó ese detalle para cambiar la opinión que tenía sobre su protegido. En el fondo, había albergado esperanzas de que Louis fuera útil una vez más. Éste había sido bueno en lo suyo, bueno para matar, pero mantener ese nivel requería sacrificio. Había que dejar la conciencia, la compasión o la humanidad, llámese como se quiera, ensangrentada y sin vida en el altar del oficio. En el alma de Louis, a saber cómo, había quedado algo de decencia, que había prosperado y crecido en la última década. Pero, además, quizá Gabriel no había sabido sofocar bajo un manto de pragmatismo todos sus sentimientos naturales hacia el joven. Lo ayudaría en este último asunto, y luego su relación tendría que llegar a un fin incondicional. Ahora se traslucía en Louis demasiada debilidad para que Gabriel se arriesgase a mantener abiertas las líneas de comunicación. La debilidad era como un virus: se transmitía de huésped en huésped, de organismo en organismo. Gabriel había sobrevivido en sus varias encarnaciones gracias a una combinación de suerte, impasibilidad y una gran capacidad para detectar los defectos de los seres humanos. Tenía la intención de vivir muchos años más. El trabajo lo había mantenido joven por dentro. Sin esos entretenimientos, se habría marchitado y muerto. O esa impresión tenía a veces. Gabriel, pese a sus muchas dotes y su instinto de supervivencia, no se conocía lo suficiente para entender que se había marchitado por dentro hacía mucho tiempo.

–¿Y Ventura? –preguntó Louis.

–No sé nada.

–Billy Boy conducía el coche el día que liquidamos al hijo de Leehagen.

–Soy consciente de ello.

–Ahora está muerto, y Ballantine ha desaparecido. Según Hoyle, ha muerto. Si esos asesinatos guardan relación con Leehagen, sólo quedamos tú y yo.

–Pues en ese caso, cuanto antes aclaremos todo esto, mejor para nosotros. –Gabriel se levantó–. Me pondré en contacto cuando tenga algo más –dijo–. Entonces podrás tomar una decisión definitiva.

Se marchó por donde había entrado. Louis permaneció en el asiento, reflexionando sobre lo que acababa de oír. Era más de lo que sabía antes de llegar, y sin embargo aún no bastaba.

Desde su posición en el tejado del garaje, Ángel siguió a Gabriel con la mirada. Vio al siniestro anciano cuando recorrió despacio el callejón; vio cuando llegó a la calle y miró a izquierda y derecha, como si no supiera qué camino lo atraía más; vio cómo un viejo Bronco con matrícula de otro estado pasó lentamente; vio los fogonazos en la oscuridad dentro del automóvil; vio cuando el anciano saltó hacia atrás y un salpicón de sangre brotó de su espalda al traspasarlo las balas; vio cuando se desplomó en el suelo y se formó un charco de sangre alrededor mientras la vida escapaba de él a cada débil latido de su corazón...

Lo vio, conmocionado, pero sin pesar.

–Vivirá. Por ahora.

Louis y Ángel habían vuelto a su apartamento. Era última hora de la tarde. La llamada había sido para Louis. Ángel no sabía quién era, y tampoco lo preguntó. Se limitó a escuchar cuando su amante repitió lo que le habían dicho.

–Es duro de pelar, ese viejo cabrón –comentó Ángel.

Su tono no transmitió el menor afecto. Louis lo advirtió.

–Él te habría dejado morir a ti si le hubiese convenido. No se lo habría pensado ni un momento.

–No, eso no es verdad –repuso Louis–. Un momento sí me lo habría dedicado.

Se detuvo ante la ventana, su cara reflejándose en el cristal. Ángel, hombre también herido, se preguntó cuánto más herido debía de estar Louis para conservar ese afecto por un ser como Gabriel. Quizá fuera verdad que todos los hombres amaban a sus padres, por horrendas que fueran las cosas que hacían a sus hijos: una parte de nosotros permanece siempre en deuda con los responsables de nuestra existencia. Al fin y al cabo, Ángel había llorado al conocer la muerte de su padre, y su padre lo había vendido a pederastas y depredadores sexuales por dinero para la bebida. A veces Ángel pensaba que precisamente por eso había llorado aún más, llorado por todo lo que su padre no había sido tanto como por lo que era.

–Si es verdad lo que dice Hoyle, Leehagen encontró a Ballantine –reflexionó Louis–. A lo mejor Ballantine delató a Gabriel.

–Creía que sabía protegerse –dijo Ángel.

–Y así era, pero ellos se conocían, y probablemente sólo había una capa, un parachoques, entre Ballantine y Gabriel, si es que había algo. Por lo visto, Leehagen lo encontró, y a partir de ahí estableció la última conexión.

–¿Y ahora qué? –preguntó Ángel.

160

–Iremos a ver a Hoyle otra vez, y luego mataré a Leehagen. De lo contrario esto no acabará nunca.

–¿Lo haces por ti o por Gabriel?

–¿Eso importa? –contestó Louis.

Y si en ese momento Gabriel hubiera estado allí presente, habría visto algo del antiguo Louis, aquel a quien él había dado vida a fuerza de atención y paciencia, algo que emitía un siniestro resplandor.

Benton llamó desde una cabina de Roosevelt Avenue.

–Ya está –anunció.

Le dolían la muñeca y el hombro, y estaba seguro de que éste le sangraba otra vez. Se lo notaba húmedo y caliente. No debería haberse prestado a disparar contra el viejo, no después de las heridas recibidas en el taller, pero estaba furioso y deseaba compensar su fracaso anterior.

–Bien –dijo Michael Leehagen–. Ya puedes volver a casa.

Colgó el teléfono y recorrió el pasillo hasta la habitación donde dormía su padre. Michael lo contempló por unos minutos, pero respetó su sueño. Le comunicaría lo sucedido cuando despertara.

Michael ignoraba quién era en realidad el anciano. Ballantine había hablado de él de una manera muy vaga. Bastaba con saber que había intervenido en el asesinato de su hermano y que acababa de reunirse con Louis, el responsable directo de la muerte de su hermano. El atentado contra su vida sería un incentivo más para que Louis devolviera el golpe, una razón más para que viajara al norte. Por fin, Michael había empezado a entender el razonamiento de su padre: la sangre pedía sangre, y debía derramarse allí donde yacía su hermano, que aún no descansaba en paz. Seguía pensando que su padre sobrevaloraba la amenaza potencial que representarían Louis y su compañero una vez atraídos al norte, y que no había necesidad de involucrar al tercero, el cazador, el tal Ventura, pero fue imposible disuadir a su padre, y Michael había abandonado la discusión incluso antes de empezar. Daba igual. Era el dinero de su padre y, en último extremo, la venganza de su padre. Michael se avendría a los deseos del anciano, porque lo quería mucho, y cuando muriera, todo lo que en su día fue de él pasaría a manos de su hijo.

Por más que Michael Leehagen fuese un rey en ciernes, era leal al viejo soberano.

11

Ángel y Louis se presentaron en el edificio de Hoyle sin previo aviso. Simplemente entraron en el vestíbulo al final del día y pidieron a un miembro del servicio de seguridad que informase a Simeon de que el señor Hoyle tenía visita. El vigilante no pareció alarmarse por la solicitud. Ángel supuso que como Hoyle residía en el edificio, y además era reacio a enfrentarse con el mundo en las condiciones impuestas por éste, los vigilantes se habían habituado al tráfico humano a horas intempestivas.

–¿Qué nombre doy? –preguntó el vigilante.

Sin contestar, Louis se colocó bajo la lente de la cámara más cercana, y mostró claramente el rostro.

–Creo que ya sabrá quiénes somos –dijo Ángel.

El vigilante avisó por el intercomunicador. Pasaron tres minutos. Una mujer atractiva con una ajustada falda negra y blusa blanca cruzó el vestíbulo y echó a Louis una mirada ponderativa. Casi de manera imperceptible, excepto para Ángel, Louis cambió de postura.

–Te has pavoneado –afirmó Ángel.

–No creo.

–Sí, te has erguido. Te las has dado de hetero. Te has deshomosexualizado.

La puerta del ascensor privado se abrió en el vestíbulo y el vigilante les indicó que entraran. Se dirigieron hacia allí.

Louis se encogió de hombros.

–A un hombre le gusta que lo valoren.

–Creo que estás confuso sobre tu sexualidad.

–Tengo buen ojo para la belleza –dijo Louis. Tras un breve silencio, añadió–: Y ella también.

–Ya –convino Ángel–. Pero nunca te querrá tanto como te quieres tú.

–Es una cruz –respondió Louis mientras se cerraban las puertas.

–A mí me lo vas a contar.

Cuando llegaron al ático de Hoyle, en el recibidor sólo los esperaba Simeon. Vestía pantalón negro y camisa negra de manga larga. Esta vez llevaba el arma bien visible: una Smith & Wesson 5906, enfundada en una pistolera Horseshoe.

–¿Hecha a medida? –preguntó Louis.

–Maryland –contestó Simeon–. Hice limar los salientes.

Extrajo la pistola con suavidad y rapidez y la sostuvo en alto para que vieran los contornos rebajados de las miras delantera y trasera, la palanca del cargador, la guarda del gatillo y el percutor. La exhibición supuso un sorprendente gesto de vanidad por parte de Simeon –hasta el punto de que Ángel jamás habría esperado algo así de un hombre como él–, y una advertencia: habían llegado sin cita previa, y a altas horas. Simeon los trataba con cautela.

Enfundó la pistola y, sin poner especial atención, los registró con la varita. Después los acompañó de nuevo al salón con vistas a la piscina. Esta vez las ondas creaban en la pared un dibujo distorsionado e irregular, y Ángel oyó que alguien nadaba. Se acercó al cristal y vio a Hoyle surcar el agua en estilo mariposa.

–¿Nada mucho? –preguntó a Simeon.

–Por la mañana y por la noche –contestó Simeon.

–¿Alguna vez permite que alguien utilice la piscina?

–No.

–Imagino que no es de los que comparten.

–Comparte información –dijo Simeon–. La comparte con ustedes.

–Sí, es todo un pozo de conocimientos.

Ángel se volvió y se reunió con Louis junto a la misma mesa en torno a la que se habían sentado con Hoyle días antes esa misma semana. Simeon permaneció de pie no muy lejos, desde donde podía verlos y dejarse ver.

–¿Cómo es que trabaja para ese hombre? –preguntó Louis por fin. El chapoteo en la piscina había cesado–. Para el talento que usted tiene, no puede ser un gran desafío estar aquí encerrado todo el día con alguien que rara vez sale a la calle.

–Paga bien.

–¿Eso es todo?

–¿Ha estado en el ejército?

–No.

–Entonces no lo entendería. Pagar bien compensa muchos pecados.

–¿Tiene su jefe muchos pecados que compensar?

–Tal vez. A fin de cuentas, todos somos pecadores.

–Supongo. Aun así, con o sin pecados, esas aptitudes adquiridas en la infantería de marina se oxidarán.

–Me ejercito.

–No es lo mismo.

Ángel advirtió un ligero respingo en Simeon.

–¿Insinúa que quizá tenga que usarlas pronto?

–No. Sólo digo que es fácil dar por sentadas esas cosas. Si uno no se mantiene en plena forma, puede no encontrarlas a mano cuando las necesita.

–No lo sabremos hasta que llegue el día.

–No, no lo sabremos.

Ángel cerró los ojos y suspiró. Había en el salón testosterona suficiente como para dejar calva una peluca. Estaban a un paso de echarse un pulso. En ese momento entró Hoyle. En albornoz blanco y zapatillas de andar por casa, se secaba el pelo con una toalla, aunque lo hacía con los ubicuos guantes blancos.

–Me alegro de que hayan vuelto –dijo–. Aunque habría preferido que fuese en circunstancias más propicias. ¿Cómo está su... –buscó la palabra para referirse a Gabriel y por fin eligió–: «amigo»?

–Herido de bala –contestó Louis sin más.

–Eso tengo entendido –dijo Hoyle–. No obstante, agradezco que me lo confirme.

Tomó asiento frente a ellos y entregó la toalla húmeda a Simeon, que se esforzó por disimular su irritación al verse reducido al rango de mozo de piscina delante de Louis.

–Supongo que el motivo por el que están aquí es el atentado contra Gabriel. Leehagen está provocándolo a usted, además de castigar a quienes responsabiliza de la muerte de su hijo.

–Se lo ve muy seguro de que fue Leehagen quien dio la orden –observó Louis.

–¿Quién iba a ser si no? Nadie sería tan tonto de atentar contra un hombre en la posición de Gabriel. Conozco sus contactos. Actuar contra él sería poco prudente, a menos que uno no tuviese nada que perder.

Louis no pudo por menos de coincidir. En los círculos en los que se movía Gabriel existía el tácito acuerdo de que el proveedor de los recursos humanos no era responsable de lo que sucedía al emplearse esos recursos. Louis recordó la descripción que hizo Gabriel de Leehagen: un moribundo deseoso de vengarse antes de que la vida lo abandonara por completo.

–Bien –dijo Hoyle–. Hablemos sin rodeos. Tal vez se pregunte si hay micrófonos en este apartamento, o si algo de lo que diga aquí puede llegar a alguna sección de las fuerzas del orden. Le aseguro que el apartamento está limpio, y que no tengo el menor interés en involucrar a la policía en este asunto. Quiero que mate a Arthur Leehagen. Le proporcionaré toda la información a mi alcance para facilitarle el trabajo, y le pagaré generosamente por el trabajo.

Hoyle hizo una señal con la cabeza a Simeon. Éste sacó una carpeta de un cajón y se la entregó. Hoyle la dejó en la mesa ante ellos.

–Aquí está todo lo que tengo sobre Leehagen –señaló Hoyle–, o todo lo que creo que podría serles de utilidad.

Louis abrió la carpeta. Al hojear el material vio que repetía parte de lo que él ya había descubierto por su cuenta, pero también incluía muchos datos nuevos. Había informes impresos con las líneas muy apretadas detallando los antecedentes familiares, los intereses comerciales y otras actividades, algunas de ellas, a juzgar por las fotocopias de expedientes policiales y las cartas de la fiscalía, de carácter delictivo. A continuación, aparecían las fotografías de una casa imponente, imágenes vía satélite de bosques y carreteras, mapas de la zona y, por último, un retrato de un hombre corpulento, más bien calvo, con una amplia papada que le caía en múltiples pliegues hasta el pecho robusto. Llevaba un traje negro y una camisa sin cuello. El poco pelo que le quedaba lo tenía largo y despeinado. Unos ojos oscuros y porcinos se perdían en la carne de su cara.

–Ése es Leehagen –dijo Hoyle–. La foto fue tomada hace cinco años. Tengo entendido que el cáncer ha hecho mella en él desde entonces.

Hoyle alargó el brazo para tomar una de las imágenes vía satélite y señaló un recuadro blanco en el centro.

–Ésta es la casa principal. Ahí viven Leehagen y su hijo. Tiene una enfermera particular, instalada en un pequeño apartamento contiguo. A eso de medio kilómetro al oeste, quizás un poco más –alcanzó otra fotografía y la colocó junto a la primera–..., hay vaquerizas. Antes Leehagen tenía un rebaño de vacas de Ayrshire.

165

–Ésa no es tierra de vacas –comentó Louis.

–A Leehagen aquello le traía sin cuidado. Le gustaban. Se las daba de criador. Taló el bosque para que pudieran pastar, y utilizó también áreas que habían quedado arrasadas por efecto de las tormentas. Sospecho que así se creía un aristócrata rural.

–¿Y qué fue de ellas? –preguntó Ángel.

–Las mandó al matadero hace un mes. Eran sus vacas: no iba a dejar que vivieran más que él.

–¿Esto qué es? –quiso saber Louis. Señaló varias fotografías de una pequeña construcción industrial junto a lo que parecía un pueblo. Una fina línea recta recorría de un lado a otro la parte inferior de algunas de las fotografías: una vía de ferrocarril.

–Eso es Winslow –contestó Hoyle. Extendió dos mapas convencionales, uno al lado del otro, delante de Louis y Ángel–. Mírenlos. ¿Ven alguna diferencia entre los dos?

Ángel los examinó. En uno, la localidad de Winslow aparecía marcada con toda claridad; en el otro, no se veía la menor señal del pueblo.

–El primer mapa es de la década de los setenta. El segundo es de hace sólo un año o dos. Winslow ya no existe como pueblo. Allí no vive nadie. Antes había cerca una mina de talco..., es lo que se ve al este en algunas de las fotos. Era propiedad de la familia Leehagen, pero cerró en los años ochenta. La gente empezó a marcharse y Leehagen fue comprando las casas desocupadas. Los que no quisieron irse fueron obligados a hacerlo. Les pagó, desde luego, y en ese sentido fue todo limpio, pero les dejaron muy claro qué les pasaría si no se iban. Ahora es todo una única propiedad particular, situada al nordeste de la casa de Leehagen. ¿Sabe usted algo sobre la extracción del talco?

–No –respondió Louis.

–Tiene su lado desagradable. Los mineros trabajan expuestos al polvo del amianto tremolita. Muchas de las compañías implicadas sabían que el talco contenía amianto, las de Leehagen incluidas, pero optaron por no informar a sus empleados de su presencia ni de la incidencia de enfermedades relacionadas con el amianto en sus minas. Me refiero sobre todo a cicatrices en los pulmones, silicosis y casos de mesotelioma, que es un cáncer poco común relacionado con el amianto. Incluso aquellos que no trabajaban directamente en la extracción empezaron a desarrollar problemas pulmonares. Los Leehagen se defendieron negando que el talco industrial contuviera amianto o implicara un riesgo de cáncer, cosa que, según creo, es mentira. Esa sustancia acababa en los lápices de cera de los niños, y ya saben ustedes lo que hacen los niños con los lápices, ¿no? Se los meten en la boca.

–Con el debido respeto, ¿eso qué tiene que ver con el asunto que nos atañe? –preguntó Louis.

–Verá, fue así como Leehagen consiguió vaciar Winslow. Ofreció acuerdos económicos a las familias, que en su mayoría tenían parientes que habían trabajado en las minas. Según esos acuerdos, Leehagen y sus descendientes quedaban libres de toda responsabilidad futura. Ató de manos a esa gente. Las cantidades que recibieron eran muy inferiores a las que posiblemente les habrían concedido si hubiesen estado dispuestos a llevar los casos a juicio, pero eran los años ochenta. Dudo que supiesen siquiera el origen de sus enfermedades, y la mayoría de ellos ya estaban muertos cuando, al cabo de una década o más, comenzaron a llegar a los tribunales los primeros casos de otros sitios. Esa clase de hombre es Leehagen. Aun así, resulta irónico que quizá su propio cáncer haya sido causado por las minas que lo enriquecieron. Mataron a su mujer –cuando Hoyle pronunció la palabra «mujer», una ligera mueca asomó a su rostro–... y ahora están matándolo a él. –Hoyle buscó otro mapa, éste del cauce de un río–. Después de vaciar el pueblo obtuvo permiso para cambiar el curso de un río de la zona, el Roubaud, por algún falso motivo medioambiental. En realidad, el cambio de curso le permitió aislarse. Hace las veces de foso. Sólo dos carreteras acceden a sus tierras cruzando el río. Más allá de la casa de Leehagen está el lago Fallen Elk, de modo que también tiene agua por detrás. Llenó el lecho del lago de rocas y alambradas para impedir el acceso a la casa desde allí, por lo que la única manera de llegar a sus tierras es atravesando uno de los dos puentes sobre el río.

Hoyle señaló los puentes en el mapa y luego recorrió con el dedo las carreteras que partían de ellos. Formaban un embudo invertido, cortadas en cuatro puntos por dos carreteras interiores que cruzaban la finca en línea paralela a la orilla oriental del lago.

–¿Están vigilados? –preguntó Ángel.

–No de manera sistemática, pero todavía hay casas cerca. Leehagen tiene algunas alquiladas a las familias de los hombres que antes cuidaban de su ganado, o que trabajan en sus tierras. Un par de ellas son propiedad de personas que han llegado a un acuerdo con él. Se mantienen al margen de sus asuntos, y él les permite vivir donde siempre han vivido. Están básicamente en la carretera del norte. La carretera del sur es más tranquila. Por cualquiera de ellas es posible acercarse bastante a la casa de Leehagen, aunque la del sur sería una opción más segura. No obstante, si alguien diera la alarma, los dos puentes quedarían cerrados antes de que el intruso tuviese la oportunidad de escapar.

–¿De cuántos hombres dispone?

–Cerca de él hay una docena o más, calculo. Se comunican dentro de la finca por medio de una red de alta frecuencia segura e independiente. Algunos son ex presidiarios, pero el resto son poco más que matones de pueblo.

–¿Calcula? –preguntó Ángel.

–Leehagen es un recluso, igual que yo. A eso lo ha reducido la enfermedad. Lo que sé de sus actuales circunstancias lo he conseguido a un precio muy alto. –Pasó al siguiente punto–. Por otro lado está su hijo y heredero, Michael. –Hoyle buscó otra fotografía, ésta de un hombre de poco más de cuarenta años, que si bien se parecía vagamente a Leehagen padre en los ojos, pesaba mucho menos. Llevaba vaqueros y camisa de cuadros y sostenía una escopeta de caza en los brazos. A sus pies yacía un ciervo con cornamenta de ocho puntas, la cabeza apoyada en un tronco para que mirase hacia la cámara. Louis recordó al hombre a quien había matado en San Antonio, Jonny Lee. Si la memoria no lo engañaba, se parecía más a su padre–. Ésta es muy reciente –dijo–. Michael se ocupa de casi todos los aspectos del negocio, legales y no legales. Es el lazo de la familia con el mundo exterior. En comparación con su padre, es todo un *bon vivant,* pero a ojos de una persona normal vive casi tan recluido como él. Se aventura a salir un par de veces al año, pero por lo general es la gente la que va a él.

–Incluida su hija –señaló Louis.

–Sí –corroboró Hoyle–. También quiero que muera Michael. Por él le pagaré un suplemento.

Louis se reclinó en el asiento. Junto a él, Ángel callaba.

–Nunca he dicho que esto vaya a ser fácil –prosiguió Hoyle–. Si hubiese podido resolver el asunto sin involucrar a nadie ajeno a mi círculo, lo habría hecho. Pero me pareció que usted y yo teníamos un interés común en acabar con Leehagen, y que usted podría salir airoso en lo que otros fracasaron.

–¿Y aquí está todo lo que tiene? –preguntó Louis.

–Todo lo que puede serle útil, sí.

–Todavía no nos ha contado cómo empezó su conflicto con Leehagen –dijo Ángel.

–Me robó a mi esposa –contestó Hoyle–. O mejor dicho, a la mujer que podría haber sido mi esposa. Me la robó, y ella murió por eso. Trabajó en la mina colaborando en la administración. Leehagen consideró que sería bueno para ella ganarse la vida.

–¿Todo esto es sólo por una mujer? –preguntó Ángel.

–Leehagen y yo somos rivales en muchos terrenos. Yo le llevé la delantera en reiteradas ocasiones. Al mismo tiempo, la mujer que yo amaba se distanció de mí. Se fue con Leehagen por despecho. Él no ha tenido siempre un aspecto tan repulsivo, debo añadir. Llevaba muchos años enfermo, incluso antes de apoderarse de él el cáncer. Con la medicación aumentó de peso.

–De modo que su mujer se fue con Leehagen...

–Y murió –concluyó Hoyle–. Para resarcirme, redoblé mis esfuerzos por arruinarlo. Di información sobre él a empresas de la competencia, a delincuentes. Él se vengó. Yo volví al ataque. Ahora estamos donde estamos, aislados ambos en nuestras respectivas fortalezas, alimentando ambos un profundo odio mutuo. Quiero que esto termine. Incluso débil y enfermo, me molesta su existencia. Así que ésta es mi oferta: si lo mata, le pagaré quinientos mil dólares, con una gratificación de doscientos cincuenta mil si su hijo muere con él. En un gesto de buena fe, le pagaré doscientos cincuenta mil dólares del total por el padre en anticipo, y cien mil de la cantidad correspondiente al hijo. El resto quedará en depósito, pagadero una vez concluido el trabajo.

Volvió a guardar las fotografías y mapas en la carpeta, la cerró y la empujó suavemente hacia Louis. Después de una breve vacilación, Louis la aceptó.

La llamada arrancó a Michael Leehagen de su estupor. En bata, con los ojos legañosos y la voz ronca, se dirigió a trompicones hacia el teléfono:

–¿Sí?

–¿Qué ha hecho?

Michael reconoció la voz de inmediato. Al oírla se disiparon en él los últimos vestigios de sueño igual que si se hubiese plantado ante un huracán gélido y furioso.

–¿A qué se refiere?

–El viejo. ¿Quién lo autorizó a ordenar su eliminación? –Michael percibió tal calma en la voz de Ventura que se le tensó la vejiga.

–¿Autorizarme? Me autoricé yo mismo. Conseguimos su nombre a través de Ballantine. Él preparó lo de mi hermano y acababa de reunirse con Louis. Seguro que ahora ata cabos y viene aquí.

–Sí –coincidió Ventura–. Seguro que sí. Pero estas cosas no se hacen así. –Se lo notaba alterado, como si ésa no fuera una circunstancia prevista o deseada por él. Michael no lo entendía–. Antes debería haber hablado conmigo.

–Con el debido respeto, no es usted un hombre fácil de contactar.

–¡En ese caso debería haber esperado a que yo lo llamase! –Esta vez la ira era evidente en la voz de Ventura.

–Lo siento –se disculpó Michael–. No vi ningún problema.

–No. –contestó Ventura. Michael lo oyó respirar hondo para serenarse–. Usted no podía saberlo. Puede que le convenga prepararse para alguna represalia si relacionan el atentado con usted. A cierta gente no va a gustarle.

Michael no sabía ni remotamente a qué se refería Ventura. Su padre deseaba que se eliminase de la faz de la tierra a todos los involucrados en la muerte de Jonny Lee. A Michael le traía sin cuidado cómo se hacían las cosas en otros sitios. Sólo le interesaban los resultados finales. Esperó a que Ventura continuase.

–Ordene a sus hombres que vuelvan de la ciudad –dijo Ventura, ahora con aparente tono de hastío–. A todos. ¿Entendido?

–Ya están de camino.

–Bien. ¿Quién disparó?

–No creo que eso...

–Le he hecho una pregunta.

–Benton. Disparó Benton.

–Benton –repitió Ventura, como si se grabase el nombre en la memoria, y Michael se preguntó si había condenado a Benton al dar su nombre.

–¿Cuándo va a venir?

–Pronto –respondió Ventura–. Pronto.

12

Louis contempló al hombre en la cama. Gabriel parecía aún más pequeño y más anciano que antes, tan viejo que Louis casi no lo reconoció. Pese a que sólo había transcurrido un día, daba la impresión de haber perdido mucho peso. La piel gris presentaba manchas amarillas allí donde le habían aplicado un ungüento. Tenía los ojos hundidos en pozos de un color entre negro y azul, por lo que parecían amoratados, como los de un boxeador que ha pasado demasiado tiempo contra las cuerdas, arrojado a la inconsciencia por su adversario. Tomaba aire con aspiraciones poco profundas, casi inexistentes. Por las heridas de bala, ahora bajo una capa de vendas, se le había escapado parte de su fuerza vital esencial, ya menguante, y Louis pensó que, si hubiese sido testigo del tiroteo, la habría visto manar por los orificios de salida, una nube pálida en medio de la sangre. Nunca la recuperaría. Se había perdido, y con ella se había perdido también una parte esencial de Gabriel. Si sobrevivía, no sería el mismo. Como todos los hombres, siempre había luchado contra la muerte, y el ritmo de esa pugna se había incrementado con el paso de los años; pero ahora la muerte tenía ventaja y no renunciaría a ella.

Había previsto presencia policial cerca del anciano, pero no encontró ninguna. Eso le preocupó, hasta que cayó en la cuenta de que ahora otros velarían por Gabriel. Vio una pequeña cámara instalada en el ángulo superior derecho de la habitación, pero no habría sabido decir si formaba parte de la decoración desde fecha reciente. Dio por supuesto que lo observaban. Esperó a que alguien se presentara, pero no apareció nadie. Aun así, el hecho de que le hubiesen permitido acercarse tanto a Gabriel significaba que sabían quién era. Le daba igual. Siempre habían sabido dónde encontrarlo si querían.

Tocó la mano a Gabriel, negro sobre blanco. Hubo ternura en el gesto, y cierto pesar, pero algo más asomó al rostro de Louis: una especie de odio.

«Tú me creaste», pensó Louis. «Sin ti, ¿qué habría sido de mí?»

A sus espaldas, la puerta se abrió. Había visto acercarse a la enfermera al reflejarse su silueta en la pared brillante detrás de la cama de Gabriel.

–Oiga, tiene que marcharse ya –dijo.

Él respondió con una leve inclinación de cabeza. Luego se agachó y besó a Gabriel con delicadeza en la mejilla, como Judas condenando a muerte a su Salvador. Era un hombre sin padre y a la vez con muchos padres. Gabriel era uno de ellos, y Louis aún tenía que encontrar la manera de perdonarle todo lo que había hecho.

Milton se hallaba en un pequeño despacho a unos pasos de la habitación de Gabriel. En la puerta se leía el rótulo PRIVADO, y detrás había un escritorio, dos sillas y equipo de vigilancia, aparatos de grabación de vídeo y audio incluidos. Entre las fuerzas del orden se conocía como Puesto Auxiliar de Enfermeras, o PAE, y era un espacio compartido, lo que significaba que, en teoría, todas las agencias tenían el mismo derecho a utilizarlo. En realidad, había que atenerse a una jerarquía, y Milton era el gallo del gallinero. De pie, detrás de los dos agentes armados, observó a Louis salir de la habitación de Gabriel y a la enfermera cerrar la puerta con cuidado a sus espaldas.

–¿Intervenimos, señor?

–No –contestó Milton tras una breve vacilación–. Que se vaya.

Estaban en el despacho de Louis, con los papeles y mapas de Hoyle extendidos sobre la mesa. Louis había añadido sus propias notas y observaciones en tinta roja. Sería la última vez que toda esa información de que disponían estaría reunida de ese modo. Una vez terminada la conversación sería destruida: la triturarían y luego la quemarían. En una silla cercana tenían mapas nuevos y copias de las fotografías e imágenes vía satélite que enseñarían a los demás.

–¿Cuántos? –preguntó Ángel.

–¿Para hacer el trabajo, o para hacerlo bien?

–Para hacerlo bien.

172

–Dieciséis como mínimo. Dos para controlar cada uno de los puentes, quizá más. Cuatro de refuerzo en el pueblo. Dos equipos de cuatro para aproximarse a la propiedad campo a traviesa. Y si viviésemos en un mundo ideal, un helicóptero enorme para llevárselos a todos a la vez cuando acaben. Incluso así, habría problemas de comunicación. Tan en plena montaña, los móviles no tienen cobertura. Debido a los árboles y la inclinación del terreno no hay línea de visión directa, así que el uso de walkie-talkies queda descartado.

–¿Teléfonos por satélite?

–Ya, y de paso podríamos enviar una carta de confesión a la policía.

Ángel se encogió de hombros. Al menos lo había preguntado.

–¿Y cuántos tenemos?

–Diez, incluidos nosotros dos.

–Podríamos llamar a Parker. Con eso ya seríamos once.

Louis negó con la cabeza.

–Ésta es nuestra partida. Juguemos, y veamos qué dicen los dados.

Tomó cuatro imágenes, fotografías de la casa de Leehagen con grados crecientes de ampliación, y las puso una al lado de la otra, comparando los ángulos, revelando lugares de acceso, puntos débiles y fuertes.

Y Ángel se marchó, dejándolo con sus planes.

Los dos sabían que no era así como se hacían esas cosas. Debería haberse llevado a cabo un estudio de las circunstancias, haberse realizado los preparativos durante semanas e incluso meses, haberse examinado estrategias alternativas de entrada y salida, y no se había hecho nada de todo eso. Hasta cierto punto eran conscientes de la urgencia de la situación. Habían atentado contra sus amigos, contra su casa. Gabriel estaba gravemente herido. Incluso sin la información proporcionada por Hoyle, sabían que un hombre de comportamiento tan irreflexivo como Leehagen jamás se retiraría después de los primeros reveses. Volvería por ellos una y otra vez hasta salirse con la suya, y por consiguiente todas las personas cercanas a ellos estarían en peligro.

Como en todos los asuntos que afectaban a ambos, Ángel era el más perspicaz, el que identificaba motivos subyacentes, el que instintivamente percibía los sentimientos de los demás. Pese a todo lo que desconocía sobre su compañero, Ángel estaba en sintonía con sus ritmos, sus maneras de pensar y sus métodos de razonamiento, algo que, o eso creía Ángel, a Louis no le pasaba con respecto a él. Pese a ser un hombre que había vivido tanto tiempo en un mundo gris, desprovisto de moralidad y conciencia, Louis se sentía siempre más cómodo con lo que era blanco o negro. Era poco propenso a autoexaminarse y, cuando se analizaba, lo hacía a distancia, como si fuera un observador objetivo de sus propias temeridades y fallos. Ángel se preguntaba a veces si eso se debía a la forma de vida que había elegido, pero sospechaba que era posiblemente un aspecto integrante de la manera de ser de Louis, en igual medida que el color de su piel y su sexualidad, un rasgo grabado en su conciencia incluso antes de salir del útero materno, a la espera de cobrar vida con la edad. Gabriel había identificado esa resolución y la había aprovechado.

Ahora habían intervenido las circunstancias y, en cierto modo, Louis estaba una vez más al servicio de Gabriel, pero esta vez como vengador suyo. El problema era que su deseo de actuar, de golpear, de liberar parte de esa energía contenida, lo había vuelto imprudente. Se estaban precipitando en la operación contra Leehagen. Su información sobre él presentaba demasiadas lagunas y, debido a eso, los factores de riesgo eran muchos.

Por lo tanto, Ángel rompió una regla cardinal. Confió en otro. No lo contó todo, pero sí lo suficiente como para que, si las cosas se ponían feas, alguien supiera adónde ir a buscarlos y a quién castigar.

Esa noche cenaron en la esquina de River con Amsterdam. Fue una cena tranquila, incluso para ellos. Después tomaron una cerveza en Pete's, cuando en el local no quedaban ya oficinistas ni se servían aperitivos gratis, y vieron sin mucho interés cómo los Celtics ganaban a los Knicks en un partido de rutina. Para distraerse, Ángel contó el número de personas que usaban desinfectante de manos, y se detuvo cuando amenazaba ya con alcanzar las dos cifras. Desinfectante de manos: adónde iba a parar esa ciudad, se preguntó. Entendía la lógica del fenómeno. No todo el mundo que utilizaba el metro era de una limpieza irreprochable, y él más de una vez, después de coger un taxi, había tenido que llevar la ropa a la tintorería sólo para eliminar el hedor. Pero, francamente, no le quedaba muy claro que una botellita de un ligero desinfectante de manos fuera la solución.

En la ciudad se criaban cosas capaces de sobrevivir a un ataque nuclear, y no sólo cucarachas. Según había leído Ángel, habían detectado el virus de la gonorrea en el canal Gowanus. En cierto sentido, no era de extrañar: lo único que no se podía encontrar en el canal Gowanus eran peces, o al menos peces que uno pudiese comerse y sobrevivir más de un día o dos, pero ¿qué grado de suciedad debía alcanzar un cauce de agua para contraer una enfermedad venérea?

Normalmente habría compartido estos pensamientos con su compañero, pero Louis estaba en otra parte, siguiendo la marcha del partido con la mirada pero con la mente centrada en estrategias muy distintas. Ángel apuró la cerveza. A Louis aún le quedaba medio vaso, pero había más vida en el Gowanus que en él.

–¿Nos vamos? –preguntó Ángel.

–Bueno –dijo Louis.

–Podemos ver el final del partido si quieres.

Louis desvió la mirada con pereza hacia él.

–¿Hay un partido?

–Supongo que sí, en algún sitio.

–Ya, en algún sitio.

Recorrieron las calles vivamente iluminadas, uno al lado del otro, juntos pero alejados. Frente a un bar en la esquina de la Setenta y Cinco, unos chicos de la marina piropeaban a las jóvenes que pasaban por allí, arrancando sonrisas y miradas asesinas en igual medida. Uno de los marineros, de pie en la puerta del bar, tenía un cigarrillo apagado entre los labios. Se palpó los bolsillos en busca de un encendedor o de cerillas, y luego, alzando la vista, vio acercarse a Ángel y Louis.

–Amigo, ¿tienes fuego? –preguntó.

Louis se metió la mano en el bolsillo y sacó un Zippo metálico. Un hombre, opinaba, nunca debía ir sin encendedor y sin arma. Lo abrió y lo encendió, y el marinero protegió instintivamente la llama con la mano izquierda.

–Gracias –dijo.

–De nada –contestó Louis.

–¿De dónde eres? –preguntó Ángel.

–De Iowa.

–¿Y qué demonios hace un hombre de Iowa en la marina?

El marinero se encogió de hombros.

–Pensé que me vendría bien ver un poco de mar.

—Ya, en Iowa mucho mar no hay —comentó Ángel—. ¿Y aún no has visto suficiente mar?

El marinero pareció sucumbir al desaliento.

—Amigo, he visto mar de sobra para toda la vida. —Dio una larga calada al cigarrillo y taconeó en el suelo con el lustroso zapato negro.

—Mejor *Terra firma* que terror firme, ¿eh? —dijo Ángel.

—Y que lo digas. Gracias por el fuego.

—No hay de qué —dijo Louis.

Ángel y él siguieron adelante.

—¿Qué induce a alguien a alistarse en la marina? —preguntó Ángel.

—Y yo qué sé. Iowa. De pronto un hombre sólo ha visto el mar en foto y decide que es lo suyo. Soñadores, chico. Olvidan que algún día hay que despertar.

Y en ese momento su silencio casi se volvió más amigable, y Ángel se resignó a lo que estaban haciendo, porque también él era un soñador.

Segunda parte

La mies es mucha y los obreros pocos.

Mateo 9, 37

13

La reunión se celebró en uno de los comedores privados de un club entre las avenidas Park y Madison, a un paso del Guggenheim y su última exposición. En la entrada, ningún cartel indicaba el carácter del establecimiento, quizá porque no hacía falta. Quienes necesitaban conocer su ubicación ya sabían dónde encontrarlo, e incluso un observador circunstancial se habría dado cuenta de que aquél era un lugar caracterizado por su exclusividad: si uno debía preguntar qué era, significaba que no tenía nada que hacer allí, ya que la respuesta, si la recibía, sería del todo ajena a sus circunstancias.

El carácter preciso de la exclusividad del club era difícil de definir. Se había inaugurado hacía menos que otras instituciones similares de los alrededores, aunque no por eso carecía de historia ni mucho menos. Debido a su relativa juventud, nunca había rechazado a un posible miembro por su raza, sexo o credo. Tampoco una gran riqueza era prerrequisito para ser aceptado, y de hecho algunos de sus miembros habrían pasado apuros para pagar una ronda en una institución menos tolerante con los ocasionales problemas de insolvencia de sus socios. El club aplicaba más bien una política que podría describirse sin faltar a la verdad como un proteccionismo razonablemente benévolo, basado en la idea de que era un club que existía para aquellos a quienes no les gustaban los clubes, ya fuera por una inclinación inherentemente antisocial, o bien porque preferían que los demás supiesen lo menos posible sobre sus actividades. En las zonas comunes estaban prohibidos los teléfonos de cualquier clase. La conversación se toleraba si se mantenía en un nivel de susurro audible sólo para murciélagos y perros. El comedor principal era uno de los lugares de la ciudad donde reinaba mayor silencio a las horas de las comidas, en parte porque estaba casi prohibida toda forma de comunicación verbal, pero más que nada porque los miembros, en su mayoría, preferían comer en los salones privados, donde tenían la certeza de que ningún asunto tratado allí saldría de aquellas cuatro paredes, ya que el club se enorgullecía de su discreción, incluso hasta la muerte. Los camareros eran casi sordos, mudos y ciegos. No había cámaras de seguridad; y no se llamaba a nadie por su nombre, a menos que alguien indicase su preferencia por tal familiaridad. En el carnet de miembro sólo constaba un número. Las dos plantas superiores contenían doce habitaciones decoradas con buen gusto, aunque sin lujos, para quienes decidían pasar la noche en la ciudad y no deseaban complicarse la vida con hoteles. Las únicas preguntas que se hacía a los huéspedes eran variaciones sobre determinados temas, como, por ejemplo, si les apetecía más vino o no, o si necesitaban ayuda para subir por la escalera hasta la cama.

Aquella noche en particular había ocho hombres, contando a Ángel y Louis, reunidos en lo que se conocía oficiosamente como «Salón presidencial», alusión a una famosa velada en que el ocupante del más alto cargo del país utilizó el salón para satisfacer diversas necesidades, entre las que comer era sólo una más.

Los ocho hombres cenaron en torno a una mesa circular, un menú a base de carne –venado y solomillo– acompañada de *shiraz* Dark Horse de Sudáfrica. Una vez recogida la mesa y servidos los cafés y los licores a quienes los pidieron, Louis echó el cerrojo y extendió los mapas y diagramas ante ellos. Explicó el plan una vez sin interrupciones. Mientras los seis invitados escuchaban con atención, Ángel escrutó sus rostros en busca de algún parpadeo o cualquier reacción que pudiese indicar que los demás compartían sus mismas dudas. No vio nada. Incluso cuando empezaron a hacer preguntas, eran meramente sobre cuestiones de detalle. Las razones de lo que iba a suceder no les importaban. Tampoco los riesgos, no más de lo necesario. Les pagaban bien por su tiempo y experiencia, y confiaban en Louis. Eran hombres acostumbrados a la lucha y entendían que su remuneración era generosa justo debido al peligro.

Al menos tres de ellos –el inglés, Blake; Marsh, de Alabama; y el mestizo Lynott, un hombre que reunía más acentos que un continente– eran veteranos de un sinfín de conflictos extranjeros, en los que sus lealtades estaban determinadas por el humor del momento, el dinero y la moralidad, normalmente en ese orden. Los dos Harrys –Hara y Harada– eran japoneses, o eso decían, pese a que tenían pasaporte de cuatro o cinco países asiáticos. Ofrecían el mismo aspecto que esos turistas que uno ve pulular por el Gran Cañón, haciendo alegres muecas para la cámara y el signo de la paz para sus amigos y familiares. Los dos eran bajos y de piel oscura, y Harada llevaba gafas de montura negra que siempre se ajustaba en el puente de la nariz con el dedo medio antes de hablar, un tic que había inducido a Ángel a preguntarse si no era simplemente una manera sutil de hacerle un corte de mangas al mundo cada vez que abría la boca. Hara y él parecían tan inofensivos que a Ángel le inquietaban muchísimo. Había oído hablar de algunas de sus hazañas. No supo muy bien si creerse o no esas historias hasta que los dos Harrys le obsequiaron con una película que, según ellos, les había hecho reír más que cualquier otra, tanto es así que se les soltaron las lágrimas nada más cruzar unos comentarios en su lengua materna sobre sus escenas preferidas. Ángel había borrado de su memoria el título de la película en beneficio de su propia cordura, aunque recordaba unas agujas de acupuntura que le introducían a alguien entre el párpado y el globo ocular y cómo empujaban después suavemente con la yema del dedo. Lo más perturbador fue que esa película resultó ser su regalo de Navidad. Ángel no era de los que iban por ahí tachando de anormales a otras personas sin una buena razón, pero opinaba que alguien debería haber estrangulado a los Harrys al nacer. Eran una pequeña broma de sus madres a costa del mundo.

El sexto miembro del equipo era Weis, un suizo alto que en otro tiempo había formado parte de la guardia del Vaticano. Lynott y él parecían tener alguna rencilla pendiente, a juzgar por la mirada que se cruzaron al enterarse de que iban a cenar juntos. Un motivo de inquietud más para Ángel. Esa clase de tensiones, especialmente en un equipo poco numeroso, tendían a propagarse y causar nerviosismo entre los demás. Aun así, todos se conocían, aunque sólo fuera de oídas, y Weis y Blake pronto se enfrascaron en una conversación sobre allegados comunes, tanto vivos como muertos, mientras que Lynott parecía haber encontrado un interés afín con los Harrys, lo que confirmó las sospechas de Ángel sobre los tres.

Al final de la velada se habían formado los equipos: Weis y Blake cubrirían el puente del norte, Lynott y Marsh el del sur. Los Harrys se ocuparían de la carretera entre ambos puentes, recorriéndola a intervalos regulares. En caso de necesidad podían desplazarse para reforzar a cualquiera de los dos equipos en los puentes, o apostarse en un puente si uno de esos equipos se veía obligado a cruzar el río para dar apoyo a Ángel y Louis en su huida.

Se decidió que partirían al día siguiente, escalonando las salidas y alojándose en moteles preasignados a corta distancia del objetivo. Poco antes del alba, cuando los equipos estuviesen en sus posiciones, Ángel y Louis cruzarían el Roubaud para matar a Arthur Leehagen, su hijo Michael y cualquiera que se interpusiese en su camino.

Cuando se marcharon sus seis invitados y la cuenta quedó pagada, Ángel y Louis se separaron. Ángel regresó al apartamento, mientras Louis iba a un loft de Tribeca. Allí compartió una última copa de vino con una pareja, los Endall, Abigail y Philip. Si bien parecían un matrimonio acomodado normal y corriente, cercano a los cuarenta años, el adjetivo «normal» no era aplicable al oficio que ejercían. Sentados los tres a la mesa del comedor, Louis expuso una variación respecto al plan original. Los Endall eran el comodín en la baraja de Louis. No tenía intención de enfrentarse a Leehagen él solo con Ángel. Antes de que los otros equipos estuvieran siquiera apostados, los Endall ya se hallarían en las tierras de Leehagen esperando.

Esa noche Ángel permaneció despierto en la oscuridad. Louis percibió su insomnio.

—¿Qué pasa? —preguntó Louis.

—No les has dicho nada acerca del quinto equipo.

—No tienen por qué saberlo. Excepto nosotros, nadie necesita conocer todos los detalles.

Ángel no contestó. Louis se movió a su lado y encendió la lámpara de la mesilla de noche.

—¿Se puede saber qué te pasa? —insistió Louis—. Desde hace dos días pareces un perro extraviado.

Ángel se volvió a mirarlo.

—Esto no me parece bien —dijo—. Te seguiré, pero no me parece bien.

—¿Eliminar a Leehagen?

—No, la manera en que lo estás llevando. Las cosas no encajan como deberían.

—¿Te refieres a Weis y Lynott? No darán problemas. Los mantendremos separados, así de simple.

—No es sólo por ellos. Es porque el equipo es demasiado pequeño, y por las lagunas en la historia de Hoyle.

–¿Qué lagunas?

–No acabo de identificarlas. Sencillamente me suena a falso, al menos en parte.

–Gabriel confirmó lo que nos contó Hoyle.

–¿Qué? ¿Que había una rencilla personal entre Leehagen y él? Vaya cosa. ¿Crees que eso es razón suficiente para matar a la hija de alguien y echársela a los cerdos? ¿Para pagar casi un millón de dólares de recompensa por las cabezas de dos hombres? No, esto no me gusta. Tengo la impresión de que incluso Gabriel se callaba algo. Tú mismo lo dijiste después de hablar con él. Y además está Ventura...

–No sabemos si en verdad ronda por ahí.

–Lo de Billy Boy me huele claramente a Ventura.

–Cada vez te pareces más a una vieja. El día menos pensado dirás que quieres un gato y empezarás a reunir los cupones del supermercado.

–Algo no me cuadra, lo digo en serio.

–Si tan preocupado estás, quédate.

–Ya sabes que no puedo hacer eso.

–Entonces duerme. No te necesito más tenso aún de lo que ya estás.

Louis apagó la luz y dejó a Ángel a oscuras. Éste no se durmió, pero Louis sí. Era un don que tenía: nada perturbaba su descanso. Esa noche no soñó, o no recordó haber soñado, pero despertó poco antes del amanecer. Junto a él, Ángel por fin había conciliado el sueño, y a su olfato llegaba un claro olor a quemado.

Se llamaban *Alderman Rector* y *Atlas Griggs*. *Alderman* era de Oneida, *Tennessee*, un pueblo donde, de niño, había sido testigo de cómo la policía y un grupo de ciudadanos daban caza a un vagabundo negro que se había apeado de un tren de carga en la estación que no debía. Persiguieron a aquel hombre cuando huyó por el bosque para salvar la vida. Transcurrida una hora, volvieron con el cuerpo acribillado a balazos a rastras y lo colocaron ante la comisaría para que todos lo vieran. Su madre le había puesto el nombre de *Alderman*, o «concejal», por despecho a los blancos convencidos de que en realidad ese cargo nunca estaría a su alcance, e inculcó en el niño la importancia de ir siempre pulcramente vestido y no darle nunca a nadie, fuera blanco o negro, una excusa para faltarle al respeto. Por eso, cuando *Griggs* lo localizó en el reñidero, *Alderman* vestía un traje amarillo canario, una camisa beige y una corbata de color naranja sanguina, con zapatos beige y marrón y, encasquetado en la cabeza hasta el punto de que le dejaba un ruedo permanente en el pelo, un sombrero amarillo con una pluma roja en la cinta. Sólo de cerca se le veían las manchas en el traje, el cuello raído de la camisa, las arrugas en la corbata allí donde la goma elástica había empezado a ceder dentro de la tela, y las burbujas del pegamento endurecido que mantenía unido el cuero de su zapato. *Alderman* sólo tenía dos trajes, uno amarillo y otro marrón, ambos parte del vestuario de hombres muertos, comprados a las viudas antes de que la tapa del ataúd de sus propietarios anteriores hubiese sido atornillada. Aun así, como a menudo comentaba a *Griggs*, eso ascendía a dos trajes más de los que tenían muchos hombres, al margen del color de su piel.

Alderman –nadie lo llamaba *Rector*, como si su nombre de pila se hubiera convertido en el cargo que siempre se le negaría– medía un metro sesenta y cinco y era tan flaco que casi parecía momificado: la piel amarillenta se le pegaba a los huesos porque había tan poca carne que habría cabido pensar que no era más que un cadáver animado. Tenía los ojos muy hundidos en las cuencas, y los pómulos tan marcados que, cuando comía, amenazaban con desgarrar la piel. El pelo le crecía en rizos blandos y oscuros que empezaban a encanecer, y había perdido casi todos los dientes de la mandíbula inferior izquierda a manos de una pandilla de paletos blancos en Boone County, Arkansas, de manera que la mandíbula no le encajaba bien, lo que le confería la expresión pensativa de alguien que carga con el peso de una noticia inquietante recién recibida. Hablaba siempre en voz baja, obligando a los demás a inclinarse hacia él para oírlo, a veces a costa de ellos. Puede que Alderman no fuese fuerte, pero era rápido, inteligente, y no vacilaba cuando se trataba de lastimar a otros. Se dejaba las uñas intencionadamente largas y afiladas a fin de causar el mayor daño posible en los ojos, y así había cegado a dos hombres sólo con sus manos. Llevaba una navaja automática bajo la correa del reloj, y la correa lo bastante ceñida para mantener en su sitio la navaja, pero lo bastante suelta para permitirle a Alderman empuñarla con un simple movimiento de muñeca. Prefería las pistolas pequeñas, sobre todo las de calibre 22, porque eran más fáciles de esconder y letalmente eficaces a quemarropa, y a Alderman le gustaba sentir el aliento del moribundo cuando mataba.

Alderman era respetuoso con las mujeres. Había estado casado una vez, pero ella había muerto y él no había vuelto a tomar esposa. No hacía uso de las prostitutas ni coqueteaba con mujeres de baja estofa, y no veía con buenos ojos a quienes lo hacían. Por eso, Deber, que era un sádico sexual y un explotador de mujeres en serie, nunca había sido santo de su devoción. Pero Deber tenía la virtud de acceder a situaciones que propiciaban el enriquecimiento, como una serpiente o una rata introduciéndose por los resquicios y los agujeros a fin de llegar a la presa más jugosa. El dinero que Alderman se embolsaba por ese canal le permitía abandonarse a su único y auténtico vicio, que era el juego. El juego escapaba por completo a su control. Lo consumía, y eso explicaba por qué un hombre listo que de vez en cuando daba golpes de nivel entre bajo y medio había acabado teniendo sólo dos trajes manchados que antes fueron propiedad de otros hombres.

Griggs, en cambio, no era inteligente, o al menos no destacaba por ello, pero sí leal y fiable, y poseía un grado poco común de fuerza y valor personal. Si bien no era mucho más alto que Alderman, pesaba veinticinco kilos más. Tenía la cabeza casi perfectamente redonda, las orejas pequeñas y pegadas al cráneo, y la piel negra con un asomo de rojo según la luz. Deber era primo segundo suyo, y los dos hombres acostumbraban andar en busca de mujeres en los pueblos y ciudades por los que pasaban. Deber tenía encanto, aunque era un encanto tan poco profundo que en él no se ahogaría siquiera un insecto, y Griggs era apuesto a su manera robusta, de modo que formaban buen equipo. La adoración de Griggs por su primo le impedía ver los aspectos más ingra-

185

tos del comportamiento de éste con las mujeres: la sangre, las magulladuras y, la noche que mató a la mujer con quien vivía, la visión de un cuerpo maltrecho tendido en el callejón detrás de una licorería, con la falda levantada en torno a la cintura, la mitad inferior del cuerpo desnuda, violada por Deber mientras moría.

Griggs llegó al viejo almacén de patatas que albergaba el reñidero cuando estaba a punto de empezar la última pelea de gallos. Era agosto, casi el final de la temporada, y las aves que habían sobrevivido presentaban las señales de sus peleas anteriores. No se veía una sola cara blanca. Dentro del almacén hacía tal calor que la mayoría de los hombres habían prescindido de la camisa y, en un esfuerzo por refrescarse, bebían cerveza barata, sacando las botellas de cubos llenos de hielo a rebosar. Aquello olía a sudor y a orina, a excrementos y a la sangre de los gallos, que había salpicado las paredes del reñidero y se filtraba en el suelo de tierra. Sólo Alderman permanecía indiferente al calor. Sentado en un barril, sostenía un delgado fajo de billetes enrollados en la mano izquierda y mantenía la atención fija en el reñidero que tenía delante.

Dos hombres acabaron de afilar las cuchillas que llevaban sus aves en las patas y entraron en el reñidero. Al instante se alteraron el tono y el volumen de las voces de los espectadores mientras hacían las últimas apuestas antes de iniciarse la pelea, cruzando señas con las manos y gritos, buscando confirmación de que quedaba constancia de la cantidad apostada. Alderman no se sumó a ellos. Ya había hecho su apuesta. Alderman nunca dejaba nada para el último momento.

Los criadores se acuclillaron a ambos lados del reñidero junto a sus gallos, que picoteaban el aire presintiendo la inminencia del combate. Presentaron a las aves, cuyos collares se erizaron en una reacción instintiva de odio, y luego las soltaron. Mientras los gallos luchaban, Griggs se abrió paso entre el gentío atisbando algún que otro destello del metal de las púas, los salpicones de sangre en brazos, pechos y caras. Vio a un hombre que instintivamente se lamía la sangre de los labios con la punta de la lengua, sin apartar la mirada del combate. Una de las aves, un gallo de collar amarillo, recibió una cuchillada en el cuello y comenzó a desfallecer. El criador lo retiró de forma provisional y empezó a soplarle en la cabeza para reanimarlo; luego le succionó la sangre del pico antes de devolverlo a la pelea, pero era obvio que el gallo ya había recibido bastante. Se quedó inmóvil, sin responder a los ataques de su adversario. Se inició la cuenta y la pelea se dio por concluida. El perdedor agarró el ave maltrecha entre sus brazos, la miró con tristeza y luego le retorció el pescuezo.

186

Alderman no se había movido del barril, y Griggs adivinó que la noche no le había sido propicia.

—Vaya mierda, tío —se quejó Alderman con la misma voz que un deudo pronunciando oraciones por un muerto en susurros, o como un suave cepillo barriendo las cenizas de un suelo de piedra—. Ha sido todo una verdadera mierda.

Griggs se recostó contra la pared y encendió un cigarrillo, en parte para aislarse del hedor del reñidero. Griggs nunca había sido muy aficionado a las peleas de gallos. No le gustaba el juego y se había criado en la ciudad. Aquél no era sitio para él.

—Traigo noticias para ti —anunció—, algo que debería animarte.

—Ya —repuso Alderman. No miró a Griggs, sino que empezó a contar una y otra vez su dinero, como si por el hecho de pasar los billetes con los dedos pudiese multiplicarlos o hacer aparecer uno de veinte no visto hasta ese momento entre los de cinco y los de uno.

—El chico que se cargó a Deber. Puede que sepa dónde está.

Alderman acabó de contar e introdujo los billetes en una cartera marrón de cuero gastado; luego guardó la cartera con cuidado en el bolsillo interior de la chaqueta y se abrochó el botón. Llevaban ya diez semanas buscando al muchacho. Presentándose en su enorme Ford, viejo y destartalado, habían tratado de intimidar a las mujeres de la cabaña con un despliegue de falsas sonrisas y amenazas implícitas, pero la abuela del muchacho se había enfrentado a ellos allí mismo, en el porche, y luego habían salido tres hombres de entre los árboles, lugareños que cuidaban de los suyos, y Griggs y él se habían marchado. Alderman comprendió que esas mujeres, en el supuesto de que supieran dónde estaba el muchacho, no hablarían, ni siquiera sacando una navaja a una de ellas. Lo vio en los ojos de la matriarca, plantada en jarras delante de la puerta abierta, maldiciéndoles entre dientes por lo que se proponían. Al igual que el jefe Wooster, algo había oído Alderman acerca de la fama de esa mujer. Las palabras que les dirigía no eran maldiciones corrientes. A Alderman, que no creía en Dios ni en el diablo, le trajeron sin cuidado, pero admiró la actitud de la mujer y sintió respeto por ella incluso mientras intentaba transmitirle el nivel de daño que Atlas y él estaban dispuestos a infligir para encontrar al muchacho.

—¿Y dónde está? —preguntó a Griggs.

—En San Diego.

—Muy lejos de casa. ¿Cómo te has enterado?

—Un amigo se lo dijo a un amigo. Conoció a un hombre en un bar, se pusieron a charlar... En fin, ya sabes. El hombre oyó que buscábamos a un chico

*negro, oyó que podía haber dinero de por medio. Dijo que un chico como el
nuestro apareció por San Diego buscando trabajo hace un par de meses. Consiguió un empleo de pinche en una casa de comidas.*

—¿Ese tipo tiene nombre?

*—Era blanco, no dijo cómo se llamaba. Le habló de él un paleto que tiene
un bar en el pueblo del chico. Pero hice unas cuantas llamadas y pedí a alguien que fuera a echarle un vistazo. Según parece, es él.*

*—Es un viaje muy largo para ir hasta allí y descubrir que nos hemos equi-
vocado.*

—Mandé a Del Mar. No queda lejos de Tijuana. En todo caso, es él. Lo sé.

*Alderman se levantó del barril y se desperezó. No había gran cosa que lo
retuviera allí, y tenía que ajustarle las cuentas a ese muchacho: Deber estaba preparando un golpe y con su muerte se había ido todo a la mierda. Sin
Deber, Atlas y él se las habían ido arreglando a duras penas. Necesitaban otro
contacto, alguien con garra, pero corría el rumor de lo que el muchacho podría
haberle hecho a Deber y ahora a Atlas y a él no se les guardaba el merecido
respeto. Necesitaban zanjar el asunto con el chico para empezar a ganar dinero otra vez.*

*Esa noche atracaron un negocio familiar y se embolsaron setenta y cinco
dólares de la caja registradora y la caja fuerte, y cuando Griggs acercó una navaja al cuello de la mujer, el marido sacó otros ciento veinte de una caja en el
almacén. Los dejaron atados en la trastienda, apagaron las luces y, antes de
marcharse, arrancaron el cable del teléfono de la pared. Alderman vestía un
viejo abrigo gris encima del traje y tanto Griggs como él llevaban bolsas de tela
en la cabeza para ocultar sus rostros. Antes de entrar habían buscado un sitio
donde aparcar que no se viera desde la tienda, para que nadie pudiera identificar el coche. Había sido un golpe fácil, no como algunos de los que habían
dado con Deber en su día. Deber habría violado a la mujer en la tienda por
despecho, delante del marido.*

*Se detuvieron cerca de Abilene en un bar propiedad de un antiguo cono-
cido de Griggs, y allí un tal Poorbridge Danticat, que había oído hablar de
Alderman, Griggs y Deber, hizo un comentario jocoso sobre Deber, en alusión
al hecho de que perdió la cabeza. Alderman y Griggs lo esperaron después en el
aparcamiento, y Griggs dio tal paliza a Poorbridge que casi le arrancó la mandíbula del cráneo y le dejó una oreja colgando de un trozo de piel. Serviría
como mensaje. La gente tenía que aprender a mostrar un poco de respeto.*

*Todo por culpa de Deber, pensó Alderman mientras se dirigían en coche
hacia el oeste. Ni siquiera me caía bien, y ahora tenemos que hacer un viaje
de varios días para matar a un chico sólo porque Deber fue incapaz de con-*

trolarse con su mujer. En fin, se lo harían pagar al muchacho, le darían un castigo ejemplar para que la gente supiese que Atlas y él se tomaban en serio esas cosas. No quedaba más remedio. Al fin y al cabo, el negocio era el negocio.

La casa de comidas estaba en National Boulevard, no lejos del cine porno Pussycat. El Pussycat había nacido con el nombre de teatro Bush en 1928, luego, en sucesivas etapas de su historia, había sido el National, el Aboline y el Paris, antes de incorporarse por fin a la corriente porno en la década de 1960. Cuando Louis llegaba a trabajar cada mañana poco después de las cinco, el Pussycat estaba dormido y en silencio, como una puta vieja después de una dura noche de faena, pero cuando se iba, doce horas más tarde, una continua cola de hombres ya había empezado a hacer uso de las instalaciones del Pussycat, aunque, como comentaba a menudo el señor Vasich, el propietario de la casa de comidas: «Ninguno se queda más tiempo de lo que duran unos dibujos animados».

El trabajo en la Casa de Comidas Número Uno de Vasich, cuyo nombre se anunciaba en un cartel de neón amarillo y rosa, consistía en hacer todo lo necesario para que el establecimiento permaneciera en marcha, salvo preparar la comida o cobrar a los clientes. Fregaba, pelaba patatas, desgranaba maíz y sacaba brillo. Ayudaba con las entregas de los repartidores y a sacar la basura. Se aseguraba de que los lavabos estuvieran limpios y de que hubiera papel higiénico en los retretes. Por eso le pagaban el salario mínimo, 1,40 dólares la hora, de los que el señor Vasich deducía veinte centavos por hora en concepto de alojamiento y comida. Trabajaba sesenta horas semanales, y libraba los domingos, aunque si quería, podía ir y poner al día la contabilidad durante un par de horas la mañana del domingo, por lo que el señor Vasich le pagaba cinco dólares limpios, sin hacer preguntas. Louis hacía las horas extra. Gastaba sólo una pequeña parte del dinero que ganaba, salvo por alguna que otra película que se concedía un domingo por la tarde, ya que el señor Vasich le daba bien de comer y le proporcionaba una habitación en el piso de arriba con un cuarto de baño al otro lado del pasillo. Desde donde Louis se alojaba, no había acceso a la propia casa de comidas, y el resto de las habitaciones se empleaban como almacén y depósito de una colección de muebles rotos y desparejados, casi ninguno relacionado con el negocio.

Transcurridas dos semanas fue en autobús a Tijuana y, después de recorrer las calles durante dos horas, al final se compró un revólver Smith & Wesson modelo Airweight, de aleación de aluminio y calibre 38, junto con dos cajas

189

*de munición, en una tienda cerca de Sánchez Taboda. Combinando una sim-
ple demostración manual con un inglés macarrónico, el vendedor le enseñó
cómo se desprendía el tambor y se accionaba la varilla eyectora para acceder
a la placa eyectora central. El revólver olía a limpio, y el hombre dio a Louis
un cepillo y un poco de aceite para mantener el arma en ese mismo estado.
Después, Louis intentó comprarse un bocadillo, pero todas las panaderías estaban cerradas, aparentemente porque se había almacenado un pesticida junto
con los ingredientes para hacer el pan en un depósito estatal de Mexicali,
lo cual había causado la muerte de cierta cantidad de niños. Se conformó,
pues, con medio pollo sobre una base de lechuga mustia antes de regresar a Estados Unidos.*

*Encontró una bicicleta vieja en uno de los trasteros del señor Vasich e hizo
reparar las ruedas y cambiar la cadena pagándolo de su bolsillo. El domingo
siguiente metió en una bolsa una botella de agua, un bocadillo de la casa de
comidas, un donut, unas cuantas botellas vacías y el revólver, y se dirigió con
la bicicleta hacia el oeste hasta dejar la ciudad atrás. Escondió la bicicleta entre unos arbustos y se alejó de la carretera hasta llegar a una hondonada de
pedruscos y rocalla. Allí se pasó una hora disparando a las botellas, que sustituyó por piedras cuando sólo quedaban esquirlas de cristal. Era la primera
vez que sostenía en las manos y disparaba un revólver, pero pronto se habituó
al peso y al sonido que producía. En general, disparó desde una distancia no
superior a los cinco metros, suponiendo que, a la hora de la verdad, probablemente utilizaría el arma desde cerca. En cuanto se quedó satisfecho del resultado y de su conocimiento del arma, enterró los cristales rotos, recogió con
cuidado los casquillos y volvió a la ciudad en la bicicleta.*

*La espera llegó a su fin una noche cálida y tranquila de agosto. Lo des-
pertaron los crujidos del suelo de madera ante su habitación. Fuera todavía era de noche, y no tenía la sensación de llevar mucho tiempo dormido. No
sabía cómo habían conseguido acercarse tanto sin que los oyera. A las habitaciones de esa planta se llegaba por una precaria escalera de madera situada
a la derecha del edificio, y Louis siempre dejaba la puerta de la calle cerrada con
llave por insistencia del señor Vasich. Sin embargo, no le sorprendió que por
fin lo hubieran encontrado. Gabriel le había anunciado que ocurriría, y él mismo era consciente de que así sería. Salió de entre las sábanas, en calzoncillos,
y alargó el brazo hacia el revólver al mismo tiempo que echaban abajo la puerta de la habitación de una patada y un gordo de cabeza redonda aparecía en
el umbral. Detrás, Louis vio asomar a otro hombre de menor estatura.*

190

El individuo corpulento empuñaba una pistola de cañón largo, pero no apuntaba hacia el chico, todavía no. Louis levantó su propia arma. Le tembló la mano, no por miedo, sino por la repentina subida de adrenalina en su organismo. No obstante, el hombre plantado en la puerta lo interpretó mal.

–Ya lo ves, chico –dijo Griggs–. Tienes un arma, pero es difícil matar a un hombre a bocajarro. Es muy...

El arma de Louis habló, y de un orificio en el pecho de Griggs empezó a manar sangre oscura. Louis dio un paso al frente a la vez que apretaba otra vez el gatillo, y el segundo disparo alcanzó a Griggs en un lado del cuello mientras caía de espaldas, casi llevándose a Alderman Rector consigo. Alderman descerrajó un tiro con la pequeña calibre 22, pero la bala se desvió y rompió el cristal de la ventana a la derecha de Louis. El arma ya no temblaba en su mano, y los siguientes tres disparos impactaron en un estrecho círculo no mayor que el puño cerrado de un hombre en el centro del torso de Alderman. Éste dejó caer la pistola y, con la mano derecha en las heridas, se volvió en un intento de buscar apoyo en la pared. Consiguió dar un par de pasos antes de que le fallaran las piernas y cayera de bruces. Gimió al sentir la presión sobre las heridas. A continuación comenzó a arrastrarse por el suelo, ayudándose con las manos y usando el cadáver de Griggs para empujarse con los pies. Oyó unos pasos trás de sí. Louis disparó la última bala en la espalda de Alderman, y éste dejó de moverse.

Louis miró el arma que sostenía en la mano. Tenía la respiración acelerada y el corazón le latía con tal fuerza que le dolía. Regresó a su habitación, se vistió e hizo la maleta. No tardó mucho, pues en realidad nunca la había deshecho, consciente de que llegaría la hora en que, si sobrevivía, tendría que marcharse otra vez. Volvió a cargar el revólver por si acaso aquellos hombres no iban solos; luego pasó por encima de los dos cadáveres y recorrió el pasillo. Abrió la puerta y aguzó el oído, después echó una ojeada al patio. No se movía nada. Abajo, en el aparcamiento, vio un Ford destartalado, con las dos puertas delanteras abiertas, pero no había nadie dentro.

Louis corrió escalera abajo y, nada más doblar la esquina, recibió un puñetazo en plena sien izquierda. Se desplomó, cegado por el dolor. Mientras caía, intentó levantar el revólver, pero ya en el suelo notó en la mano el peso de una bota que se la inmovilizó y le pisó los dedos hasta que soltó el arma. Unas manos lo agarraron de la pechera de la camisa y lo pusieron en pie de un tirón; luego, a empujones, lo obligaron a doblar de nuevo la esquina y retroceder hasta que notó el primer peldaño de la escalera en las pantorrillas. Se sentó y vio claramente, por primera vez, al hombre que lo había atacado. Era blanco, de metro ochenta, con el pelo al cepillo igual que un policía o un sol-

dado. Vestía traje oscuro, corbata negra y camisa blanca. Tenía la tela salpicada de alguna que otra gota de sangre de Louis.

Detrás de él estaba Gabriel.

A Louis se le empañaron los ojos, pero no quería que esos hombres pensaran que lloraba.

—Están muertos —dijo.

—Sí —confirmó Gabriel—. Claro que sí.

—Usted los ha seguido hasta aquí.

—Me enteré de que venían de camino.

—Y no los detuvo.

—Tenía fe en ti. Y no me equivocaba. No necesitabas a nadie más, podías ocuparte de ellos tú solo.

Louis oyó unas sirenas a lo lejos que se acercaban.

—¿Cuánto tiempo crees que conseguirás eludir a la policía? —preguntó Gabriel—. ¿Un día? ¿Dos?

Louis no contestó.

—Mi oferta sigue en pie —continuó Gabriel—. De hecho, aún más que antes, después de la pequeña demostración de tus aptitudes que hemos visto esta noche. ¿Qué me dices? ¿La cámara de gas en San Quintín o yo? Deprisa. Se acaba el tiempo.

Louis observó con atención a Gabriel, preguntándose cómo se las había arreglado para estar allí en el momento justo, y consciente de que esa noche había sido una prueba pero sin saber muy bien hasta qué punto la había urdido Gabriel. Alguien tenía que haber dicho a esos hombres dónde encontrarlo. Alguien lo había delatado. Aunque, claro, podía ser una coincidencia.

Pero Gabriel estaba allí. Él sabía que esos hombres iban por él, y esperó a ver qué ocurría. Ahora le ofrecía ayuda, y Louis no tenía muy claro si era de fiar.

Y Gabriel le devolvió la mirada, y le leyó el pensamiento.

Louis se puso en pie. Dirigió un gesto de asentimiento a Gabriel, recogió su bolsa de viaje y lo siguió al coche. El conductor se quedó con el revólver y Louis no volvió a verlo jamás. Cuando llegó la policía, ya iban rumbo al norte, y el chico que había trabajado en la casa de comidas, el que había dejado dos muertos en el suelo del edificio del señor Vasich, ya no existía, salvo en un rincón diminuto y oculto de su propia alma.

14

Partieron hacia el norte después de desayunar. Nadie los siguió. Al abandonar la ciudad, Louis empleó todas las tácticas de evasión que había aprendido –paradas repentinas, cambios de sentido, el uso de calles sin salida y carreteras tortuosas en zonas residenciales–, pero ni Ángel ni él detectaron una sola pauta en los vehículos detrás de ellos. Al final, los dos se convencieron de que habían salido de la ciudad sin ser objeto de atención no deseada.

Ninguno mencionó la conversación de la noche anterior. No tenía sentido desenterrarla en ese momento. Prefirieron comportarse como siempre, intercalando periodos de silencio con comentarios sobre la música, el trabajo o cualquier cosa que les viniera a la cabeza.

–Filadelfia –dijo Ángel–. La ciudad del amor fraterno... Ya, y un huevo. ¿Te acuerdas de Jack Wade?

–Jack el Cactus.

–Eh, eso es una falta de consideración. Tenía un problema en la piel. No podía hacer nada para evitarlo. El caso es que una vez intentó ayudar a una anciana a cruzar la calle en Filadelfia y ella le dio un rodillazo en las bolas. Y encima, según contó, le quitó la cartera.

–Es una ciudad poco hospitalaria, desde luego –convino Louis.

Ángel observó el paisaje.

–¿Qué hay allí? –preguntó.

–¿Dónde?

–Al este. ¿Eso es Massachusetts?

–Vermont.

–Al menos no es New Hampshire. Cuando pasamos en coche por New Hampshire, siempre temo que haya un francotirador disparando a bulto entre los árboles, y que acabemos recibiendo un balazo.

–Allí son duros de nacimiento.

–Duros, y un poco tontos. ¿Sabes que se negaron a aprobar una ley que obligaba a ponerse el cinturón de seguridad?

–Lo leí en algún sitio.

–En New Hampshire alquilas un coche, lo pones en marcha y no suena ese pitido que se oye cuando te olvidas de abrocharte el cinturón.

–No jodas.

–Sí, en lugar de eso, si intentas ponértelo, una voz te llama mariquita y te dice que a ver si le echas un par de huevos.

–Vive en libertad o muere, tío.

–Creo que eso se refería a las fuerzas de la tiranía y la opresión, no a alguien que calcula mal el tiempo de frenado en su Toyota Prius.

–Pero la gasolina es barata.

–La gasolina es barata. El alcohol es barato. El acceso a las armas es fácil.

–Sí –coincidió Louis–. Cuesta entender cómo podría salir mal una combinación así.

Dejaron la interestatal cerca de Champlain. En Mooers, torcieron a la derecha, atravesaron la zona de Forks, y luego cruzaron el río Great Chazy, que en ese punto era poco más que un arroyo. Los pueblos, de tan parecidos, se fundían en uno solo: había cuarteles de bomberos voluntarios, cementerios, gasolineras abandonadas en cruces –sustituidas en el presente por rutilantes estaciones de servicio en las afueras de los términos municipales–, sus antiguos surtidores todavía en pie como viejos soldados montando guardia ante monumentos conmemorativos olvidados desde hacía tiempo. Algunos sitios se veían más prósperos que otros, pero hablar allí de prosperidad era algo muy relativo; en todas partes había cosas a la venta: coches, casas, locales comerciales, tiendas con los cristales de los escaparates cubiertos de papel, sin mostrar ya el menor indicio de su anterior cometido. Demasiadas casas tenían la pintura desconchada, demasiados jardines estaban salpicados de restos de muebles rotos y entrañas de vehículos canibalizados en busca de piezas. Pasaron por pueblos que apenas si existían: algunos parecían ser sólo fruto de la imaginación de un urbanista, como una broma en el mapa, el desenlace de un chiste jamás contado. Lámparas de Halloween hechas con calabazas huecas brillaban en los porches y los jardines. Unos fantasmas bailaban en torno a un viejo olmo, y el viento agitaba las sábanas que envolvían sus siluetas.

Se detuvieron a tomar un café en la Tienda General y Oasis Musical de Dick, en Churubusco, básicamente porque les gustó el cartel: 500 GUITARRAS, 1000 ARMAS. Ángel pensó que alguien estaba de guasa, pero lo del cartel iba en serio: a la derecha de la puerta había un pequeño supermercado con una nevera llena de gusanos para cebo, y a la izquierda dos entradas independientes. La primera daba a una tienda de guitarras y otros instrumentos musicales, que parecía atendida por los habituales fanáticos de la guitarra y entusiastas de los amplificadores. Sentado en el suelo, un joven de pelo largo y oscuro probaba una Gibson negra, arrancándole una laxa melodía en la menguante luz de la tarde. La segunda puerta conducía a un par de habitaciones intercomunicadas llenas de escopetas, pistolas, navajas y munición, y los dependientes eran un par de hombres de apariencia seria, uno joven, el otro viejo. Un letrero advertía que tan sólo para empuñar una pistola se necesitaba ya el permiso de armas del estado de Nueva York. A su lado, una mujer robusta rellenaba los papeles para adquirir una pistola de cuatrocientos dólares.

–La compro para regalarla –explicó.

–Eso es aceptable –contestó el hombre de más edad, aunque no quedó claro si se refería a la legalidad de la transacción o a la naturaleza del regalo. Ángel y Louis observaron perplejos. Luego volvieron al coche para beberse el café y continuaron rumbo al norte. Un parque eólico se extendía por las colinas situadas al oeste, en ese momento las aspas de las turbinas permanecían inmóviles, como juguetes abandonados por descendientes de gigantes.

–Ésta es una parte extraña del país –comentó Ángel.

–Y que lo digas.

–Aquí hay mucha gente que no votó a Hillary.

–También en este coche hay mucha gente que no votó a Hillary.

–Sí, el cincuenta por ciento. Me da igual. A mí siempre me ha caído bien.

Cuando llegaron a Burke, vieron el primer vehículo marrón de la Patrulla Fronteriza de Estados Unidos, y si bien iban sólo a diez kilómetros por encima del límite de velocidad, Louis aminoró la marcha. En la creciente oscuridad, casi se pasaron de largo la salida de la carretera 122, y únicamente un camping cerrado, con las tomas de corriente tapadas con cubos de basura de plástico vueltos del revés, los alertó de la inminencia del desvío de la 37. A la izquierda, el tubo de hormigón de una chimenea para una casa que nunca llegó a construirse sucumbía despacio al envite de la vegetación, y luego, a unos veinte kilómetros de Massena, encontraron moteles, y un casino mohawk, y tabaquerías indias. Un cartel anunció que se hallaban a menos de dos kilómetros de la frontera canadiense. Otro, colgado a lo ancho de un almacén, advertía que ESTO ES TERRITORIO MOHAWK, NO DEL ESTADO DE NUEVA YORK.

Ya estaban cerca.

Se detuvieron en Massena. Allí entraron por separado en un motel anónimo y tomaron habitaciones distintas. Louis durmió. Ángel vio la televisión, con el volumen al mínimo audible, atento al sonido de los coches que entraban en el aparcamiento, de las voces, de la presencia de figuras anónimas en la oscuridad cada vez más cerrada. A esa hora tan temprana le costaba conciliar el sueño. Era ave nocturna por naturaleza. A él lo que se le hacía cuesta arriba eran las mañanas. Al final se obligó a apagar el televisor y se tendió en la cama. Quizá se adormiló un rato, pero cuando el reloj junto a la cama indicó que pasaban de las cuatro de la madrugada, estaba despierto y desconectó el despertador sin darle ocasión de sonar.

Louis aguardaba ya en el coche cuando Ángel salió de la habitación. No cruzaron saludo ni palabra alguna. Abandonaron Massena en silencio, con la atención fija en la carretera, en la oscuridad y en el trabajo que tenían por delante.

15

A unos ocho kilómetros al oeste de Massena, Louis dobló hacia el sur. Recorridos otros diez kilómetros, pasaron ante una serie de embalses en forma de U llenos de agua estancada y viejas explotaciones mineras en estado de decrepitud, los únicos vestigios de las minas de talco de Leehagen. En segundo plano, ahora invadidas poco a poco por la naturaleza, se encontraban las ruinas de Winslow. No se veían en la oscuridad, pero Louis sabía que estaban allí. Las había visto en las fotografías, y memorizado su posición hasta el último metro. Conocía asimismo la situación exacta de las dos carreteras no señalizadas, que, trazando una curva en dirección sudoeste, atravesaban el río Roubaud y se adentraban en las tierras de Leehagen.

Llegaron al primer desvío cuando el indicador del salpicadero marcaba veinticinco kilómetros: un rótulo advertía PROPIEDAD PRIVADA. Esa carretera conducía al primer puente del Roubaud. Louis aminoró la marcha. A su derecha, una linterna destelló una vez entre los árboles: Lynott y Marsh, dando a conocer su presencia. Louis y Ángel siguieron por la carretera otros cinco kilómetros hasta llegar al segundo puente. Otra vez vieron una señal desde algún lugar en la espesura: Blake y Weis.

Mientras tanto, los Endall habían entrado en la propiedad de Leehagen al amparo de la oscuridad poco después de las doce de la noche e ido a pie hasta las ruinas de las antiguas vaquerizas, desde donde debían vigilar la casa de Leehagen y aguardar la llegada de Ángel y Louis. Al igual que con las tres parejas principales, era imposible comunicarse con ellos una vez iniciada la operación. No importaba. Todos sabían lo que tenían que hacer. Los teléfonos habrían sido útiles, pero no eran una opción, allí no.

Los únicos que aún no habían ocupado su puesto eran Hara y Harada. Seguían en Massena, y sólo se pondrían en marcha a la hora acordada previamente, tan pronto como Ángel y Louis hubiesen penetrado en la propiedad de Leehagen, a fin de evitar que el pequeño convoy de coches llamara la atención y alertara sobre lo que estaba a punto de ocurrir.

Una vez confirmada la presencia de los equipos en los puentes, Louis accedió a las tierras de Leehagen por el del sur. No vieron luces, no se cruzaron con ningún otro coche ni detectaron señal alguna de vida en la carretera. Alrededor, el paisaje era predominantemente boscoso, con árboles a ambos lados, pero en un par de ocasiones vieron claros abiertos por el hombre de cien metros de ancho como mínimo: eran los pastos de Leehagen. Al cabo de tres kilómetros se desviaron otra vez en dirección norte por un camino de tierra donde el bosque se hacía menos espeso hasta llegar a un viejo granero, marcado en uno de los mapas junto a una granja abandonada, y allí dejaron el coche. Estaban a menos de un kilómetro de la casa de Leehagen, y si seguían adelante en coche, se arriesgaban a poner sobre aviso a sus ocupantes, ya que reinaba un silencio absoluto.

Se armaron de Glocks y un par de metralletas Steyr TMP de 9 milímetros provistas de silenciadores y correas para llevar al hombro, y dejaron el resto de su arsenal móvil en el maletero. Aquello iba a ser una incursión asesina, rápida y brutal, y no preveían la necesidad de armas de más largo alcance. Las Steyr eran sencillas y eficaces: fáciles de manejar pese a su alcance real de no más de veinticinco metros; ligeras, con un peso sin carga de menos de un kilo doscientos; un retroceso limitado, y un índice cíclico de novecientas balas por minuto. Los dos se habían pertrechado de sendos cargadores de recambio de treinta balas para las Steyr, y también para las Glock.

Frente a ellos se hallaban las vaquerizas, unas estructuras de madera de una sola planta idénticas, pintadas de blanco. Cerca de allí, un moderno montacargas azul se elevaba por encima de los edificios más bajos. Ángel percibió en el aire el olor residual de los excrementos y la orina de las vacas, y cuando miró dentro de la primera vaqueriza, advirtió que no se había limpiado desde el sacrificio de los animales. Louis comprobó la vaqueriza de la derecha, y en cuanto se cercioraron de que las dos estaban vacías, siguieron adelante, utilizando los edificios para ocultarse hasta llegar al pie de una pequeña colina frente a la casa de Leehagen, a unos cuatrocientos metros al oeste.

Louis no se había planteado siquiera liquidar a Leehagen con un rifle de largo alcance, y tampoco lo habría hecho aun en el caso de que el viejo hubiese tenido más movilidad. No era una de sus especialidades, y menos aun desde la lesión que sufrió en la mano izquierda cuando estaban en Louisiana con Parker unos años atrás. Pero, incluso de tener la opción, le habría sido imposible saber si Leehagen estaría en condiciones de salir a tomar el aire esa mañana en particular, y además se habría visto obligado a prever las condiciones meteorológicas. Al fin y al cabo, a un hombre enfermo difícilmente iban a pasearlo en silla de ruedas por sus tierras si hacía frío, y el pronóstico del tiempo anunciaba lluvias torrenciales. Pero además debía ocuparse del hijo. Louis quería acabar también con él. Si mataba al padre y dejaba vivo al hijo, la *vendetta* continuaría. Había que eliminar a los dos al mismo tiempo. Eso implicaba matarlos en la casa, que entrasen Louis y Ángel mientras los Endall los cubrían. Lo harían con el mayor sigilo posible, usando silenciadores para reducir el riesgo de que los disparos atrajeran una atención no deseada, pero Louis sabía que quizá pecaba de optimista al concebir tales esperanzas. Dudaba mucho de que pudieran llegar y marcharse pasando totalmente inadvertidos y no descartaba ni mucho menos la posibilidad de salir a tiros de las tierras de Leehagen. Al menos no tendrían que hacerlo solos, y los hombres de Leehagen no estarían a la altura de sus diez armas.

–¿Dónde se han metido? –susurró Ángel.

Louis volvió a mirar hacia las vaquerizas vacías. Era allí donde debían reunirse, pero aún no había señales de los Endall.

–Mierda –dijo Louis entre dientes. Consideró las opciones–. Vamos a echar un vistazo a la casa, para ver si hay movimiento.

–¿Cómo? –preguntó Ángel–. ¿No irás a seguir adelante sin ellos?

–No voy a hacer nada todavía. Sólo quiero ver la casa.

Esta vez fue Ángel quien maldijo, pero subió a lo alto de la colina tras los pasos de Louis. Ante ellos apareció la casa, rodeada de una cerca de estacas blancas. Una lámpara iluminaba tenuemente una de las ventanas del piso superior, pero por lo demás todo estaba en calma. Detrás de la casa, el lago era una mancha más oscura que se extendía hacia montes invisibles. Louis se llevó unos prismáticos a los ojos y recorrió la propiedad con la vista. Ángel, a su lado, hizo lo mismo, si bien dedicó más atención a los edificios vacíos detrás de él que a la casa, de manera que incluso mientras miraba hacia el norte, permanecía alerta a los sonidos procedentes del sur.

Observaron durante cinco minutos, y los Endall seguían sin aparecer. Ángel empezaba a ponerse nervioso.

–Tenemos que... –empezó a decir Ángel, pero Louis lo obligó a callar levantando una mano.

–Esa ventana iluminada –dijo.

Ángel se acercó de nuevo los prismáticos a los ojos y apenas alcanzó a ver lo que había despertado el interés de Louis antes de que volvieran a correrse las cortinas blancas: una mujer junto a la ventana, y a continuación un hombre que la apartaba. Era rubia, y Ángel le había visto el rostro con toda claridad, aunque no más de un segundo.

Era Loretta Hoyle, la difunta hija de Nicholas Hoyle, al parecer regresada de entre los muertos.

–La última vez que la vimos estaban comiéndosela los cerdos, ¿no? –dijo Ángel.

–Exacto.

–Parece que le ha sentado bien.

Pero Louis ya se había puesto en pie.

–Nos han tendido una trampa –dijo–. Salgamos de aquí ahora mismo.

Lynott y Marsh estaban sentados en su Tahoe. Resultó que compartían ciertos gustos musicales, entre otras cosas. Marsh había llevado su iPod, y el equipo de música tenía una salida de MP3, así que ahora oían *Voices* de Stan Getz. Era un poco demasiado estándar para Lynott y no representaba, en su opinión, lo mejor de Getz, pero era una música relajada y se acomodaba a su estado de ánimo. Desde su posición, junto a un camino maderero, se veía cualquier coche que pasara ante ellos y parte del puente al otro lado de la carretera, pero permanecían invisibles entre los árboles. Sólo alguien que viniera a pie desde el oeste tendría ocasión de verlos, y sólo si se acercaba mucho. En caso de que eso ocurriese, la persona en cuestión tendría motivos para lamentar su proximidad.

En el asiento trasero del Tahoe había once botellines de agua, un gran termo de café, cuatro bocadillos envasados y unas cuantas magdalenas y chocolatinas. También esto fue obra de Marsh. Lynott tenía que reconocer su capacidad de previsión, aun cuando empezaba a arrepentirse de haber bebido parte del café y uno de los botellines de agua del paquete de doce.

–Tengo que echar una meada –anunció–. ¿Quieres que lo haga en la botella vacía?

Marsh miró a Lynott como si acabara de preguntarle si podía mearse encima de él.

–¿Por qué iba yo a querer que hicieras una cosa así? ¿Crees que me caliento viendo a hombres mear en una botella? Ni siquiera me caliento viendo a mujeres.

–Sólo me ha parecido conveniente preguntarlo –explicó Lynott–. Algunos son muy puntillosos con eso de quedarse en el vehículo.

–Pues no es mi caso, al menos tratándose de un asunto de cintura para abajo. Anda y ve a buscar un poco de intimidad.

Lynott así lo hizo. Le sentó bien estirar las piernas, y el aire era fresco y olía a hojas verdes y agua cristalina. Se adentró lentamente en el bosque, avanzando en perpendicular a la pendiente, cuidándose de no resbalar en el suelo mojado y las hojas caídas. Encontró un árbol apropiado; luego echó un vistazo por encima del hombro para asegurarse de que aún veía el Tahoe antes de volverse de espalda y abrirse la bragueta. Lo único que se oía en el bosque era el chorro no muy delicado contra la madera y el simultáneo suspiro de alivio y satisfacción de Lynott.

De pronto, un tercer sonido se sumó a la mezcla: cristales rotos, y un ruido a medio camino entre suspiro y tos. Lynott lo identificó de inmediato y al instante tenía el arma en la mano derecha mientras se guardaba el miembro en el pantalón con la izquierda, indiferente al desagradable goteo que acompañó el movimiento. No había dado ni dos pasos cuando algo impactó contra su nuca, y estaba muerto aun antes de darse cuenta de que moría.

Ángel resistió la tentación de decirle a Louis que ya se lo había advertido.

Rodearon las vaquerizas por lados opuestos, moviendo sin cesar sus armas, apuntando los cañones hacia las puertas vacías, las ventanas oscuras, atentos a la menor señal de movimiento.

Llegaron al granero sin percances. Parecía estar tal como lo habían dejado, con las puertas cerradas para mantener el coche oculto. Se detuvieron y aguzaron el oído, pero no oyeron nada. Louis hizo una seña a Ángel para que abriera la puerta de la izquierda después de contar hasta tres. Ángel tenía la boca seca y le dolía el vientre. Se lamió el sudor del labio superior mientras Louis contaba en silencio con los dedos y, cuando dobló el último dedo, abrió la puerta de un tirón.

–Vía libre –anunció Louis, y añadió–: pero la cosa pinta mal.

A un lado, el coche tenía los bajos demasiado cerca del suelo, como una sonrisa torcida. Les habían rajado los dos neumáticos de la derecha. Habían roto la ventanilla del conductor y abierto el capó, y luego lo habían dejado caer sin cerrarlo. Louis permaneció en la puerta, vigilando, mientras Ángel entraba. No detectó el menor movimiento. Un campo vacío se extendía desde la parte de atrás del granero hacia el bosque, pero apenas distinguía nada a lo lejos excepto la forma de los árboles.

Ángel se agachó delante del coche y levantó el capó con cuidado unos milímetros. Sacó una pequeña linterna del bolsillo, la encendió y, sujetándola entre los dientes, cogió un palo del suelo y lo pasó lentamente por la ranura entre el chasis y el capó. No encontró ningún cable. Levantó el capó un poco más con la mano izquierda y, sosteniendo la linterna en la derecha, examinó el motor. No vio resortes, ni almohadillas, ni dispositivos que pudieran activarse al abrir el capó. Aun así, respiró hondo antes de levantarlo del todo. Tardó sólo unos segundos en deducir qué habían hecho. Lo olió antes de verlo.

–Han volado el cuadro de fusibles –anunció–. Con esto no iremos a ninguna parte.

–Habrá que ir a pie, me temo.

–¿Gamberros?

–¿Acaso has visto tú a algún chico de la banda del pueblo cuando veníamos hacia aquí?

–No, pero es que esto es..., digamos..., rural. A lo mejor estaban escondidos.

–Sí, ya, por el miedo que les daban los chicos de la gran ciudad.

Louis echó un último vistazo alrededor y luego entró en el granero y fue derecho al maletero del coche. Apoyó el dedo en el botón de apertura y se detuvo antes de apretarlo para mirar a su compañero.

–Delante no había nada –informó Ángel.

–Entonces me quedo más tranquilo. Quizá convendría que te apartases unos pasos, por si las moscas.

–Oye, si tú te vas, yo me voy contigo.

–Puede que no te quiera conmigo.

–¿Es que necesitas que alguien te llore después?

–No, sólo que no te quiero conmigo toda la eternidad. Y ahora aléjate de una puta vez.

Ángel se apartó. Louis pulsó el botón estremeciéndose sólo un poco. El maletero se abrió, y Louis dejó escapar una maldición. Ángel se acercó.

Juntos, miraron fijamente el maletero.

Weis y Blake no tenían música en el coche, y hacía tiempo que habían agotado las existencias de conocidos mutuos. A ninguno de los dos le preocupaba. Ambos valoraban el silencio. Si bien ninguno lo había expresado en voz alta, los dos admiraban la inmovilidad esencial del otro. Una de las razones por las que Weis detestaba a Lynott era su incapacidad para permanecer callado y quieto mucho tiempo. Sus caminos se habían cruzado por última vez en Chad, donde teóricamente luchaban en el mismo bando, pero Weis consideraba a Lynott un mal profesional, un ladrón y un hombre de moral laxa. Aunque bien es cierto, todo hay que decirlo, que Weis tenía una facilidad especial para detestar a la gente, y ya había empezado a fijarse en la respiración de Blake, que le resultaba incómodamente ruidosa, con o sin inmovilidad. Contra eso nada podía hacerse, suponía, salvo asfixiarlo, lo que incluso a Weis se le antojó una reacción exagerada.

Curiosamente, Blake tenía el mismo problema con Weis, sólo que, a diferencia de él, no era hombre dado a tragarse las cosas en silencio. Se volvió hacia Weis.

–Oye –dijo, y en ese momento la ventanilla del lado del acompañante estalló junto a la cabeza de Weis, y el oído izquierdo de Blake casi ensordeció a causa del rugido de la escopeta. De pronto, Weis ya no tenía cabeza. Una tibia rojez salpicó a Blake al mismo tiempo que el torso de Weis se desplomaba hacia él, pero para entonces Blake estaba ya por debajo del nivel de la ventanilla. Accionó el tirador de la puerta y se lanzó al suelo con la pistola en la mano, disparando a ciegas, enturbiada su visión por la sangre de Weis, consciente de que el ruido y el miedo a que una bala perdida alcanzase su blanco podían bastar para brindarle unos segundos vitales. Debía de haberle sonreído la suerte, advirtió, porque al parpadear para limpiarse la sangre de los ojos, vio caer a tierra a un hombre con un poncho de camuflaje verde y marrón, pero Blake no se detuvo a asimilar lo que había hecho. Lo importante era mantenerse en movimiento. Si se detenía, moriría. Sintió dolor en la cabeza y el hombro, y supo que debía de haberle alcanzado alguno de los balines, pero con la ayuda de Weis y su buena suerte por estar sentado un poco más adelante que su difunto compañero se había salvado de lo peor de la descarga.

Las balas impactaban en torno a él mientras corría, y una le pasó tan cerca de la mejilla izquierda que sintió su calor y casi le pareció ver volar el proyectil, una masa gris en rotación rasgando el aire. Los árboles empezaron a espesarse alrededor, y otro disparo de escopeta hizo jirones una rama no muy lejos de su cabeza, pero él siguió adelante, girando a izquierda y derecha, usando los árboles para cubrirse, sin ofrecer en ningún momento un blanco claro. Oyó a sus perseguidores, pero no miró atrás. Para eso tenía que haberse parado, y si se paraba, lo alcanzarían.

Se llenó los pulmones de aire preparándose para un *sprint* que podía proporcionarle un poco más de tiempo vital, y de pronto su cara chocó contra un objeto duro y se le rompieron la nariz y los dientes. Por un momento quedó de nuevo cegado, y esta vez no por sangre sino por una luz blanca. Cayó de espaldas, pero aun mientras caía conservó alerta el instinto de supervivencia, ya que mantuvo empuñada el arma al tocar el suelo y disparó en dirección al encontronazo. Oyó un gruñido, y un cuerpo se desplomó sobre él y lo inmovilizó. La luz blanca se desvanecía, y un nuevo dolor la sustituyó. Un hombre se sacudía en espasmos sobre él, echando sangre por la boca. Blake lo apartó de un empujón y, contorsionando la mitad inferior del cuerpo, empleó tanto su propio peso como el del moribundo para liberarse de la carga. Todavía aturdido por la fuerza del golpe se levantó tambaleándose, y la primera bala lo alcanzó en la parte alta de la espalda y lo obligó a girar y a abatirse de nuevo. De rodillas, intentó levantar el arma, pero el brazo no aguantaba el peso, y sólo pudo alzarla unos centímetros. De algún modo reunió fuerzas para disparar, pero al sentir el retroceso lanzó un grito de dolor y, sin querer, soltó la pistola. Intentó agacharse y alcanzarla con la mano izquierda, pero recibió otro balazo, que le perforó el brazo izquierdo y le penetró en el pecho. Cayó de espaldas sobre las hojas y fijó la mirada en los árboles y el cielo oscuro.

La cabeza de un hombre apareció ante él, su rostro oculto tras un pasamontañas negro. Dos ojos azules lo observaron con un parpadeo de curiosidad. Luego apareció un tercer ojo, negro y exento de emoción, y éste no parpadeó, ni siquiera cuando su pupila se convirtió en una bala y puso fin al dolor de Blake.

Habían metido dos cadáveres en el maletero del coche de Louis. Las últimas moscas de la temporada ya los habían encontrado. Abigail Endall había recibido una descarga de escopeta en el pecho. Los daños habían sido considerables; el salpicón de puntos negros en los contornos de la herida y la camisa hecha jirones indicaban que le habían disparado a cierta distancia, la suficiente para permitir que los balines se dispersasen pero no tanta como para disipar la fuerza de la descarga. Al marido lo habían matado a quemarropa de un solo disparo de pistola en la cabeza, acercando tanto el arma a su frente que se veían ampollas y quemaduras de pólvora alrededor de la herida. Abigail tenía los ojos medio cerrados, como si estuviese atrapada entre la vigilia y el sueño.

—Ayúdame a sacarlos —dijo Louis.

Se inclinó hacia el interior del maletero, pero Ángel alzó la palma de la mano para detenerlo.

—Mierda —maldijo Louis.

Ángel volvió a coger la linterna y el palo para examinar lo mejor que pudo el espacio debajo de los cuerpos. Cuando consideró que los cadáveres no estaban conectados a una bomba en modo alguno, sacaron primero a Abigail, que yacía sobre su marido, y luego a Philip. Las alfombrillas bajo los cuerpos habían sido retiradas y habían activado una serie de resortes ocultos en el fondo del maletero para desprender los paneles en la base y los laterales. Habían desaparecido las armas allí almacenadas, junto con toda la munición. Para mayor precaución, también habían rajado la rueda de repuesto.

Ángel miró a Louis, y dijo:

—¿Y ahora qué?

Hara y Harada no llegaron mucho más allá de Massena, y en eso residió su desgracia y su suerte: desgracia porque ya no pudieron participar en la operación de Louis y, mayor desgracia aún, porque en un registro de rutina del vehículo se descubrió su alijo de armas. Los agentes de policía se negaron a concederles el beneficio de la duda, y los asiáticos acabaron en una celda en la comisaría de la calle mayor de Massena mientras el jefe de la policía decidía qué hacer con ellos, y les salvaba así la vida.

Lentamente, Ángel y Louis se acercaron a las puertas del granero.

–Treinta metros –dijo Louis.

–¿Qué?

–La distancia entre aquí y el bosque situado al este.

–Si están esperándonos, nos liquidarán en cuanto salgamos.

–¿Prefieres que nos liquiden aquí?

Ángel movió la cabeza en un gesto de negación.

–Tú ve por la izquierda; yo iré por la derecha –indicó Louis–. Corre y no pares por nada. ¿Queda claro?

–Sí, clarísimo.

Louis asintió.

–Nos veremos al otro lado –dijo.

Y echaron a correr.

Tercera parte

Las candelas de la noche se han extinguido ya, y el día bullicioso asoma de puntillas
en la brumosa cima de las montañas... ¡Es
preciso que parta y viva, o que me quede
y muera!

William Shakespeare, *Romeo y Julieta*, III, V

16

Gabriel abrió los ojos. Por unos instantes no supo dónde estaba. Le llegaban sonidos extraños, y un exceso de blancura lo rodeaba. Aquello no era su casa: en su casa todo eran rojos, morados y negros, como el interior de un cuerpo, un capullo de sangre y músculos y tendones. Ahora se había visto despojado de esa protección, y su conciencia había quedado vulnerable y aislada en ese entorno estéril desconocido.

Sus reacciones eran tan lentas que tardó en darse cuenta de que sentía dolor. Era un dolor sordo, y no parecía situado en ningún punto concreto, pero allí estaba. Tenía la boca muy seca. Intentó mover la lengua, pero se le había pegado al paladar. Poco a poco, formó saliva para despegarla y a continuación se humedeció los labios. Al principio no podía mover la cabeza más de un par de centímetros a la derecha o a la izquierda, y además al hacerlo le dolía. Entonces probó con los brazos, las manos y los dedos de manos y pies. Entretanto, intentó rememorar cómo había llegado hasta allí. Apenas conservaba recuerdo alguno de lo sucedido después de despedirse de Louis en el bar.

Pero sí recordaba algo: un tambaleo, el miedo a caer de un viejo, luego una sensación de quemazón, como si hubiesen insertado brasas en el centro de su ser. Y sonidos, tenues pero audibles, como los reventones de globos lejanos: las detonaciones de un arma.

Tenía una sensación de escozor en el dorso de la mano izquierda y la sangría del brazo derecho. Vio la aguja del gotero inserta en la piel suave, y luego reparó en el catéter verde de plástico en el extremo de la segunda aguja clavada en una vena en el dorso de su mano. Creía recordar vagamente haberse despertado ya antes y visto intensas luces, enfermeras y médicos trajinar alrededor. En el ínterin había soñado, o quizá todo había sido un sueño.

Como tanta gente, Gabriel había oído el mito de que la vida entera desfilaba ante los ojos en los instantes anteriores a la muerte. En realidad, cuando sintió el roce gélido de la guadaña de la muerte al cortar el aire cerca de su cara, su frialdad en marcado contraste con la quemazón posterior al impacto de las balas, no había experimentado esa clase de visiones. Ahora, mientras unía las piezas de lo ocurrido, recordó sólo una imprecisa sensación de sorpresa, como si se hubiese tropezado con alguien en una calle y, al mirarlo a la cara para disculparse, hubiese identificado a un viejo conocido cuya llegada esperaba desde hacía tiempo.

No, los acontecimientos de su vida habían acudido a su memoria más tarde, cuando yacía en un estupor inducido por los fármacos en el lecho del hospital, confundiéndose y entretejiéndose lo real y lo imaginado a causa de los estupefacientes, y vio entonces a su difunta esposa rodeada de los niños que nunca habían tenido, una existencia imaginaria cuya ausencia no le producía el menor pesar. Vio a hombres y mujeres jóvenes enviados a poner fin a las vidas de otros, pero en sus sueños sólo regresaban los muertos, y no lo responsabilizaban de nada, ya que él no sentía la menor culpabilidad por lo que había hecho. A la mayoría los había rescatado de vidas que acaso de otro modo habrían terminado en cárceles o en bares de pobres. Algunos habían padecido finales violentos por la intervención de Gabriel, pero ese destino ya estaba escrito para ellos mucho antes de conocerlo a él. Gabriel simplemente había alterado el lugar de su fin, así como la duración y el desarrollo de la vida que lo había precedido. Eran sus Hombres de la Guadaña, sus jornaleros en el campo, y los había equipado de la mejor manera posible conforme a sus aptitudes para llevar a cabo las tareas que tenían ante sí.

Sólo uno apareció en los sueños de Gabriel tal como era en la vida: Louis. Gabriel nunca había comprendido del todo la profundidad de su afecto por ese hombre atribulado. Su sueño le proporcionó algo cercano a una respuesta.

Se debía, pensó, a que Louis en otro tiempo se parecía mucho a él.

Gabriel oyó moverse una silla en un rincón de la habitación. Abrió un poco más los ojos. Con cuidado, movió la cabeza en dirección al sonido y le complació descubrir que tenía más movilidad que antes, pese a que la molestia era todavía intensa. Una silueta se recortaba contra la ventana, una alteración en la simetría de las lamas horizontales de la persiana medio cerrada. La silueta aumentó de tamaño cuando el hombre se levantó de la silla y se acercó a la cama, y entonces Gabriel lo reconoció.

–A ti es difícil matarte –comentó Milton.

Gabriel intentó hablar, pero aún tenía la boca y la garganta demasiado secas. Señaló la jarra de agua junto a la cama, e hizo una mueca por el dolor que acompañó el movimiento. Se lo produjo la maldita aguja en el dorso de la mano. La sentía en la vena. Gabriel había estado ingresado dos veces en los últimos diez años: una para la extirpación de un tumor benigno, la segunda para una fisura en el fémur derecho, y en ambas ocasiones le había molestado extrañamente el catéter en la mano. Es curioso, pensó, las heridas que me han traído aquí son mucho más graves y dolorosas que una pequeña varilla de metal insertada en un vaso sanguíneo, y sin embargo decido concentrar la atención en la aguja. Será porque es pequeña, una molestia más que un traumatismo. Se trata de un objeto comprensible. Su finalidad me es conocida. Y ahora, en este momento, representa el primer paso para conciliarme con lo ocurrido.

Milton le sirvió un vaso de agua y lo sostuvo ante su boca para que pudiera tomar un sorbo, a la vez que iba aguantándole la cabeza delicadamente con la mano derecha. Era un gesto de una peculiar ternura e intimidad, y sin embargo molestó a Gabriel. Hasta ese momento habían sido iguales, pero ya nunca volverían a serlo, no después de verlo Milton reducido a ese estado, no después de tocarle la cabeza de esa manera. Por mucha amabilidad que entrañara ese acto, Milton no podía ser consciente de lo que representaba para Gabriel y su dignidad, para su sentido de cuál era su lugar en el complejo universo en el que habitaba. Un hilo de agua le resbaló por la barbilla, y Milton se lo enjugó con un pañuelo de papel, aumentando así la ira y el bochorno de Gabriel, pero éste no exteriorizó sus verdaderos sentimientos, ya que eso habría sido rendirse por completo a ellos y humillarse todavía más. Dio, pues, las gracias con voz ronca y dejó caer la cabeza de nuevo sobre las almohadas.

–¿Qué me ha pasado? –preguntó con apenas un susurro.

–Te dispararon. Tres balas. Una te pasó a dos centímetros del corazón, otra te tocó de refilón el pulmón derecho. La tercera te hizo añicos la clavícula. Creo que lo que corresponde decir en estas situaciones es que tienes suerte de estar vivo. No por primera vez, podría añadir.

Agachó ligeramente la cabeza, como para ocultar la expresión en su rostro, pero Gabriel había cerrado los ojos por un instante y no advirtió el gesto.

–¿Cuánto hace? –preguntó Gabriel.

–Dos días, o poco más. Por lo visto piensan que eres una especie de milagro médico; eso, o Dios velaba por ti.

Un asomo de sonrisa se formó en los labios de Gabriel.

–Sólo que Dios no cree en los hombres como nosotros –dijo, y se alegró de ver una expresión ceñuda en el rostro de Milton–. ¿Por qué –hizo un alto para tomar aire– estás aquí?

–¿No puede uno visitar a un viejo amigo?

–No somos amigos.

–Somos lo más parecido a un amigo que cualquiera de los dos pueda tener –contestó Milton, y Gabriel inclinó un poco la cabeza en un remiso gesto de asentimiento–. Te he tenido bajo vigilancia –prosiguió Milton. Señaló la cámara del rincón.

–Llegas un poco tarde.

–Nos preocupaba que alguien intentara rematar la faena.

–No te creo.

–Da igual lo que creas.

–¿Y sólo me has visitado tú?

–No. Vino otra persona.

–¿Quién?

–Tu preferido.

Gabriel volvió a sonreír.

–Cree que esto guarda relación con las agresiones anteriores –explicó Milton–. Irá por Leehagen.

La sonrisa se desvaneció en el rostro de Gabriel mientras observaba a Milton con atención.

–¿Qué interés tienes tú en Leehagen?

–Yo no he dicho que lo tenga –respondió Milton, y esperó más preguntas. Le pareció ver asomar algo fugazmente en las facciones de Gabriel, una vaga toma de conciencia de cierta información oculta. Milton se inclinó hacia él–. Pero tengo algo que contarte. Me pediste que averiguase lo que pudiera sobre Leehagen y sobre Nicholas Hoyle; sospecho que ya conoces la mayor parte. Pero hay una «anomalía», digamos, a falta de una palabra mejor.

Gabriel aguardó.

–El hombre que se hacía llamar Kandic no fue contratado para matar a Leehagen.

Gabriel reflexionó acerca de lo que acababa de oír. Sus facultades mentales seguían afectadas por los fármacos y tenía la mente turbia. Intentó aclararse las ideas desesperadamente, pero la nebulosa narcótica era demasiado densa. En otras circunstancias habría extraído él solo las conclusiones necesarias, pero en ese momento Milton tuvo que guiarlo. Tragó saliva y habló:

–¿A quién tenía que matar?

–Según mi fuente, a Nicholas Hoyle.

–¿Por orden de Leehagen?

Milton negó con la cabeza.

–Por alguien de tierras más lejanas. Hoyle tiene intereses en una explotación petrolífera en el mar Caspio. Al parecer, hay quienes preferirían que dejara de tener intereses allí. Según mi fuente, lo sucedido entre Hoyle y Leehagen en el pasado, sea lo que sea, ya se ha olvidado, si es que la enemistad existió de verdad tal como se la ha presentado. Por lo visto, emplearon el rumor acerca de su antagonismo mutuo para beneficio de los dos. «El enemigo de mi enemigo es mi amigo»: unas veces, los rivales de Hoyle han abordado a Leehagen y otras los enemigos de Leehagen han abordado a Hoyle. Cada uno ha aprovechado esas situaciones para averiguar lo que podía en beneficio del otro. Es un juego muy antiguo, y los dos lo han jugado bien. También comparten un interés en mujeres jóvenes, muy jóvenes, o así fue hasta que la enfermedad de Leehagen empezó a pasarle factura. Leehagen aún satisface las necesidades de Hoyle. Las chicas tienen que estar intactas. Vírgenes. Hoyle tiene una fobia con las enfermedades.

–Pero su hija... –dijo Gabriel–. Su hija fue asesinada.

–Si eso es verdad, no fue a instancias de Leehagen. No tuvo nada que ver con él, ni con ninguna enemistad, real o imaginada, con Hoyle.

–Real o imaginada –repitió Gabriel en voz baja. Sentía náuseas, y el dolor parecía haber aumentado. Era una trampa, una treta. Cerró los ojos. ¿Cómo era el dicho? No hay peor tonto que un tonto viejo.

–Ayúdalos –dijo Gabriel. Agarró a Milton de la manga de la chaqueta, indiferente al escozor en el dorso de la mano.

–¿A quién debo ayudar?

213

–A Louis. Y al otro. Ángel.

Milton se recostó en la silla y desprendió con delicadeza la tela de la chaqueta de entre los dedos de Gabriel. Era un gesto de separación, de distanciamiento.

–Eso no me es posible –respondió–. Ni siquiera después de lo que te han hecho. No puedo intervenir. No lo haré.

La tensión que Gabriel sintió en su cuerpo era insoportable. Estaba cada vez más débil. Se hundió en las almohadas, ahora con la respiración entrecortada, como la de un corredor al final de una larga carrera. Sabía que se acercaba el fin.

Milton se levantó.

–Lo siento –se disculpó.

–Díselo a Willie –dijo Gabriel. Empezaba a sumirse en la negrura–. Díselo a Willie Brew. Sólo eso. Sólo pido eso.

Y en el momento en que perdió la conciencia, le pareció ver asentir a Milton.

La casa, de tres plantas y trescientos cincuenta metros cuadrados, se alzaba en un terreno de media hectárea. Protegida por tapias altas, tenía en el jardín reflectores activados por el movimiento y una alarma conectada a una empresa de seguridad privada que empleaba a hombres sin el menor reparo a la hora de desenfundar y utilizar sus armas.

En la casa vivían un tal Emmanuel Lowein, su mujer, Celice, y sus dos hijos, David y Julie, de once y doce años, respectivamente. Desde hacía dos días los acompañaban dos hombres que hablaban poco y dormían menos. Obligaban a los Lowein y a sus hijos a permanecer apartados de las ventanas, se aseguraban de que las cortinas estuviesen corridas y vigilaban la finca mediante un sistema de cámaras activadas por control remoto.

Louis nunca había estado en la casa franca, y sólo conocía a Ventura de oídas. Lowein disponía de información acerca de varios políticos centroamericanos que ciertos amigos de Gabriel deseaban adquirir. Lowein, a su vez, quería seguridad para su familia y una nueva vida lejos de selvas y juntas militares. Gabriel actuaba de intermediario, y Louis y Ventura habían sido asignados como medida de seguridad suplementaria mientras se desarrollaban las negociaciones. Lowein estaba en el punto de mira de cierta gente, y había quienes deseaban acallarlo antes de que tuviese ocasión de compartir lo que sabía. Gabriel mantenía desde hacía tiempo la opinión de que, en caso de que uno o más individuos se vieran bajo la amenaza de profesionales, era aconsejable escoger hombres de una mentalidad parecida como parte del destacamento de vigilancia.

Ventura tenía unos diez años más que Louis. A diferencia de Louis, contaba en su haber asesinatos de alto nivel, pero corrían rumores de que ahora quería pasar a segundo plano durante un tiempo. Los hombres que se dedicaban a esa actividad al final acababan acumulando una larga lista de enemigos, sobre todo entre aquellos que se resistían a distinguir entre el asesino y quienes habían ordenado el asesinato. Para los profesionales, los Hombres de

la Guadaña, eso era absurdo: uno también podía echar la culpa al propio ri-
fle, o a la bala, o a la bomba. Al igual que éstos, los Hombres de la Guada-
ña eran meras herramientas aplicadas a la obtención de un fin. No había
nada personal en ello. Sin embargo, tal razonamiento no siempre se enten-
día entre quienes habían padecido una pérdida, ya fuera personal, profesio-
nal, política o económica.

Pero Gabriel no quería que Ventura lo dejara, y no acababa de confiar en
él ahora que parecía decidido a poner fin a su relación y negarse a seguir obe-
deciéndole durante mucho más tiempo. Por eso se había asignado a Ventura,
junto con Louis, la custodia temporal de la familia Lowein. De momento no
habría asesinatos para él, y quizá no los hubiera nunca más.

Era un trabajo aburrido, y habían matado el tiempo como buenamente
habían podido. Mientras los Lowein dormían, Ventura se explayaba de ma-
nera muy general sobre su vida como Hombre de la Guadaña, dando a Louis
algún que otro consejo. Disertó sobre las armas de largo alcance, ya que una
de las especialidades de Ventura era el uso del rifle. Le habló a Louis del ori-
gen del término inglés sniper, *utilizado en la caza de aves en la India en el*
siglo XIX; de Hiram Berdan, el general de la guerra de secesión que fue uno de
los principales exponentes de este arte y contribuyó a perfeccionar técnicas uti-
lizadas aún hoy por los francotiradores; del comandante inglés Hesketh-Prit-
chard, que organizó la primera Academia Militar de Francotiradores, Vigi-
lancia y Exploración durante la primera guerra mundial, en respuesta a los
ataques de los francotiradores alemanes a los soldados británicos; de los equi-
pos rusos en la segunda guerra mundial, y el uso menos eficaz de los franco-
tiradores por parte de los norteamericanos, que aún no habían descubierto que
armar al tirador de una unidad con un M1, un M1C o un M1903 no era
lo mismo que crear un francotirador.

Louis escuchaba. Le pareció que las aptitudes valoradas en un franco-
tirador no carecían de importancia en su propia situación: inteligencia, fiabi-
lidad, iniciativa, lealtad, estabilidad y disciplina. Tenía sentido entrenarse con
frecuencia, mantener a punto las habilidades; conservarse en un excelente es-
tado físico, porque en eso se basaba la seguridad en uno mismo, el aguante y
el control; no fumar, porque si a uno se le escapaba una tos, podía delatar su
posición, y el deseo de un cigarrillo acarrearía nerviosismo e irritación, y una
considerable disminución de la eficiencia; y poseer un buen equilibrio emocio-
nal, sin ansiedad ni remordimientos a la hora de matar.

Por último, Ventura le explicó a Louis la importancia de la renuncia. Los
francotiradores, y los Hombres de la Guadaña, eran instrumentos de la opor-
tunidad. Era importante prepararse, de modo que uno pudiera estar listo cuan-

do surgiera la oportunidad. Una buena preparación podía crear oportunidades, pero a veces la oportunidad no se presentaba, y no convenía forzar las circunstancias. Ya surgiría otra ocasión, con el tiempo, si uno tenía paciencia y estaba preparado.

Pero había ocasiones en que no todo era propicio, en que uno instintivamente sabía que debía marcharse, dejarlo todo y renunciar. Ventura habló de una misión en Chile. Había estado siguiendo al blanco con la mira, y le faltaba muy poco para apretar el gatillo cuando uno de los guardaespaldas alzó la vista hacia la ventana donde acechaba Ventura. Sabía que el guardaespaldas no podía verlo. Era casi de noche, y él iba vestido de negro con tela antirreflectante detrás de una ventana a oscuras en un edificio de apartamentos anónimo. Incluso había ennegrecido la boca del rifle. Era imposible que la mirada del guardaespaldas se hubiera posado en él, pero así fue.

Ventura ni siquiera se planteó disparar, pese a que ya tenía el dedo tenso sobre el gatillo. En lugar de eso renunció. Era una trampa. Alguien había informado. Había escapado del edificio por los pelos, dejando allí el rifle. Gabriel lo había entendido, y se había detectado y reparado la filtración.

–Recuerda –había dicho Ventura–. Sólo tienes una vida. Tu obligación es hacerla durar. El truco está en saber cuándo debes quedarte y cuándo renunciar.

Eran más de las dos de la madrugada. Los Lowein dormían arriba, los adultos juntos en una habitación del primer piso, los niños en la de al lado. El segundo piso estaba vacío. Dos veces cada hora, Louis y Ventura hacían una ronda de comprobación. Abajo, se oía a Connie Francis por la radio: una grabación de un programa antiguo. Lo había elegido Ventura, no Louis. Éste lo toleró por deferencia al hombre de más edad.

Ventura lo había dejado sentado en un sillón mientras iba arriba a cerciorarse de que los Lowein estaban bien. Después de cinco minutos, al ver que Ventura aún no había vuelto, Louis abandonó su asiento y salió al pasillo.

–¿Ventura? –llamó–. ¿Estás bien?

No recibió respuesta. Probó con el walkie-talkie, pero sólo le llegaron interferencias.

Desenfundó la pistola y empezó a subir por la escalera. Vio la puerta de la habitación de los niños abierta, y a los dos hermanos acurrucados en sus camas. La lamparilla nocturna de la pared estaba apagada. En la última ronda que había hecho Louis, la luz seguía encendida. Se arrodilló y pulsó el interruptor.

Había sangre en las sábanas y una almohada caída en el suelo, con dos orificios de bala por los que salían las plumas. Se acercó a la primera cama y retiró la sábana de David Lowein. El niño estaba muerto, la sangre empapaba la almohada bajo su cabeza. Comprobó la otra cama. La hermana de David había recibido un solo disparo en la espalda.

Louis estuvo a punto de pedir ayuda, pero se contuvo. Percibió movimiento en la habitación de los padres. Oyó pisadas. Apagó la lamparilla y se dirigió hacia la puerta que comunicaba ambos dormitorios. Estaba entornada. Lentamente, la abrió y esperó.

Nada.

Entró en la habitación, y una figura pálida avanzó, tambaleante, hacia él. Celice Lowein tenía una herida en el pecho y el camisón de color crema manchado de sangre. Louis creyó que la mujer tendía los brazos hacia él, con la mano izquierda abierta, roja de su propia sangre y la sangre de su marido, que yacía muerto en la cama a sus espaldas, pero enseguida cayó en la cuenta de que ella tenía la mirada fija detrás de él, y usaba sus últimas fuerzas para ir en busca de sus hijos.

Louis alargó la mano para detenerla, y ella, al entrar en contacto con su palma, se meció sobre las puntas de los pies. Lo miró y abrió la boca. En sus ojos se advertía desolación, y de pronto toda expresión desapareció de ellos al abandonarla la vida, y su cuerpo se desplomó en el suelo.

Ya demasiado tarde, Louis oyó pasos a sus espaldas. Cuando se disponía a volverse, la pistola le tocó la nuca y se quedó inmóvil.

–No lo hagas –dijo Ventura.

–¿Por qué? –preguntó Louis.

–Por dinero. ¿Por qué si no?

–Te encontrarán.

–No, no me encontrarán. Arrodíllate.

Louis supo que iba a morir, pero no estaba dispuesto a morir de rodillas. Se revolvió, su propia arma era como una borrosa mancha oscura en la mano, y en ese instante la pistola de Ventura habló y se impuso la negrura.

17

Willie Brew y Arno habían decidido, previa consulta con Louis, que el taller mecánico volvería a abrir. Louis, temiendo por su seguridad, se había opuesto, pero Willie y Arno, temiendo por su cordura, se habían mantenido firmes en su decisión de volver a enfundarse el mono y regresar a su pequeño refugio de automóviles y piezas de motor. Tenían coches que reparar, adujeron, y promesas que cumplir. (De hecho, Arno había acompañado estas palabras de un comentario sobre la necesidad de recorrer muchos kilómetros antes de irse a dormir, cosa que, sospechaba Willie, podía ser un poema o la letra de una canción o a saber, y había lanzado a Arno una mirada ceñuda que le dejó a éste muy claro que tales aportaciones no sólo no eran bienvenidas, sino que si seguía por esa línea podía acabar tragando aceite de motor.)

Alejado del ambiente de su querido taller y de las rutinas que lo habían sostenido durante tantos años, Willie, sin proponérselo, pensó más de la cuenta. Con tanta reflexión vino la pesadumbre, y con la pesadumbre vino el impulso, siempre presente en él, jamás olvidado, de beber más de lo recomendable para levantarse el ánimo. Aunque pareciese una contradicción, Willie era por naturaleza un hombre solitario que se sentía más a gusto rodeado de gente, y en el papel que mejor se ajustaba a él: vestido con su mono azul, las manos manchadas de grasa, en íntimo trato con un vehículo de motor. La parte íntima de sí mismo podía replegarse, a gusto en la idea de que llevar a cabo tal rutina no exigía plena concentración, ya que se le activaba cierto automatismo y permitía que otra parte de él desempeñase el papel del propietario cascarrabias pero en último extremo jovial. Sin este personaje en el que abstraerse temporalmente, Willie corría el peligro de perder la mejor parte de sí para siempre.

Por esta razón, tanto a Arno como a él se los encontraba a menudo en el taller los domingos, trajinando con el sonido de la radio de fondo, embadurnados ambos de aceite y en paz. Siempre tenían trabajo pendiente, pues se habían ganado cierta fama y no les faltaba clientela dispuesta a contratar sus servicios. Para Willie, otro acicate a sus esfuerzos era el deseo de devolver el préstamo que había recibido de Louis hacía muchos años. Si bien le agradecía el favor, no le gustaba estar en deuda con nadie. El dinero proyectaba una sombra sobre cualquier relación, y la relación de Willie con Louis no tenía nada de corriente. Se basaba en el hecho de que Willie sabía a qué se dedicaba Louis, y sin embargo tenía que actuar como si no lo supiese; en el hecho de que era consciente de que tenía sangre en las manos y no le importaba. La agresión en su lugar de trabajo, así como la clara percepción de que había estado muy cerca de la muerte, habían añadido otra dimensión problemática a su vínculo con Louis. Pero Willie sabía que los lazos que los unían nunca se romperían, no por completo, ya que no eran sólo económicos. Aun así, rompiendo la relación monetaria, reafirmaría su propia independencia. Quizá también a un nivel más profundo, reconocido a medias, otorgaba a la devolución del préstamo una significación mayor, como si representara el distanciamiento final que deseaba para sus adentros.

Pero de momento, allí en su mugriento local, rodeado de las imágenes y los olores familiares, podía olvidarse de esas cuestiones. Aquél era su sitio. Allí tenía un objetivo. Allí podía ser él mismo y algo más que él mismo. Para él era importante recuperar ese espacio después de la agresión. Había sido transgredido por la incursión de los dos hombres armados, pero Arno y él, volviendo al taller y utilizándolo para la finalidad con que había sido creado, podían limpiar esa mancha.

Al final habían obligado a Louis a ceder, con la ayuda de Ángel, que estaba de su lado. Esto se debió en gran medida a que, en ciertos asuntos, Ángel se sentía obligado a llevar la contraria a su compañero a fin de mantenerlo alerta, por sensata que fuera su postura. En eso, al menos, se parecían a las parejas convencionales de todo el mundo. Pero, además, Ángel entendía mejor a Willie que Louis. Sabía lo importante que era para él el taller, y hasta qué punto la agresión lo había enfurecido y alterado. Willie, como Ángel sabía, habría preferido caer de un balazo en su taller a morir de forma plácida en su cama. En realidad, Ángel sospechaba que el deseo último de Willie era perecer aplastado bajo una pieza de la ingeniería automotriz americana convenientemente cara que estuviera reparando en ese momento –un Plymouth Fury del 62, quizás, o un sedán de dos puertas Dodge Royal del 57–, del mismo modo que Catalina la Grande de Rusia, según se decía, murió bajo el semental con el que estaba a punto de copular. A Ángel siempre le había extrañado la relación entre los mecánicos y los coches, sobre todo los coches clásicos, y le había inquietado en especial el afecto que les manifestaban Willie y Arno. A veces, cuando entraba en el garaje, medio esperaba encontrar a uno de ellos o a los dos fumando un cigarrillo poscoital en el asiento trasero de un automóvil de cuarenta años. En realidad esperaba encontrarse algo peor que eso, pero prefería no atormentarse con imágenes de Willie y Arno practicando actos sexuales de carácter automovilístico.

Así que ahora Willie y Arno volvían a estar en el lugar que amaban, con la radio sintonizada, como siempre, en WCBS, 101.1. Esa noche la emisora se había entregado a un delirio de los años cincuenta: Bobby Darin, Tennessee Ernie Ford, incluso Alvin y las Ardillas, y Willie, por lo general hombre tolerante, se sintió tentado de asestar un martillazo a los altavoces, sobre todo cuando Arno, que podía ser un imitador irritantemente bueno cuando se lo proponía, empezó a cantar desde debajo del capó de un Dodge Durango del 98 con un manguito del radiador reventado y dos rayas blancas idénticas en los bajos que parecían pintadas por un bizco.

Pasaban de las diez de la noche y, sin embargo, seguían trabajando indiferentes ambos a la hora. Olores familiares, sonidos familiares. Para ellos, ésa era su casa. Estaban arreglando cosas, y satisfechos de hacerlo.

Bueno, razonablemente satisfechos.

–¡Por Dios bendito y todos los santos! ¡Basta ya! –exclamó Willie.

–¿Basta de qué?

–De cantar.

–¿Yo cantaba?

–Maldita sea, de sobra sabes que estabas cantando, si es que a eso se lo puede llamar cantar. Si no puedes remediarlo, canta las canciones de los Elegants o los Champs. Incluso Kitty Kalen te sale más o menos bien, pero no cantes las de Alvin y las malditas Ardillas.

–David Seville –dijo Arno.

–¿Quién?

–Era Alvin y las Ardillas. David Seville. Empezó en 1958, sólo que en realidad no se llamaba David Seville, se llamaba Ross Bagdasarian. Armenio, de Fresno.

–¿Hay un Fresno en Armenia?

–¿Qué? No, en Armenia no hay ningún Fresno. –Arno guardó silencio por un momento–. No que yo sepa. No, era descendiente de armenios. Su familia acabó en Fresno. Caray, ¿por qué resulta tan difícil hablar contigo? Es como tratar con un viejo carcamal.

–Ya, tal vez sea porque no sabes nada de provecho. Y ya que estamos, ¿cómo es posible que no sepas nada de provecho? Tienes todas esas cosas metidas en la cabeza..., poesías, películas de monstruos, incluso de ardillas..., y sigues sin ser capaz de orientarte en la transmisión de un Dodge sin un mapa y una bolsa de víveres.

–Si tan malo soy, ¿por qué no me has despedido aún?

–Te he despedido. Tres veces.

–Ya, bueno. ¿Y cómo es que me readmites?

–Me sales barato. Eres un desastre en tu trabajo, pero al menos no me cuestas mucho.

–Un poco de comida mala –convino Arno.

–Y encima las raciones son pequeñas –añadió Willie, y los dos se echaron a reír.

Las carcajadas aún resonaban en los rincones del taller cuando Willie dio tres golpes ligeros pero audibles a un lado del banco de trabajo, señal acordada para avisar de posibles problemas. Con el rabillo del ojo, Willie vio a Arno alargar el brazo hacia el bate de béisbol que desde ese mismo día mantenía siempre a mano, pero por lo demás permaneció inmóvil. Willie desplazó la mano derecha hacia el bolsillo delantero de su amplio mono, donde empuñó una compacta Browning 380 facilitada por Louis.

Fue entonces cuando Arno lo oyó: dos golpes en la puerta. El taller estaba cerrado. Y ahora había alguien fuera en la oscuridad, exigiendo que le dejaran entrar.

–Mierda –dijo Arno.

Willie se puso en pie. Con la Browning a un lado, se dirigió hacia la puerta y se aventuró a mirar por la reja interior y el plexiglás de la ventana, procurando no ofrecer la cabeza como blanco, y a continuación encendió la luz exterior.

Fuera había un hombre solo, con las manos hundidas en los bolsillos del abrigo. Willie no habría sabido decir si llevaba un arma. Si la llevaba, no la exhibía.

–¿Es usted Willie Brew? –preguntó el hombre.

–Soy yo –contestó Willie. Nunca había sido muy dado a iniciar conversaciones con el saludo «Quién lo pregunta» y la consiguiente discusión.

—Traigo un mensaje para Louis.

—No conozco a ningún Louis.

El hombre se acercó más al cristal para asegurarse de que Willie lo oía y prosiguió como si Willie no hubiese dicho nada.

—Es de su ángel de la guarda. Dígale que abandone el trabajo y vuelvan a casa, los dos, él y su amigo. Dígales que renuncien. Si pregunta, debe explicarle que Hoyle y Leehagen son íntimos. ¿Ha quedado claro?

Y por alguna razón Willie supo que aquel hombre intentaba, aunque a su confusa manera, echar una mano a Louis. Seguir negando que lo conocía, pues, no sólo sería inútil, sino que podía acabar perjudicando a los dos hombres con quienes, después de Arno, tenía una relación más cercana.

—Si ese mensaje es tan importante, debería dárselo usted mismo —señaló Willie.

—Está ilocalizable —respondió—. Ha ido a un lugar donde los móviles no tienen cobertura. Si lo telefonea él, comuníquele el mensaje.

—No llamará aquí —aseguró Willie—. No es su manera de actuar.

—En ese caso no regresará —dijo el hombre.

Se volvió para marcharse. Tras vacilar por un instante, Willie abrió la puerta y se adentró en la noche detrás de él, guardándose la pistola en el bolsillo del mono. El visitante se acercaba a la puerta posterior del lado del acompañante de una limusina negra Lincoln aparcada en un lugar donde Willie no la había visto hasta ese momento. Cuando Willie apareció, se abrió la puerta del conductor y salió un hombre. No se parecía en nada a los chóferes que Willie conocía. Era joven y vestía un elegante traje gris, pero tenía los ojos tan muertos que su verdadero lugar habría sido un tarro de cristal. Escondía la mano derecha tras la puerta, pero Willie supo instintivamente que empuñaba un arma. Dando gracias en silencio por no haber salido del garaje con la pequeña Browning a la vista, mantuvo las manos separadas del cuerpo, como si se dispusiese a abrazar al hombre a quien seguía.

—Eh —dijo Willie.

El hombre se detuvo, con la mano ya en el tirador de la puerta.

—¿Quién es usted? —preguntó Willie.

—Me llamo Milton. Louis sabe quién soy.

—Eso a mí no me sirve. Se ha ido. Se han ido los dos. ¿No puede usted hacer algo? ¿No puede ayudarlos?

—No.

–Ni siquiera sé muy bien dónde está –añadió Willie, y él mismo percibió en su voz un asomo de súplica, de desesperación, y no se avergonzó. Ángel le había contado algo, pero él no le había visto el sentido. De hecho, le sorprendió que Ángel decidiera compartir esos pocos detalles con él, pero en ese momento le preocupaba más volver a su querido taller. Sólo sabía el nombre de un pueblo en el norte del estado. ¿De qué le servía eso si ellos estaban en un apuro? Él no era un ejército de un solo hombre. No era más que un gordo con mono y una pistola que no quería usar.

Pero Louis y Ángel eran importantes para él. Al margen de cuáles fuesen sus temores y reservas, a su manera lo habían salvado. Willie no se hacía ilusiones: cuando Louis lo abordó por primera vez, no fue por altruismo. Le venía bien mantener a Willie en el edificio que había adquirido, por razones que el propio Willie aún no entendía del todo. Sin embargo, fuese por su propio interés o no, Louis le había permitido a Willie seguir dedicándose al trabajo que amaba. De eso hacía mucho tiempo, y ahora las cosas habían cambiado. Ellos le habían pagado la fiesta de cumpleaños. Incluso le habían hecho un regalo: un Rolex Submariner Oyster, que le entregaron discretamente aquella misma noche cuando ya se había retirado todo el mundo del bar de Nate. Era una de las cosas sin cuatro ruedas más hermosas que había visto. Jamás se había imaginado siquiera que llegaría a ser dueño de algo tan precioso. En ese momento lo llevaba puesto. Sólo por un instante había contemplado la idea de guardarlo en un cajón y reservarlo para ocasiones especiales. En su vida no había ocasiones «especiales». Si lo dejaba en un cajón, allí se quedaría hasta su muerte. Mejor ponérselo y disfrutar de la sensación de llevarlo en la muñeca.

Estaba en deuda con aquellos hombres. Haría cuanto estuviera en sus manos para ayudarlos, aun cuando significara ponerse de rodillas en medio de la calle delante de un desconocido y su adlátere armado.

Y el visitante cedió, aunque fuese mínimamente.

–Van a la caza de un hombre llamado Arthur Leehagen. Vive en el norte del estado, en los Adirondacks, no muy lejos de Massena. Ahora que ya sabe dónde están, ¿qué va a hacer?

Abrió la puerta y, tras subir al coche, la cerró sin dirigir una sola palabra más a Willie. El hombre de los ojos muertos e inmutables no bajó la guardia en ningún momento. Sólo cuando se cerró la puerta trasera y su protegido estuvo a salvo, ocupó el asiento delantero y el coche se alejó.

18

Una vez más, habían cerrado el taller. Habían apagado la radio y las luces en torno a los dos vehículos en los que trabajaban, quedando éstos en la penumbra sobre los elevadores hidráulicos como pacientes olvidados en un par de mesas de quirófano, abandonados por el cirujano para ocuparse de casos más dignos de su atención.

Willie y Arno estaban en el pequeño despacho de la parte de atrás, rodeados de facturas y anotaciones escritas a mano y de cajas manchadas de aceite. Sólo había una silla, ocupada por Willie. Arno permanecía en cuclillas en el suelo, menudo y delgado, con la cabeza un poco demasiado grande para el cuerpo, como una gárgola desalojada de su pedestal. Los dos sostenían sendas tazas en las manos, y entre ellos, en el escritorio, se alzaba una botella de Marker's Mark. Si alguna ocasión había para alcoholes de alta graduación, era aquélla, supuso Willie.

–Quizá no sea tan grave como parece –dijo Arno–. Ya han estado en apuros antes, y han salido airosos.

No parecía creerse del todo sus propias palabras, pese a que lo deseaba intensamente.

Willie bebió un trago de bourbon. Sabía fatal. Ni siquiera entendía por qué lo guardaba en su archivador. Se lo había regalado un cliente agradecido, aunque no tan agradecido como para obsequiarle una botella mejor. Willie tenía intención de dársela a alguien desde hacía ya..., en fin, al menos dos años..., pero la conservaba por si algún día llegaba a ser útil. Esa noche lo fue.

–Al fin y al cabo, tampoco podemos llamar a la policía –comentó Arno.

–No.

–O sea, ¿qué les diríamos? –prosiguió Arno. Arrugó la frente por un momento en un gesto de concentración, como si intentase ya construir en su cabeza una explicación verosímil y a la vez del todo ficticia para un agente de la ley imaginario–. Tampoco podemos presentarnos allí para ayudarlos. Tú sabes manejar un arma, pero yo no había tenido una en las manos hasta la semana pasada, y no se me dio muy bien. Por poco te mato.

Willie asintió sombríamente.

–No me malinterpretes –aclaró Arno–. Haré lo que sea para ayudarlos, hasta cierto punto, pero yo me gano la vida arreglando coches, y eso, en este caso, no sirve de mucho.

Willie apartó la taza.

–Esto da asco –dijo con tono de hastío, y Arno no supo si se refería a la bebida o a otra cosa. Willie se acodó en el escritorio, ahuecó las manos ante él y hundió la cara en ellas, con los ojos cerrados y las yemas de los dedos casi tocándose por encima del puente de la nariz.

Arno observó a su jefe con expresión de ternura. Habría podido decirse sin faltar a la verdad que Arno quería a Willie Brew. Lo quería total y absolutamente, aunque de haberlo expresado en voz alta, Willie lo habría ingresado en un manicomio. Willie le había procurado un lugar de trabajo que él consideraba un refugio en la misma medida que su apartamento desordenado y lleno de papeles. Aunque su destreza le inspiraba un gran respeto a Willie, éste se guardaba muy mucho de exteriorizarlo de palabra u obra. Willie era el mejor amigo de Arno, aquel a quien Arno acudió al morir su querida madre, el hombre que lo había ayudado a cargar con el féretro, que había caminado junto a él con dos empleados anónimos de la funeraria. Era el mejor mecánico que Arno había conocido, y también la mejor persona. Arno habría hecho cualquier cosa por Willie Brew. Incluso habría muerto por él.

Pero no moriría por Louis y Ángel. Ángel le caía bien. Al menos a veces era amable de una manera vagamente humana, no inquietante. Por Louis, en cambio, no sentía la menor simpatía. De hecho, Louis lo aterrorizaba. Sabía que era un hombre a quien debía respetar, un hombre poderoso y letal, pero Arno respetaba más a Willie. Willie se había ganado su respeto mediante sus acciones, mediante su humanidad. Louis exigía respeto tal como lo exigía una pantera, porque sólo un idiota no respetaría algo que podía ser tan peligroso, pero no por eso uno deseaba pasar más tiempo del estrictamente necesario en la jaula de la pantera.

Se acordaba de cómo le había hablado Willie al día siguiente de conocer a Louis. Willie había comprado café y donuts, y su olor emanaba del despacho cuando llegó Arno para lo que, según preveía, sería su último día en el taller. Willie le había hablado de Louis y su ofrecimiento, y había añadido que, por lo que veía, no le quedaba más remedio que acceder. Lo expresó así, recordaba Arno: aceptaría el préstamo, pero de mala gana. Willie sabía demasiado bien cómo funcionaba el mundo para creer que semejantes regalos se hacían sin condiciones, tanto expresas como tácitas. En su momento, Arno simplemente había dado gracias por poder seguir trabajando, y poco le importaba si el hombre que ofreció el préstamo tenía pezuñas y cuernos en la frente. Eso cambió en cuanto conoció a Louis, y vio la forma física que estaba a punto de proyectar una sombra sobre lo que previamente había sido un negocio normal y corriente. Ángel había iluminado un poco esa sombra, pero durante muchos años Arno y su querido jefe se habían visto obligados a trabajar bajo ella, y Arno era lo bastante humano para sentirse molesto por ese hecho.

Ahora Ángel y Louis tenían problemas, y si bien Arno sabía que habían actuado en respuesta a lo ocurrido con anterioridad, que no les había quedado otra elección y que su propia supervivencia, y quizás incluso también la supervivencia de Arno y Willie, dependía de sus actos, no era tan ingenuo como para creer que, en circunstancias normales, unos hombres armados caían del cielo con la intención de matar a alguien así porque sí. Eso era una venganza por algo que Louis había hecho. Arno no quería que Ángel y Louis murieran, pero podía entender que otro sí tuviera razones para quererlo.

Willie se puso en pie y empezó a revolver los papeles del escritorio. Al final, después de caer al suelo una caja de tuercas y varias facturas pendientes, encontró lo que buscaba: su manoseada agenda negra. Pasó las hojas hasta llegar a las letras «N-P».

–¿A quién vas a llamar? –preguntó Arno, y luego, en un inoportuno intento de bromear, añadió–: ¿A los Cazafantasmas?

En los labios de Willie Brew se dibujó una extraña sonrisa, que puso a Arno aún más nervioso de lo que ya estaba.

–Algo parecido –contestó Willie.

Arno lo vio tomar un bolígrafo y anotar un número: primero un 1, seguido de 2-0-7, y entonces Arno supo a quién iba a pedir ayuda. Se sirvió otro Maker's Mark y añadió un poco más a la taza de Willie.

–Ésta para dar suerte –dijo.

Al fin y al cabo, pensó, si intervenía el Detective, alguien iba a necesitarla. Y esperaba que no fueran Willie y él.

Willie recorrió la manzana hasta el bar de Nate para hacer la llamada. Le preocupaba que los federales tuviesen pinchada la línea del taller. Al principio incluso temió que hubiesen puesto un micrófono en el despacho, pero Willie, a pesar de la mugre y el caos general de su lugar de trabajo, conocía hasta el último centímetro, y habría advertido de inmediato el menor cambio en su entorno. El teléfono ya era otra cosa. Sabía, por los programas de la cadena HBO, que ya no necesitaban colocar diminutos dispositivos en el auricular. La Guerra Fría había quedado atrás. Seguro que les bastaba con apuntarle a uno a la tripa con un aparatejo para averiguar lo que había comido. Willie era especialmente cauto con los teléfonos móviles desde que Louis le informó de lo fácil que era localizarlos e interceptar su comunicación. Le explicó que un móvil actúa como un pequeño faro electrónico, incluso apagado, de modo que era posible detectar la posición del dueño en cualquier momento. La única manera de hacerse invisible era quitándole la batería. Eso era lo que más inquietaba a Willie, la idea de que unos vigilantes escondidos en un búnker podían rastrear todos sus pasos. Willie no estaba dispuesto a irse hasta Montana y vivir en un complejo con hombres que se excitaban viendo *El triunfo de la voluntad,* pero tampoco le veía sentido a ponerle las cosas más fáciles a las autoridades de lo que ya las tenían. No es que Willie fuera un espía; sólo que no le entusiasmaba la idea de que otros escucharan a escondidas todo lo que decía, por intrascendente que fuese, o que controlaran sus movimientos, y su relación con Louis lo había llevado a tomar conciencia de que podía convertirse, aunque fuera de manera tangencial, en blanco de cualquier investigación centrada en su socio, así que convenía andarse con cuidado.

Cuando entró en el bar, Nate lo saludó con la mano, pero Willie se limitó a responderle con una mueca.

–¿Qué te pongo? –preguntó Nate.

–Necesito usar tu teléfono –contestó Willie.

Al fondo del bar, donde estaba el teléfono público, cerca de los lavabos de hombres, había un grupo de mujeres jóvenes y vocingleras, y Nate supo, por la voz y la expresión de Willie, que aquélla no era una llamada que pudiesen oír otros.

–Ve a la parte de atrás –dijo Nate–. Llama desde mi despacho. Cierra la puerta.

Willie le dio las gracias y pasó por debajo de la barra. Se sentó tras el escritorio de Nate, un escritorio que, por su pulcritud y sentido del orden, no se parecía en nada al suyo. El teléfono de Nate era un modelo antiguo con disco giratorio, y aunque estaba adaptado a los tiempos modernos, requería una cuidadosa aplicación del dedo índice para marcar. Por una vez que Willie andaba con prisas, resultó que Nate tenía un teléfono que podía haber construido Edison.

En primer lugar, Willie llamó al servicio contestador y dejó un mensaje para Ángel y Louis, repitiendo textualmente lo que el tal Milton le había pedido que dijera, con la vaga esperanza de que uno de los dos recogiera el mensaje antes de que todo aquello llegara más lejos. Después llamó a Maine. Como el Detective no estaba en casa, Willie decidió probar en el bar de Portland donde ahora trabajaba. Tardó un rato en recordar el nombre. Algo Perdido. El Algo Perdido. El Gran Oso Perdido, sí, eso era. Le facilitaron el número en el 411, y una mujer atendió el teléfono. Oyó música de fondo pero no la identificó. Al cabo de un par de minutos, el Detective se puso al aparato.

−Soy Willie Brew −dijo Willie.

−¿Qué tal, Willie?

−Así así. ¿No has leído los periódicos?

−No, he estado fuera unos días, en Aroostook. He vuelto esta mañana. ¿Por qué?

Willie le resumió lo ocurrido. El Detective no hizo ninguna pregunta hasta que Willie terminó. Se limitó a escuchar. Ése era un rasgo de él que a Willie le gustaba. Quizás aquel hombre le pusiera nervioso por diversas razones, unas reconocibles y otras no, pero a veces poseía una calma que le recordaba a Louis.

−¿Sabes adónde han ido?

−Al norte del estado. Cerca de Massena. El hombre que nos avisó mencionó a un tal Arthur Leehagen.

−¿Tenéis algún procedimiento previsto por si pasa algo?

−Hay un servicio contestador. Yo dejo un mensaje, y ellos lo recogen. En principio, cuando están de viaje, lo comprueban cada doce horas. Y eso he hecho, pero no sé cuándo han oído sus mensajes por última vez y, en fin, ya me entiendes, no me ha parecido un asunto como para quedarme de brazos cruzados esperando a que todo se arregle.

El Detective ni siquiera se molestó en preguntarle por los teléfonos móviles.

−¿Cuál era el nombre que has mencionado antes?

−Leehagen. Arthur Leehagen.

–De acuerdo. ¿Estás en el taller?

–No, estoy en el bar de Nate. Me preocupa que me hayan pinchado el teléfono.

–¿Por qué iban a pincharte el teléfono?

Willie le explicó la visita de los federales.

–Vaya. Dame el número del bar.

Willie se lo dio y colgó el auricular. Llamaron suavemente a la puerta.

–¿Sí?

Apareció Nate con una generosa copa de coñac.

–He pensado que tal vez necesitarías esto –dijo–. Invita la casa.

Willie le dio las gracias, pero rechazó la copa con un gesto.

–Gracias pero no –dijo–. Me temo que me espera una larga noche.

–¿Ha muerto alguien? –preguntó Nate.

–Todavía no –contestó Willie–. Y procuraré que las cosas sigan así.

Cuando volvió al taller casi al cabo de una hora, Arno continuaba sentado en el despacho, pero había guardado la botella de Maker's Mark y en su lugar se percibía el olor a café recién hecho de la máquina Mr Coffee.

–¿Quieres uno? –preguntó Arno.

–Cómo no.

Willie se acercó a un estante y sacó un atlas de carreteras de la AAA. Lo abrió por la página del estado de Nueva York y empezó a recorrer la ruta con el dedo. Arno llenó un tazón de café, añadió un poco de leche y lo dejó al lado de la mano derecha de su jefe.

–¿Y bien? –preguntó Arno.

–Un viaje por carretera.

–¿Vas a ir hasta allí?

–Exacto.

–¿Te parece buena idea?

Willie se detuvo a pensar por un segundo.

–No –contestó–. Probablemente no lo es.

–¿El Detective también va?

–Sí.

–¿En coche?

–Sí.

–¿No podría coger un avión? ¿No sería más rápido?

–¿Con armas? No es el dueño de Air America.

Willie se planteó quitarse el mono, pero cambió de idea. Se sentía más a gusto con él puesto, y no podía desechar así como así cualquier cosa que le aligerase el ánimo en ese momento. Se puso, pues, una vieja cazadora encima.

–Tú quédate aquí –indicó a Arno–. Por si llaman.

–En cualquier caso no tenía intención de ir –respondió Arno–. No es lo mío, ya te lo he dicho.

–Es que pensaba que te ofrecerías, como en las películas del Oeste.

–¿Estás de broma? ¿Has visto alguna vez una película del Oeste escandinava?

Willie intentó recordar si Charles Bronson era escandinavo. De hecho, creía que Bronson podía ser lituano. Lituano o algo parecido, eso sí lo sabía.

–Supongo que no –contestó finalmente.

Arno lo siguió hasta la parte de atrás del taller, al patio, donde Willie tenía el viejo Shelby. Daba la impresión de que el coche era incapaz de recorrer cinco kilómetros sin perder piezas y aceite, pero Arno sabía que no había automóvil mejor mantenido a este lado de Nueva Jersey.

–Bien.

Willie miró a Arno y asintió con la cabeza. Arno le devolvió el gesto. De pronto se sintió como la mujercita de la relación. Estuvo tentado de abrazar a Willie o de arreglarle el cuello de la camisa. Al final se conformó con estrecharle la mano a su jefe y aconsejarle cautela.

–Cuida de mi taller –dijo Willie–. Y escúchame bien, si se va todo al garete, cierra y márchate. Ponte en contacto con mi abogado. El viejo Friedman sabe lo que hay que hacer. Te he puesto en mi testamento. Si muero, no tienes por qué preocuparte.

Arno sonrió.

–De haberlo sabido, te habría matado yo mismo hace tiempo.

–Ya, por eso no te lo había dicho. Eso, o habrías estado dándome la lata a todas horas para reclamarme tu parte.

–Conduce con prudencia, jefe.

–No te preocupes. No pagues ninguna factura en mi ausencia.

Willie se subió al coche y echó marcha atrás para salir del patio. Se despidió con la mano y se fue. Arno volvió a entrar, y vio que Willie ni siquiera había tocado el café. Eso lo entristeció.

El viaje al norte era largo, tan largo que Willie jamás había afrontado uno igual sin el debido descanso. Un par de veces se planteó detenerse para tomar un café o un refresco, algo con cafeína y azúcar que lo mantuviese alerta, pero tenía una vejiga diez años mayor que él y no quería malgastar aún más tiempo teniendo que parar en la carretera para orinar veinte minutos después de haber bebido. Escuchó la WCBS hasta que la emisora empezó a perderse; luego sacó una cinta de Tony Bennett de la guantera y la puso. Notaba un nudo en el estómago. Al principio se preguntó si era miedo, pero enseguida se dio cuenta de que era expectación. Hacía tiempo que llevaba una vida muy tranquila, viviendo día a día, dedicándose a lo que le gustaba pero sin matarse, sin ponerse nunca a prueba. Willie pensó que esos tiempos habían quedado atrás, que formaban parte de su juventud, pero se había equivocado. Se palpó la Browning en el bolsillo de la cazadora. Se le antojó demasiado pequeña y ligera para ser útil, pero a la vez parecía que irradiase calor, y creyó notarlo en la pierna. Intentó imaginarse usándola y descubrió que le era imposible. Aquélla era un arma para matar de cerca, y Willie nunca había tenido que mirar a un hombre a la cara mientras le disparaba. En cuanto a su propia muerte, no creía temerla: la manera de morir, quizá, pero no el hecho en sí. Al fin y al cabo, había llegado a una edad en la que morir empezaba a convertirse en una realidad objetiva en lugar de un concepto abstracto.

No, lo que más le preocupaba era la posibilidad de fallar a Ángel y Louis, o al Detective. No quería que eso ocurriese. Quería hacer las cosas bien. Rogó valor para estar a la altura de las circunstancias si llegaba el momento.

Willie calculó que tardaría entre seis y seis horas y media en llegar desde Queens hasta donde había quedado con el Detective. Al menos había autopista la mayor parte del camino, lo que le permitió mantener una velocidad uniforme de ciento veinte kilómetros por hora casi todo el trayecto, y sólo cuando se desvió por la 87, el paisaje y la carretera empezaron a cambiar de verdad y se vio obligado a reducir la marcha. En realidad no veía nada alrededor, pero no hacía falta ser adivino para percibir el cambio en el entorno al pasar de la interestatal a las carreteras secundarias. La autopista mantenía a raya la naturaleza: eran seis carriles de tráfico a gran velocidad, y

Willie no sentía más que cierto grado de compasión por los animales atropellados con los que se cruzó a lo largo del camino. Pero cuando abandonó la interestatal para continuar por carreteras menores, se alteraron su ánimo y su perspectiva. Allí la naturaleza estaba mucho más cerca. Los árboles se cernían sobre él, y la única luz que lo guiaba era la de sus propios faros y los reflectores de advertencia insertados de vez en cuando en el asfalto. Llovió durante un rato, y las gotas parecían estrellas nacientes en los haces de las luces largas del coche. Algo pasó volando por su visual, tan grande y tan cerca que por un instante tuvo la certeza de que iba a chocar contra el parabrisas. Al principio pensó que era un murciélago, hasta que cayó en la cuenta de que los murciélagos no alcanzaban ese tamaño, no, fuera de las películas de serie B, y que era de hecho un búho tras una presa. Verlo le produjo una extraña euforia: sólo había visto búhos en televisión o en el zoo. Ni siquiera entonces había imaginado lo grandes y pesados que semejaban en pleno vuelo. Se alegró de no haber topado con él a esa velocidad: el ave le habría arrancado la cabeza.

Willie era un hombre de ciudad, y de Nueva York en particular. No es que para él los campos verdes fuesen simplemente zonas residenciales en espera de ser ocupadas. No carecía por completo de sensibilidad. No, lo que pasaba era que Nueva York no se parecía a los demás estados: su ciudad más extensa lo definía de tal manera que aquello no ocurría en ninguna otra parte del país. Al mencionar Nueva York a la mayoría de la gente, ya fueran norteamericanos o extranjeros, no pensaban en los Adirondacks ni en el río Saint Lawrence, ni en bosques y árboles y cascadas. Pensaban en una ciudad, en rascacielos y taxis amarillos y hormigón y cristal. Eso era Nueva York también para Willie. No lo identificaba con su otra cara rural.

De pronto cayó en la cuenta de que Ángel y Louis debían de haber recorrido ese mismo camino. Les seguía los pasos, iba tras su pista. Esta idea pareció renovar su sentido de misión. Echó un vistazo al cuentakilómetros y calculó que en una hora poco más o menos llegaría al sitio donde debía reunirse con el Detective. Volvió a notar un nudo en el estómago. Sintió el peso del arma en el bolsillo.

Siguió conduciendo.

19

Igual que Ángel y Louis unas horas antes, Willie dejó atrás pueblos pequeños y bosques para adentrarse en un conglomerado de moteles y casinos cerca de la frontera canadiense. Sólo había llegado tan al norte del estado una vez, y en esa ocasión fue más al oeste, a Niágara. Había ido allí de luna de miel con su ex mujer. En enero. Debía de estar loco, pero es que estaba enamorado, claro, y a ninguno de los dos le entusiasmaba el verano. Él ya había sudado y pasado calor de sobra en Vietnam, y ella sencillamente quería ver las cataratas. Le dijo que serían incluso más espectaculares en invierno, rodeadas de hielo y nieve. A él le impresionaron bastante, aunque el frío que lo caló hasta los huesos debería haberle servido como advertencia de lo que vendría después en su vida de casado. Visto lo visto, tendría que haberla metido en un barril allí mismo y tirado por el precipicio.

Vio el Mustang del Detective aparcado frente a La Guarida del Oso, una gran cafetería para camioneros a unos quince kilómetros de Massena, y experimentó una sensación de orgullo ante el vehículo. Él le había encontrado el coche al Detective y obligó al concesionario a rebajar el precio hasta que pareció que el pobre iba a echarse a llorar. Willie se llevó luego el Mustang al taller y lo desmontó por completo, examinó cada pieza móvil y sustituyó las que estaban gastadas o amenazaban con pasar a mejor vida en uno o dos años. Al verlo allí, mucho más al norte, se sintió como quizá se sintiera un director de colegio al tropezarse con un antiguo alumno al que le habían ido especialmente bien las cosas. Casi esperó que el coche emitiese un suave toque de bocina en señal de reconocimiento cuando se acercó. Después de aparcar dio dos vueltas alrededor del Mustang, sometiendo a un breve examen tanto el interior como el exterior. Al acabar, dejó escapar un suspiro de satisfacción. Había un par de marcas minúsculas en la pintura, y el neumático anterior derecho tenía la banda de rodamiento un poco gastada, pero por lo demás se veía en buen estado. Así y todo, esperaba poder echarle un buen vistazo bajo el capó pronto. No dudaba que en Maine hubiera mecánicos mínimamente aceptables, pero no podían amar a sus criaturas como él. Dio unas palmadas afectuosas al capó y entró en la cafetería pasando por delante de unos raídos osos disecados en una vitrina junto a la puerta, y a los que les faltaba el pelo en algunas zonas. Lo deprimieron y apretó el paso para perderlos de vista.

Eran poco más de las seis de la madrugada y empezaba a clarear. Hacía un rato que había parado de llover, pero el cielo seguía gris y amenazador, y Willie supo que continuaría el mal tiempo. La Guarida del Oso, un establecimiento grande, ya estaba medio lleno de gente desayunando en los reservados. También fumaban. Una vez más recordó Willie que allí no se aplicaban las normas de la ciudad de Nueva York. En la ciudad, si uno intentaba encender un cigarrillo durante el desayuno, tenía a un policía arrodillado sobre la espalda antes de llegar a la sección de humor del periódico, eso en el supuesto de que los otros clientes de la cafetería no lo hubiesen matado antes de una paliza.

El Detective ocupaba un reservado de vinilo rojo al fondo del comedor. A su lado, en el alféizar de la ventana, había una bala de heno falsa hecha de virutas de madera, coronada con un espantapájaros en miniatura y calabazas de plástico. Vestía vaqueros de color azul oscuro, una camiseta negra y una cazadora negra de estilo militar. Pese a la cálida temperatura de la cafetería, no se había quitado la cazadora. Willie adivinaba la razón. Debajo, en algún sitio, llevaba una pistola. El Detective debería haber entregado todas sus armas después de retirársele el permiso y la licencia, pero Willie dedujo que eso sólo era aplicable a las armas de las que tenía constancia la policía. Como Louis, el Detective no era de los que andaban por ahí pregonando todas sus pertenencias.

Ante él había una taza de café y los restos de unos huevos escalfados con beicon. Willie tomó asiento enfrente y apareció una camarera. Pidió café y tostadas. No tenía mucha hambre. Tampoco estaba cansado, o no tanto como se había temido. Eso lo sorprendió. Aunque en general tendía a dormir poco. Normalmente le bastaba con cuatro o cinco horas por noche.

–He visto que no has podido resistirte a echarle una ojeada al Mustang –comentó el Detective. Sonreía.

–Uno los suelta en el mundo y tiene la esperanza de que el mundo los trate como se merecen –dijo Willie–. Sucede como con los hijos.

Vio vacilar la sonrisa del Detective y se arrepintió de haber mencionado a los hijos. Si uno perdía a un hijo, sobre todo como lo había perdido aquel hombre, arrastraba siempre la herida en carne viva.

–¿Va bien? –preguntó Willie, pasando a un terreno más seguro.

–Va perfectamente.

–Siempre ayuda que no ande recibiendo tiros.

Willie nunca había perdonado del todo al Detective por permitir que su anterior Mustang, localizado también por él, acabase destrozado a balazos en un pueblo perdido de Maine. El coche había quedado irrecuperable, aunque a ese respecto Willie había tenido que confiar en el testimonio de Ángel. Se había ofrecido a transportar el coche de regreso a Queens a su costa para ver qué podía hacerse, pero Ángel, poniéndole una mano en el hombro en un gesto de consuelo, le aseguró en voz baja que quizás eso no fuera una buena idea. Imaginó que sólo de ver lo que quedaba del coche, Willie se llevaría un disgusto de muerte. Habría sido como estar ante un ataúd cerrado en el funeral de un pariente muy querido.

–Por poco que puedo, evito los disparos, eso te lo aseguro –dijo el Detective.

¿Y lo consigues?, estuvo tentado de preguntar Willie. El Detective parecía ejercer una irresistible fuerza de atracción sobre balas, navajas, puños y prácticamente todo aquello capaz de lastimar un cuerpo. A Willie lo ponía nervioso el mero hecho de estar sentado tan cerca de él.

Llegaron el café y las tostadas, y lo distrajeron por un momento de su preocupación por la seguridad personal. El café sabía bien, y sintió que el cerebro respondía a la subida de azúcar y cafeína.

–¿Podemos hablar aquí? –preguntó Willie.

–Yo no lo haría. Podemos hablar en el coche. Doy por supuesto que no han telefoneado, ¿no?

–No. –De pronto el móvil de Willie emitió un pitido. Lo sacó del mono con un asomo de esperanza, pero vio que era un mensaje de bienvenida a Canadá.

–No estamos en Canadá, ¿verdad que no? –preguntó.

–No a menos que nos hayan invadido discretamente.

–Putos canadienses –comentó Willie, convirtiendo su decepción en ira y apuntándola hacia el norte–. Sería muy propio de ellos.

236

Volvió a mordisquear su tostada. Eran muchas las preguntas que quería hacer, entre otras si estaban allí solos. El Detective era bueno en lo suyo. Ángel y Louis se lo habían dicho no pocas veces, y no existía razón alguna para dudar de su palabra, pero Willie no tenía muy claro que dos hombres solos fueran capaces de resolver la situación a la que se enfrentaban, fuera cual fuese. Por mucho que apreciase a Ángel y a Louis, Willie no sentía el menor deseo de lanzarse a su pira así porque sí. De repente tomó plena conciencia de la gravedad de la situación, dejó la tostada a medio comer y se le cortó el poco apetito que tenía. Se disculpó y fue al lavabo. Allí se remojó la cara y el cuello con agua fría y se secó con un puñado de toallas de papel. Luego volvió a salir.

La cuenta estaba pagada, y el Detective lo esperaba en la puerta. Si sabía cómo se sentía Willie, no lo demostró.

—¿Quieres coger algo de tu coche? —preguntó el Detective.

—No. Llevo encima todo lo que necesito.

Instintivamente, Willie se dio un par de palmadas en la Browning, y al instante se sintió ridículo. Parecía un pistolero: un pistolero fanfarrón, de esos que recibían un tiro al final de la tercera bobina. El Detective lo miró con expresión burlona.

—¿Estás bien, Willie?

—No es ésa la imagen que quería dar —respondió Willie en tono de disculpa—. Ya me entiendes, a lo Harry el Sucio o algo así. Pero es que no estoy acostumbrado a estas cosas.

—Por si te sirve de consuelo, yo hago esto a menudo, más de lo que querría, y tampoco estoy acostumbrado.

Subieron los dos al Mustang, y el Detective arrancó. Recorrieron un par de kilómetros hasta llegar a un aparcamiento vacío, donde el Detective entró y apagó el motor. Sacó unos papeles. Eran imágenes vía satélite, impresas en alta resolución desde un ordenador. Una mostraba una residencia de gran tamaño. En la segunda se veía un pueblo. Las otras eran de carreteras, ríos, campos.

—¿De dónde has sacado esto? ¿De la CIA? —preguntó Willie.

—De Google —contestó Parker—. Podría planear la invasión de China desde el ordenador de casa. Arthur Leehagen tiene una finca al sur de aquí; eso que ves ahí, junto al lago, es la casa principal. Parece que hay dos carreteras de entrada y salida, ambas en dirección oeste poco más o menos. Cruzan un río, lo que significa que las tierras de Leehagen están rodeadas de agua casi completamente, salvo por dos estrechas franjas al norte y el sur, donde el río se acerca al lago antes de desviarse. La carretera del sur gira hacia el noroeste, y la carretera del norte hacia el sudoeste, de manera que casi se cruzan cerca de la casa de Leehagen. Las atraviesan otras dos carreteras, que van de norte a sur, la primera cerca del río, la segunda a un par de kilómetros hacia el interior.

El Detective señalaba los detalles de una de las imágenes mientras hablaba. Willie no tenía ordenador. Creía que a sus años ya era demasiado tarde para interesarse por esas cosas, y además apenas le quedaba tiempo libre. Tenía una vaga idea de lo que podía ser Google, pero no habría sido capaz de explicárselo a nadie de manera comprensible, ni siquiera a sí mismo. Así y todo, le impresionaba lo que el Detective estaba enseñándole. Se habían librado guerras con información menos detallada que aquélla. Él mismo había combatido en una.

–¿Te encuentras cómodo con la pistola que llevas? –preguntó el Detective.

–Me la dio Louis.

–Entonces seguro que es buena. ¿Has disparado un arma en fecha reciente?

–No desde Vietnam.

–Bueno, no han cambiado mucho. Enséñamela.

Willie entregó la Browning al Detective. Cargada, pesaba menos de un kilo, y tenía un tono azulado. Era un modelo anterior a 1995, ya que llevaba un cargador con capacidad para trece balas en lugar de diez. Según el indicador del expulsor, la recámara estaba vacía.

–Un arma bonita y ligera –dijo Parker–. No es nueva pero está limpia. ¿Tienes un cargador de reserva?

Willie negó con la cabeza.

–Con suerte, no te hará falta. Si hay que vaciar cargadores, casi con toda seguridad será porque estamos en inferioridad numérica, así que dará igual.

Willie no encontró sus palabras muy tranquilizadoras.

–¿Puedo preguntarte una cosa? –dijo.

–Claro.

–¿Estamos solos tú y yo? O sea, no te lo tomes a mal, pero no somos precisamente la Delta Force.

–No, no estamos solos. Hay más.

–¿Dónde están?

238

–Han llegado antes que nosotros. De hecho... –Parker consultó el reloj–. Deberíamos reunirnos con ellos ahora.

–Tengo otra pregunta –dijo Willie cuando el Detective puso el motor en marcha.

–Adelante.

–¿Hay un plan?

El Detective lo miró.

–Que no nos peguen un tiro –contestó.

–Me parece un buen plan –dijo Willie con toda sinceridad.

El Detective conducía con los faros encendidos. Willie pensó que los llevaba un poco altos, pero no dijo nada. Ya se ocuparía de eso más adelante. Su mayor preocupación en ese momento era la posibilidad de que le pegaran un tiro. En Vietnam le habían disparado, pero ni una sola bala había dado cerca de él. Conservaba la esperanza de que las cosas siguieran así. No obstante, convenía saber qué cabía esperar. Había visto a hombres heridos de bala, y la diversidad de las reacciones lo había sorprendido. Unos gritaban y lloraban, otros sencillamente se quedaban callados, guardándose dentro todo el dolor, y también había quienes actuaban como si fuese algo sin la menor trascendencia, como si a causa de una esquirla de metal caliente enterrada en lo más hondo de la carne sólo se les hubiera cortado la respiración por un instante. Al final sucumbió a la tentación de plantear la pregunta.

–A ti te han herido de bala alguna vez, ¿verdad?

–Sí, alguna vez –contestó el Detective.

–¿Y cómo fue?

–No lo recomiendo.

–Ya, bueno, eso ya me lo imagino.

–No creo que el mío fuera el caso más corriente. Había caído en agua helada y en el momento de herirme es probable que ya me encontrara en estado de shock. Era una bala de punta sólida, de modo que no se expandía en el momento del impacto, sino que traspasaba. Me dio aquí. –Se señaló el costado izquierdo–. Era básicamente tejido graso. Ni siquiera recuerdo demasiado dolor al principio. Salí del agua y me eché a caminar. Entonces empezó a dolerme de verdad. Mucho, muchísimo. Una mujer... –El Detective se interrumpió. Willie se limitó a esperar en silencio a que continuase–. Una mujer que yo conocía... tenía cierta experiencia como enfermera. Me cosió la herida. Después de eso aguanté un par de horas. No sé cómo. Creo que seguía en estado de shock, todavía, y estábamos en una situación complicada, Louis, Ángel y yo. A veces pasan esas cosas. Personas heridas encuentran la manera de mantenerse en pie porque no les queda más remedio. A mí me sostenía la adrenalina, y había desaparecido una chica, la hija de Walter Cole.

Willie había oído contar a Ángel parte de esa historia.

–Un par de días después me vine abajo. Según los médicos, fue una reacción retardada a lo sucedido. Había perdido unos cuantos dientes, y creo que lo que me hizo el dentista para arreglarme la boca me dolió casi tanto como el balazo. En cualquier caso, pareció precipitar lo que vino después, como si mi cuerpo hubiese decidido que ya tenía bastante. Pretendían ingresarme, pero yo preferí descansar en casa. La herida tardó un tiempo en dejar de dolerme. Ahora, según cómo me doblo, aún siento una punzada. Como te he dicho, no lo recomiendo.

–Vale –contestó Willie–, lo tendré en cuenta.

Abandonaron la carretera principal y enfilaron hacia el sur. Al cabo de un rato, el detective aminoró la velocidad y buscó algo a su derecha. Apareció una carretera con el rótulo PROPIEDAD PRIVADA. El Detective se desvió por allí y siguió un breve trecho hasta llegar a un puente, donde detuvo el coche. Los dos permanecieron en sus asientos, sin moverse. Se veía una luz entre los árboles, y a Willie le pareció oír un pitido intermitente. Miró a la izquierda y vio que el Detective tenía una pistola en la mano derecha. Willie sacó la Browning del bolsillo de la cazadora y quitó el seguro. El Detective se volvió hacia él y asintió con la cabeza.

Salieron del coche simultáneamente y avanzaron en dirección a la luz. Al acercarse, Willie vio el vehículo con mayor claridad. Era un Chevy Tahoe. La ventanilla lateral se había desintegrado, y el cuerpo de un hombre, con una herida irregular en el pecho, yacía desplomado en uno de los asientos. El Detective circundó el Chevy con la pistola en alto hasta llegar a un segundo cadáver entre los árboles. Willie se reunió con él y contempló los restos. El hombre, tendido boca abajo, tenía un agujero en la nuca.

–¿Quiénes son? –preguntó.

–No lo sé. –Se arrodilló y tocó la piel del cadáver con el dorso de la mano–. Llevan ya un rato muertos. –Miró sus botas. Muy limpias, con un lustre casi militar, o esa impresión dio a Willie. Sólo un poco manchadas de barro–. No son de por aquí –observó el Detective.

–No –corroboró Willie. Apartó la mirada–. ¿Crees que estos hombres han venido con Ángel y Louis?

El Detective se detuvo a pensar.

–No habrían intentado liquidar a Leehagen ellos solos, no con tanto territorio por cubrir. Tendría sentido mantener los puentes vigilados. Así que supongo que sí, que formaban parte del plan de Louis, lo que significa que los hombres de Leehagen los han encontrado y matado.

Se acercó al puente y miró hacia el bosque oscuro al otro lado.

–¿Y dónde está el resto de la caballería? –preguntó Willie.

El Detective suspiró y señaló más allá del puente.

–Ahí. En algún sitio.

–Deduzco que no es donde deberían estar, ¿me equivoco?

El Detective cabeceó.

–Ésos nunca están donde deberían estar.

20

Aquellos dos hombres se llamaban Willis y Harding. Casualmente, compartían el mismo nombre de pila: Leonard. Ésa era la razón por la que de niños se peleaban como perro y gato en su pueblo, un pueblo pequeño en un estado grande, la clase de sitio donde tenía su importancia quién era Leonard Primero y quién Leonard Segundo.

Con el tiempo, resultó que los dos chicos estaban bastante igualados en todo, y en su momento surgió entre ellos un lazo de amistad, un lazo que se consolidó finalmente cuando mataron a un tal Jessie Birchall a patadas frente a un bar en Homosassa Springs, Florida, por tener la osadía de insinuar que Willis no debería haber tocado el culo a la prometida de Jessie cuando ésta iba al lavabo de mujeres. Al ser interrogada por la policía, la prometida en cuestión declaró que no recordaba nada del aspecto de los dos jóvenes, pese a que uno de ellos le había pegado con fuerza suficiente para romperle el pómulo izquierdo cuando ella intervino en defensa de su prometido. Este olvido no fue del todo ajeno al hecho de que, mientras Jessie Birchall se asfixiaba en una mancha roja entre la basura del suelo de cemento del aparcamiento, Willis, con la sangre del moribundo aún caliente en las manos, le había susurrado algo a la chica al oído durante treinta segundos, tiempo de sobra para que ella supiese qué le ocurriría exactamente si consideraba oportuno compartir con la policía lo que había presenciado. De hecho, Jessie Birchall tampoco le gustaba tanto, o al menos no como para padecer lo que Willis proponía. Ella sólo tenía dieciocho años, y ya encontraría otros prometidos.

Con el tiempo, Willis y Harding acabaron en la nómina de Arthur Leehagen, un hombre cuyos métodos ilegales de ganar dinero corrían, de manera fluida aunque discreta, paralelos a sus negocios más legítimos. Willis y Harding, como varios de los empleados más especializados de Leehagen, contribuían esencialmente en el desarrollo de las primeras de dichas actividades, aunque habían demostrado su utilidad también en las segundas siempre que surgían problemas. Cuando el cáncer empezó a brotar como flores de color rojo oscuro, fue a Willis y Harding a quienes mandaron a hablar con los afectados más iracundos, los que amenazaban en voz alta con entablar demanda o denunciar el hecho a la prensa. Si bien a veces bastaba con una visita, en alguna que otra ocasión se vieron obligados a esperar frente a las puertas de un colegio para sonreír a las madres que recogían a sus hijos, o a sentarse en lo alto de las gradas durante los ensayos de las animadoras, contemplando cómo se levantaban aquellas minifaldas, comiéndose con los ojos aquellos muslos y pechos. Y si el entrenador decidía preguntarles qué se habían creído que hacían allí…, en fin, también él tenía hijos. Como Willis se complacía en decir, había de sobra para todos, chicos y chicas por igual, y él no tenía manías. Y si llamaban a la policía, pues resultaba que Willis y Harding trabajaban para el señor Leehagen, y allí eso equivalía a inmunidad diplomática.

Y si alguien, ya fuera por obstinación o estupidez, desoía esas advertencias, pues…

Willis y Harding casi podrían haber sido de la misma familia, porque guardaban cierto parecido. Los dos eran altos y fibrosos, de pelo rubio pajizo tirando a rojo y tez clara salpicada de pecas que en algunos puntos se agrupaban formando en la cara manchas oscuras como las sombras proyectadas por las nubes. Pero nadie les había preguntado nunca si eran parientes. A decir verdad, nadie les preguntaba gran cosa. Los habían contratado precisamente porque eran hombres a quienes no parecía prudente hacerles preguntas. Rara vez hablaban, y cuando lo hacían, era en susurros y con un tono muy discreto, dando la impresión de que su voz contradecía el contenido de sus palabras, y sin embargo a quienes los oían no les cabía la menor duda acerca de su sinceridad. Corría el rumor de que eran homosexuales, pero en realidad eran omnisexuales. La intimidad entre ellos nunca había llegado a lo físico, aunque por lo demás los dos saciaban de buena gana sus apetitos siempre que surgía la ocasión. Habían compartido hombres y mujeres, a veces juntos, a veces por separado, y los objetos de su atención se habían sometido a veces por propia voluntad, a veces no.

Esa mañana, cuando clareó y la lluvia cesó por un rato, viajaban en la furgoneta, Willis al volante y Harding vuelto hacia la ventana, lanzando al aire plácidamente el humo de un cigarrillo, vestidos ambos con vaqueros, camisas azules y botas de faena negras. Su función principal en la operación consistía en vigilar el puente del lado norte y sus inmediaciones, así como patrullar por la carretera circular exterior de la finca de Leehagen no fuera que, por algún milagro, los dos hombres atrapados consiguieran atravesar el primer cordón.

Al lado tenían las armas que habían utilizado para matar a Lynott y Marsh. Otros se habían ocupado del segundo par de hombres. Willis había sentido una maligna satisfacción al saber que Benton, pese a sus protestas, había quedado excluido. A Willis no le caía bien Benton: era un lugareño y nunca pasaría de matón de pueblo. Willis opinaba que a Nueva York tendrían que haberlos enviado a Harding y a él, no a Benton y los retrasados mentales de sus colegas, pero Benton era amigo de Michael Leehagen, y el hijo del viejo había decidido darle una oportunidad de demostrar su valía. Y Benton algo sí había demostrado, eso desde luego: había demostrado que era un gilipollas.

Ahora, una vez muertos los hombres apostados en los puentes, Willis y Harding ya no debían preocuparse por nuevas incursiones; aun así, pensaban permanecer en la carretera exterior, por si acaso. Ahora tenían la cabeza en otros asuntos. Al igual que otros empleados de Leehagen, Harding no entendía por qué no les permitían a ellos ocuparse sin más de los dos intrusos restantes. No veía sentido a pagar una suma considerable de dinero a un desconocido para hacerlo por ellos. En ningún momento se les pasó siquiera por la mente que el hombre llegado con la misión de matarlos tal vez tuviese razones personales para hacerlo.

Una palabra de Willis lo distrajo de sus cavilaciones.

–Mira.

Harding miró. En el arcén derecho, de cara hacia ellos, había aparcado un enorme cuatro por cuatro. Flanqueaban la carretera extensos pinares. Vieron a un hombre sentado en un tronco cerca del vehículo. Con las piernas estiradas ante él, se comía una chocolatina. A un lado tenía un cartón de leche. Parecía el hombre más feliz del mundo. Willis y Harding decidieron, los dos a una, que eso no podía seguir así.

–¿Qué coño hace ése ahí? –dijo Willis.

–Vamos a preguntárselo.

Se detuvieron a unos tres metros del *monster truck* y salieron de la furgoneta sosteniendo las escopetas relajadamente en los brazos. El hombre los recibió con un gesto cordial.

–¿Qué tal, chicos? –saludó–. Hace una mañana estupenda en las tierras del Señor.

Willis y Harding se quedaron pensativos por un momento.

–Éstas no son tierras del Señor –contestó Willis–. Son tierras de Arthur Leehagen. Aquí no entra sin permiso ni siquiera el Señor.

–¿Ah, no? Yo no he visto ningún cartel.

–Pues tendrías que haberte fijado más. Están ahí mismo: en los dos pone «Propiedad privada», claro como el agua. Quizás es que no sabes leer.

El hombre dio otro bocado a su chocolatina.

–Vaya –dijo con la boca llena de cacahuetes y chocolate–, puede que estén y yo no los haya visto. Andaba muy ocupado mirando el cielo, imagino. Está precioso.

Y lo estaba, una sucesión de amarillos y anaranjados en pugna con los nubarrones. Era la clase de cielo matutino que inspiraba poesía incluso en los corazones de los hombres con menos facilidad de palabra, a excepción hecha de Willis y Harding.

–Más te vale mover tu vehículo –advirtió Harding con su voz más baja y amenazadora.

–Imposible, chicos –contestó el hombre.

Harding volvió la cabeza a un lado ligeramente, tal como haría un pájaro al ver forcejear un gusano bajo sus garras.

–Me parece que no te he oído bien –dijo.

–Ah, no te preocupes, también a mí me ha parecido no oírte bien –repuso el hombre–. Hablas muy bajito. Deberías levantar más la voz. Es difícil que te presten atención si vas por ahí hablando en susurros. –Respiró hondo y, con un vozarrón salido de lo más hondo del pecho, declamó–: Tienes que llenar los pulmones de aire, dar a las palabras algo sobre lo que flotar.

Se acabó la chocolatina y a continuación se guardó el envoltorio cuidadosamente en el bolsillo de la cazadora. Alargó el brazo hacia el cartón de leche, pero Harding lo volcó de una patada.

–Eh, me apetecía mucho terminármela –protestó el hombre–. Me la estaba reservando para el final.

–He dicho que más te vale mover tu vehículo –repitió Harding.

–Y yo te he dicho que es imposible.

Willis y Harding se acercaron al cuatro por cuatro. El hombre no se movió. Empuñando la escopeta por el cañón, Willis rompió el faro derecho de un culatazo.

–Eh, tú... –dijo el hombre.

Indiferente a él, Willis procedió a hacer añicos también el faro izquierdo.

–Mueve el vehículo –ordenó Harding.

–Ya me gustaría, de verdad, pero no puedo complaceros.

Harding accionó el mecanismo de la escopeta para colocar un cartucho en la recámara, se la llevó al hombro y disparó. El parabrisas estalló en pedazos y en la tapicería de piel quedaron incrustados balines y cristales rotos.

El hombre levantó las manos. No era un gesto de rendición, sino simplemente de decepción e incredulidad.

–Vaya, vaya, chicos –dijo–. No había necesidad de hacer eso, ninguna necesidad. Ése es un buen cuatro por cuatro. Esas cosas no se hacen con un buen cuatro por cuatro. Es... –buscó las palabras exactas–... una cuestión de estética.

–Tú no escuchas.

–Yo sí escucho; sois vosotros los que no me escucháis a mí. Ya os lo he dicho: me gustaría moverlo, pero me es imposible.

Harding lo apuntó con la escopeta. Cuando volvió a hablar, bajó aún más la voz si cabe.

–Te lo repito por última vez. Mueve... tu... vehículo.

–Y yo te repito por última vez que es imposible.

–¿Por qué?

–Porque no es mío –contestó el hombre, señalando detrás de Harding–. Es de ellos.

Harding se dio media vuelta. Fue la penúltima cosa que hizo en esta vida.

La última fue morir.

Los hermanos Fulci, Tony y Paulie, no eran malas personas. De hecho, tenían un sentido del bien y del mal muy claramente desarrollado, aunque simple. Las cosas que estaban mal sin lugar a dudas incluían: hacer daño a mujeres y niños; hacer daño a cualquier miembro del muy reducido círculo de amigos de los Fulci; hacer daño a cualquiera que no lo mereciese (lo cual, debe reconocerse, se prestaba a interpretaciones divergentes, sobre todo por parte de las víctimas de una paliza de los Fulci por lo que parecía, a ojos de los apalizados, una infracción relativamente menor); y ofender de cualquier manera a Louisa Fulci, su querida madre, lo cual era un pecado mortal y no admitía discusión.

Las cosas que estaban bien incluían hacer daño a todo aquel que incumpliese las normas antes enumeradas y..., en fin, eso era todo. Había criaturas nadando en estanques con una concepción moral más compleja que la de los Fulci.

Se habían trasladado a Maine en plena pubertad, después de morir su padre asesinado en una reyerta por la ruta de recogida de basura en Irvington, Nueva Jersey. Louisa Fulci quería algo mejor para sus hijos que la vida que les esperaba si se veían atraídos inevitablemente a la delincuencia a la que había estado vinculado su difunto esposo. Incluso a las edades de trece y catorce años respectivamente, Tony y Paulie parecían candidatos idóneos para usarse como instrumentos de fuerza bruta. Entonces medían apenas un metro setenta pero cada uno pesaba tanto como dos chicos de su edad juntos, y su proporción de grasa corporal era tan baja que una modelo anoréxica habría llorado por ella.

Por desgracia, hay individuos cuyo físico los condena a cierto camino en la vida. Los Fulci tenían aspecto de delincuentes, y parecía inevitable que se convirtieran en delincuentes. La posibilidad de que engañaran al destino se vio más dificultada aún por su constitución emocional y psicológica, que, siendo muy generosos, podría describirse como inflamable. Los Fulci tenían la mecha tan corta que apenas existía. Con el paso del tiempo, muchos profesionales médicos, varios vinculados a los servicios de libertad condicional y bienestar carcelario inclusive, intentaron en vano equilibrar los temperamentos de los Fulci mediante tratamientos farmacológicos. Lo que descubrieron con ello fue fascinante, y habría podido dar lugar a interesantes artículos para el estudio profesional y académico si los Fulci hubiesen estado dispuestos a cooperar en su elaboración quedándose quietos el tiempo suficiente.

En la mayoría de los trastornos psicológicos, la conducta aberrante podía moderarse o controlarse por medio de la aplicación acertada de un cóctel de diversos medicamentos. Todo se reducía a encontrar la combinación correcta de fármacos y alentar al paciente a tomarla de manera regular y continuada. En cambio, por lo que se refería a los Fulci, se descubrió que dichos fármacos sólo surtían efecto durante un breve periodo de tiempo una vez en el organismo, a menudo un mes o menos. Después de eso, la eficacia decrecía, y al aumentar la dosis, la conducta psicótica no disminuía de manera proporcional. Los profesionales médicos partían otra vez de cero, desarrollaban otra posible combinación ganadora de píldoras azules, rojas y verdes, sólo para descubrir que, una vez más, las inclinaciones naturales de los Fulci parecían reafirmarse. Eran como receptores de órganos que rechazaban el riñón del donante, o ratas de laboratorio cautivas que, al verse ante un obstáculo en el camino hacia su comida, poco a poco encontraban la manera de sortearlo.

Uno de los psiquiatras incluso llegó al punto de poner título a un posible artículo sobre los Fulci. Se llamaba «Psicosis viral: un nuevo enfoque de la conducta psicótica en los adultos», pues su teoría era que la psicosis de los Fulci guardaba cierta semejanza con la manera de mutar de determinados virus en respuesta a los intentos médicos de contrarrestarlos. Los Fulci eran psicóticos de un modo que iba mucho más allá de cualquier concepción normal del término. El artículo no se publicó porque el psiquiatra temió tanto las burlas de sus colegas como los posibles daños físicos a su persona si los Fulci llegaban a enterarse de que los habían llamado psicóticos, aun bajo el disfraz de seudónimos protectores. Los Fulci no eran tontos. Un veterano de las fuerzas del orden había afirmado en cierta ocasión que los Fulci «ni siquiera sabían cómo se escribía la palabra rehabilitación». Eso era falso. Los Fulci sí sabían escribirla. Sencillamente no concebían cómo podía aplicarse el término a su propia situación, porque no tenían la menor conciencia de su propia psicosis. Ellos eran felices. Querían a su madre. Sabían valorar a sus amigos. Estaba todo muy claro. Por lo que atañía a los Fulci, la rehabilitación era para delincuentes, y ellos no eran delincuentes. Sólo lo parecían, y eso no era lo mismo ni mucho menos.

A lo largo de los años, ciertas ramas de la ley y el orden habían encontrado motivos para diferir de la interpretación de los Fulci respecto a su estado. Los hermanos habían sido encarcelados en Seattle, acusados de robar vodka ruso en el puerto por valor de 150.000 dólares, pese a que sólo los habían contratado para conducir los camiones. No obstante, fue a ellos a quienes encontraron en posesión de las botellas, y pagaron el pato. También habían cumplido condena en Maine, Vermont, New Hampshire y la provincia marítima canadiense de New Brunswick, en esencia por delitos relacionados con lo que su buen amigo Jackie Garner llamaba «traspasos de propiedad», que en ocasiones conllevaban cierto grado de violencia si alguien, intencionadamente o sin darse cuenta, incumplía una de sus normas. La ignorancia de éstas no eximía de su cumplimiento, como ocurre con la ley.

Pero el momento culminante de sus vidas tuvo lugar cuando los detuvieron por asesinato en Connecticut. La víctima fue un corredor de apuestas llamado Benny «el Jadeante», que había empezado a practicar la contabilidad creativa sin la aprobación de sus jefes. Dichos jefes eran parientes lejanos de algunos de los individuos implicados en la reyerta por la retirada de basuras que había puesto fin a la vida del padre de los Fulci. Benny el Jadeante debía su apodo a una condena por hacer llamadas telefónicas obscenas y lascivas a diversas mujeres que no se habían sentido ni mucho menos halagadas por sus atenciones. Como Benny había hecho todas las llamadas desde la comodidad de su propia cama, la policía no había tenido grandes dificultades para localizarlo. En el transcurso de su detención, Benny tropezó de mala manera en la escalera de su edificio, debido a que una de las mujeres a quienes había llamado era la esposa de un sargento de la comisaría del barrio. Esta caída dejó a Benny con una leve cojera, y por eso a veces lo llamaban también Benny «el Rengo». A Benny no le hacía mucha gracia ninguno de sus apodos, y había protestado airadamente por el uso de cualquiera de ellos, pero la certera penetración de una bala en su cabeza había resuelto el problema para todos los interesados.

Por desgracia, un buen ciudadano había presenciado el crimen y ofrecido una descripción de los responsables, que casualmente concordaba con la de los hermanos Fulci. Fueron llevados a comisaría, reconocidos en una rueda de identificación y procesados por asesinato. Se encontraron pruebas circunstanciales que confirmaban su presencia en el lugar de los hechos, lo cual casi sorprendió tanto a los Fulci como su identificación inicial en la rueda, dado que ellos no habían matado a nadie, y desde luego no a Benny el Jadeante, alias Benny el Rengo.

El juez, teniendo en cuenta los informes psiquiátricos, los condenó a cadena perpetua, y los mandaron a instituciones distintas: a Paulie a la Penitenciaría Corrigan de Nivel Cuatro, en Uncasville; a Tony a la Penitenciaría Norte de Nivel Cinco, en Somers. Esta última estaba concebida básicamente para el control de los reclusos que habían demostrado ser incapaces de adaptarse al aislamiento y planteaban una amenaza para la comunidad, el personal y los otros reclusos.

Se ordenó la encarcelación inmediata de Tony en ese lugar –ya no pasas más por la casilla de SALIDA ni vuelves a cobrar doscientos dólares– porque su cabeza empezó a liberarse de los grilletes de la medicación en pleno juicio, dando lugar a un altercado en el que un policía del calabozo acabó con una fractura de mandíbula.

Y allí se habrían quedado los hermanos –perplejos, dolidos e inocentes– si los hombres que habían ordenado la muerte de Benny el Jadeante/Rengo no hubieran sentido una punzada de mala conciencia al ver a dos italoamericanos condenados injustamente por asesinato, en especial aquellos dos italoamericanos cuyo padre había muerto en interés del bien criminal, dejando a una viuda considerada por todos un modelo de maternidad étnica. Se hicieron llamadas, y se dio a entender a un abogado de causas perdidas que las sentencias en cuestión no eran sólidas. La acusación contra los Fulci se debilitó más aún cuando en New Haven se detuvo a dos caballeros igual de corpulentos, en posesión del arma que había matado a Benny, después de atentar contra la vida del dueño de un club nocturno. Por lo visto, la pistola tenía un valor sentimental para uno de los dos y se había resistido a desprenderse de ella.

De resultas, los Fulci fueron indultados y puestos en libertad después de treinta y siete meses en la cárcel, además de obtener una sustanciosa indemnización del estado de Connecticut por las molestias. Destinaron esa cantidad a asegurarse de que su madre viviera con comodidad y con elegancia por el resto de sus días. Louisa, a su vez, daba a los hermanos una asignación semanal para gastarla a su antojo. Ellos optaron por destinarla básicamente a la compra de cerveza y chuletas, y un *monster truck,* un Dodge cuatro por cuatro que habían adaptado hasta el último detalle. Era su bien más preciado en el mundo, después de su madre, y de ellos mismos, el uno para el otro.

Ése era el vehículo que Willis y Harding acababan de destrozar con sus escopetas.

–Joder –exclamó Jackie Garner, ya que era él quien estaba sentado junto a la carretera esperando pacientemente a que los Fulci terminaran de hacer sus cosas en el bosque–, ahora sí que la habéis liado.

Fue en éstas que Harding se dio media vuelta y vio salir del bosque a dos hombres muy corpulentos y muy airados. Uno se cerraba apresuradamente la bragueta. El otro miraba el cuatro por cuatro con expresión de disgusto. Sus rostros, que tendían a la rojez incluso en momentos de calma relativa, habían adquirido el color de un par de ciruelas mutantes. A ojos de Harding, parecían trols con ropa de poliéster, frigoríficos gemelos vestidos con enormes pantalones y cazadoras. Tan anchos eran que ni siquiera podían caminar con normalidad: arrastraban los pies y se tambaleaban como robots. Verlos avanzar torpemente en dirección a ellos desconcertó tanto a Harding y Willis que tardaron un momento en reaccionar, y Harding estaba aún levantando la escopeta cuando el puño de Tony Fulci lo alcanzó en la cara, fracturándole varios huesos simultáneamente y lanzándolo de espaldas contra Willis, que acababa de alzar su propia arma y se disponía a disparar. La descarga atravesó a Harding y lo mató en el acto, al mismo tiempo que Jackie Garner se levantaba y asestaba un golpe en la nuca a Willis con la empuñadura de una pistola. Paulie remató la faena dando algún que otro puñetazo más a Willis, hasta que éste se halló a un paso de abandonar esta vida y seguir a su compañero en busca de la recompensa final, momento en que Paulie desistió porque le dolía la mano.

Tony se volvió hacia Jackie Garner.

–Se suponía que tenías que vigilar el puto cuatro por cuatro, Jackie –dijo.

–Y lo estaba vigilando. Me han pedido que lo moviera, pero las llaves las teníais vosotros. ¿Cómo iba a saber que se liarían a tiros con él?

–Aun así, tenías que haberles dicho algo.

–Lo he intentado.

–¿Ah, sí? Pues no has dicho lo que debías. –Tony alargó el brazo hacia el bolsillo de Jackie y sacó de un tirón el envoltorio de la chocolatina–. ¿Y cómo has tenido tiempo de acabarte una tableta de Three Musketeers y no has tenido tiempo de vigilar el cuatro por cuatro? ¿No puedes hacer las dos cosas a la vez? O sea, joder, Jackie..., ya me entiendes, era sólo..., joder.

Jackie adoptó una actitud y un tono conciliatorios.

–Lo siento, Tony –dijo–. Creo que no eran personas razonables. No hay manera de hablar con personas poco razonables.

–Pues entonces no tendrías que haber hablado con ellos. Tendrías que haberlos matado.

–No ando matando a gente por un cuatro por cuatro.

–No era un cuatro por cuatro cualquiera. Era nuestro cuatro por cuatro.

Su hermano acariciaba tiernamente el capó del cuatro por cuatro y cabeceaba. Tras una última mirada de desesperación a Jackie, Tony se acercó a él.

–¿Ha quedado muy mal?

–La tapicería está hecha trizas, Tony. También la chapa tiene algún que otro agujero. Los faros están rotos. Es un desastre. –Estaba al borde del llanto.

Tony dio a su hermano unas palmadas en el hombro.

–Ya lo arreglaremos. No te preocupes. Lo dejaremos como nuevo.

–¿Sí? –Paulie levantó la vista esperanzado.

–Mejor que nuevo. ¿Verdad, Jackie?

Jackie, presintiendo que la tormenta empezaba a amainar, suscribió la opinión.

–Si alguien puede hacerlo, sois vosotros.

Después de retirar cuidadosamente los cristales, Paulie se subió a la cabina y arrancó el motor. Lo dejó encendido durante un minuto hasta asegurarse de que no había sufrido daños. Tony se quedó junto a Jackie. Willis aún respiraba, pero a duras penas. Tony lo miró. Jackie tuvo la impresión de que quería terminar el trabajo.

–¿Crees que Parker se cabreará con nosotros? –preguntó.

Los Fulci admiraban a Parker. No querían que se enfadara.

–No –contestó Jackie–. Ni siquiera creo que se sorprenda.

Tony se animó. Paulie y él echaron el cuerpo de Harding a la caja de la furgoneta del muerto; luego ataron las manos y las piernas a Willis con alambre de embalar que encontraron en la cabina y lo dejaron allí, inconsciente, junto al cadáver. A continuación, Jackie se adentró en el bosque con la furgoneta y la dejó allí, donde no se veía desde la carretera.

–¿Crees que esos dos eran parientes? –preguntó Paulie a su hermano mientras esperaban a Jackie–. Parecían parientes.

–Quizá –respondió Tony.

–Es una pena que fueran tan gilipollas –dijo Paulie.

–Sí –coincidió Tony–. Una pena.

Había una radio en el salpicadero de la furgoneta. Cobró vida cuando Jackie Garner acababa de esconder el vehículo en el bosque.

–Willis –dijo una voz–. Willis, ¿estás ahí? Corto.

Por un momento Jackie pensó no contestar, pero de pronto se

dijo: «Bah, ¿y por qué no?». Había visto en alguna película que el protagonista descubría los planes de los malos haciéndose pasar por otro al teléfono o por la radio. No vio por qué no iba a darle resultado a él.

–Aquí Willis. Corto.

Un silencio precedió a la respuesta.

–¿Willis?

–Sí, soy yo. Corto.

–¿Quién habla?

«Maldita sea», pensó Jackie, «esto es más difícil de lo que parece en las películas. Tendría que aprender a no meterme donde no me llaman.»

–Lo siento –dijo–. Se ha equivocado de número.

Al fin y al cabo, ¿qué otra cosa podía decir? Apagó la radio y corrió a reunirse con los Fulci. Éstos alzaron la vista, sorprendidos al ver correr a Jackie.

–Hora de marcharse –anunció Jackie–. Llegan visitas.

21

Seguían vivos.

Eso fue lo primero que pensó Ángel en cuanto llegaron a los árboles: no habían muerto. La carrera a través del claro entre el granero y el bosque había sido una de las experiencias más aterradoras de su vida. Esperaba en todo momento el impacto, el instante en que su cuerpo se sacudiría alcanzado por el primer balazo, una sensación parecida a un golpe de puño de un avezado luchador, seguida de un dolor intenso y después..., ¿qué? La muerte, instantánea o lenta. Otra herida, Louis arrastrándolo por la hierba húmeda mientras se desangraba a borbotones, dejando un rastro oscuro conforme lo abandonaba la vida, sabiendo que esta vez no habría una segunda oportunidad, que moriría allí, y que quizá Louis moriría con él.

Así que había corrido con todas sus fuerzas, resistiendo la reacción instintiva de encogerse lo máximo posible, consciente de que si lo hacía perdería velocidad. Encogerse o ir más deprisa, ésa era la alternativa. Al final optó por la velocidad, tensando todos los músculos del cuerpo, contrayendo el rostro en espera de las balas que de un momento a otro empezarían a volar inevitablemente. Sabía que la bala lo alcanzaría antes de oír la detonación, por lo que el silencio, tan sólo roto por los sonidos de la respiración y las pisadas, no le servía de consuelo.

Los dos atravesaron en zigzag la franja de campo abierto, cambiando con brusquedad de ritmo y dirección para confundir a cualquiera a punto de disparar. La hilera de árboles estaba cada vez más cerca, tan cerca que, incluso en la penumbra, Ángel distinguía detalles de la corteza y las hojas. Más allá, el bosque se desdibujaba entre las sombras y la oscuridad. Allí podía haber ocultos un sinfín de hombres, siguiendo con la mira el blanco móvil o manteniéndola fija en un punto en espera de que el blanco se aproximara. Quizás Ángel vería el fogonazo entre las sombras antes de morir, el último destello de luz antes de sobrevenirle las tinieblas finales.

Cinco metros. Tres. Uno. De pronto se hallaban en el bosque. Se echaron cuerpo a tierra entre los arbustos y, despacio, se alejaron a rastras del lugar donde habían caído, procurando hacer el menor ruido posible, eludiendo los matorrales que podían moverse y delatar su posición. Ángel lanzó una mirada a Louis, que estaba a unos tres metros a su derecha. Louis levantó la palma de la mano para indicarle que debían detenerse. Algo voló a gran altura por encima de sus cabezas en la oscuridad, pero ninguno de los dos alzó la vista para seguir su trayectoria. Simplemente esperaron, con la atención puesta en el bosque que se extendía ante ellos, los ojos adaptados ya a la escasa luz.

–No han disparado –dijo Ángel–. ¿Cómo es que no han disparado?

–No lo sé.

Louis escudriñó el bosque en busca de algún movimiento, cualquier señal de que los observaban. No vio nada, pero sabía que en algún sitio había hombres. Estaban jugando con ellos.

Indicó a Ángel con una seña que debían seguir adelante. Al amparo de los árboles avanzaron despacio y con cautela, moviéndose cada uno por turno y deteniéndose luego para cubrir al otro, conscientes de que no sólo debían permanecer atentos a lo que tenían delante sino también a lo que podía aparecer por detrás. No vieron nada. Daba la impresión de que en el bosque no había nadie, pero ninguno de los dos se engañó con la idea de que su presencia había pasado inadvertida. Habían dejado los cadáveres en el maletero de su coche para que ellos los encontraran, y habían inutilizado el coche. Eso era un mensaje. Estaban vivos pero sólo al arbitrio de otros.

Louis volvió a pensar en la mujer tras la ventana. ¿Fue demasiada coincidencia que se asomara justo en el momento en que Ángel y él miraban la casa? Quizá les habían permitido verla, y ellos habían reaccionado tal como los otros habían previsto: habían abortado el plan y regresado a su vehículo, pero para entonces ya se había activado la trampa. Ahora no les quedaba más remedio que seguir moviéndose y esperar a ver cómo se desarrollaban los acontecimientos. Por tanto, continuaron a través del bosque sin bajar la guardia en ningún momento, volviéndose una y otra vez, vigilando, aguzando el oído. Cuando apenas habían recorrido un kilómetro, estaban agotados, pero para entonces el bosque ya era menos espeso, y frente a ellos veían un espacio abierto. Un terraplén ascendía hacia la carretera interior de circunvalación. Al otro lado había más bosque.

Todavía ocultos, se detuvieron. La carretera se elevaba ante ellos como el lomo erizado de un animal. No vieron señales de movimiento. Louis olfateó el aire, intentando detectar el menor olor a humo de tabaco o comida arrastrado por la brisa que delatara la presencia de hombres en las inmediaciones. Nada.

Ángel y él estaban tan cerca que casi podían tocarse.

–Yo voy a la de tres, y tú a la de cuatro –susurró Louis. La pequeña diferencia de tiempo los convertiría en un blanco más difícil si la carretera estaba vigilada, ya que el segundo hombre captaría la atención, apartándola del primero, sembrando confusión suficiente para darles una mínima ventaja. Levantó los dedos índice y medio de la mano derecha, formando una V–. Yo voy por la izquierda, tú por la derecha. No pares hasta llegar a los árboles.

Ángel asintió. Permanecieron agachados hasta el linde del bosque, y entonces Ángel vio a Louis mover los labios al contar. Uno. Dos. Tres.

Louis echó a correr hacia la carretera. Un segundo después, Ángel estaba también en movimiento, alejándose de su compañero, avanzando de nuevo en zigzag, pero no con la misma intensidad que antes, concentrado en dejar atrás cuanto antes la carretera, donde sería más vulnerable.

Ni siquiera llegaron allí donde el terraplén empezaba a ascender. La primera bala levantó una nube de polvo a escasos centímetros de los pies de Ángel. La segunda y la tercera se incrustaron en la carretera, y después el fuego a discreción se convirtió en una descarga cerrada, obligándolos a retroceder hacia el bosque. Se echaron cuerpo a tierra y devolvieron el fuego con las Steyr, apuntando hacia los fogonazos, en ráfagas breves a fin de ahorrar munición. Louis vio correr una silueta agachada, vestida con una guerrera verde de combate. Disparó, pero el hombre siguió adelante. Estaba fuera del reducido alcance de las Steyr.

–No dispares más –indicó a Ángel cuando los dos agotaron sendos cargadores, y Ángel obedeció al instante, volviendo a cargar con la cara apretada contra el suelo.

El tiroteo desde el otro lado de la carretera no cesó, y sin embargo los disparos no se oían más cerca. Los agresores se contentaban con arrancar corteza de los árboles detrás de ellos –tan alto por encima de sus cabezas que difícilmente causarían el menor daño siempre y cuando Ángel y Louis permaneciesen a ras de suelo–, o con levantar nubes de polvo y grava en la superficie de la carretera. Lentamente, los dos se pusieron a cubierto entre los árboles.

Sólo entonces se interrumpió el fuego, aunque todavía les zumbaban los oídos por el ruido. Ahora ya los veían: una hilera de tres hombres envueltos en ponchos con capucha, apenas visibles en el bosque al otro lado de la carretera. Uno sostenía el fusil cruzado ante el pecho mientras los otros, apoyados contra los árboles a su izquierda y derecha, mantenían los suyos apuntados hacia sus blancos. No parecía preocuparles que Ángel y Louis los viesen. Entonces aparecieron más hombres procedentes del norte y el sur, siguiendo la carretera, y ocuparon posiciones entre los árboles. Algunos incluso parecían sonreír. Era un juego, y estaban ganando. Ángel soltó la Steyr y levantó la Glock, pero Louis tendió la mano para indicarle que no abriera fuego.

–No –dijo.

«Se han apostado a lo largo de la carretera», pensó Louis. «Sabían de dónde veníamos y han deducido por dónde saldríamos. Quizá la línea era más abierta un poco más al este o el oeste, pero sabían que enseguida podían reforzarla.»

En algún lugar al otro lado de la carretera oyó crepitar una radio, pero el sonido quedó ahogado por el ruido de un vehículo que se acercaba, y un camión de plataforma apareció desde el sur y se detuvo a diez o quince metros de donde se hallaban arrodillados Ángel y Louis. Vieron las siluetas de dos hombres en la cabina. El camión permaneció al ralentí. Nadie se movió.

–¿Qué demonios pasa aquí? –preguntó Ángel.

Pero Louis no contestó. Hacía cálculos mentales: tiempos, distancias, armas. Evaluó las probabilidades de matar a los dos hombres del camión si, al amparo del bosque, se encaminaban hacia el sur. No era imposible, pero las probabilidades de escapar de los perseguidores que de forma ineluctable irían detrás de ellos eran menos favorables: casi nulas, pensó.

Aun así, esa situación no podía prolongarse indefinidamente. Estaban conteniéndolos con algún fin. Se preguntó si se acercaban ya otros hombres por detrás, atajándoles la huida. Eran como zorros que, al escapar de los cazadores, descubren obstruida la entrada a su guarida y se ven obligados a volverse y plantar cara a los perros.

–Volvemos atrás –dijo.

–¿Cómo?

–Han cerrado el paso en la carretera, de momento. También saben dónde estamos, y eso no es bueno. Seguiremos en el bosque mientras podamos. Hay una casa al nordeste. Se veía en las fotografías vía satélite. Tal vez allí podamos echarle mano a un coche o una furgoneta, o al menos a un teléfono.

–Podríamos llamar a la policía para que vengan a rescatarnos –dijo Ángel–. Les diremos que hemos venido a matar a alguien por equivocación.

Empezó a llover. Las gruesas gotas producían un ruido sordo en las hojas por encima de ellos. Pese a que el sol ya casi había salido, el cielo seguía nublado y oscuro. La lluvia arreció y enseguida quedaron calados, pero los hombres que vigilaban desde el bosque no se movieron. El agua resbalaba sobre sus impermeables y ponchos. Iban preparados para el mal tiempo. Iban preparados para todo.

Poco a poco, Ángel y Louis retrocedieron y se adentraron entre los árboles.

Tenía una hemorragia interna masiva. El cerebro se le había inflamado dentro del cráneo provocándole más pérdida de sangre. Lucharon por él, intentando prevenir una hernia, porque eso habría acabado con su vida. Extrajeron fragmentos de hueso, y un coágulo, y la bala. Al final, todo ese trabajo dejaría sólo una levísima cicatriz, oculta bajo el pelo.

Y mientras hacían lo posible por salvarlo, Louis estaba sentado junto a un lago, rodeado de árboles. En la otra orilla veía la casa donde se había criado. Ahora se hallaba vacía, en estado ruinoso. Aquélla ya no era su casa. No podía volver allí, y por tanto no había vida entre sus paredes. No había vida en ninguna parte. En el bosque reinaba el silencio y ningún pez nadaba en el lago. Permaneció inmóvil en aquel lugar muerto, y esperó.

Al cabo de un rato, un hombre salió de la oscuridad del bosque por el este. Le había desaparecido el rostro, y los dientes quedaban a la vista en su boca sin labios. No tenía ojos con los que ver, pero volvió la cabeza hacia Louis. Debido a las heridas faciales parecía sonreír. Quizá sonreía. Deber siempre sonreía, incluso cuando mató a la madre de Louis.

Por el oeste apareció una luz, y el Hombre Quemado ocupó su lugar junto al agua, formando palabras con los labios, hablando mudamente de la rabia y la cólera a su hijo.

El norte: la casa. El sur: Louis. El este: Deber. El oeste: el Hombre Quemado. Los puntos cardinales.

Pero Louis no era el sur. Oyó pasos a su espalda, y una mano le rozó la nuca con delicadeza. Intentó volverse, pero no pudo.

Y la voz de su abuela le susurró: «Éstas no son las únicas opciones».

Era el principio del fin, la semilla de la que germinaría el lento florecimiento de la conciencia.

La herida tardó mucho en cicatrizar. La bala había penetrado en el crá-
neo, pero no había llegado al cerebro. Su madre siempre le había dicho que
tenía la cabeza dura. Incluso después de saberse que sobreviviría, tenía pro-
blemas para articular ciertas palabras y distinguir los colores, y vio borroso
durante meses. Lo atormentaban ciertos sonidos fantasma y dolores en las ex-
tremidades. Gabriel estuvo tentado de desprenderse de él, pero Louis era espe-
cial. Había sido el más joven entre sus incorporaciones, y aún tenía capaci-
dad para superar sus expectativas. Respondió deprisa al tratamiento, en parte
por su propia fortaleza natural, pero también, como Gabriel sabía, por el de-
seo de venganza. Ventura había desaparecido, pero lo encontrarían. No podía
quedar impune después de lo que había hecho.

Tardaron quince años en dar con él. Cuando lo hallaron, Louis recibió la
orden de ejecutarlo.

Vivía en Amsterdam como súbdito holandés, bajo el nombre de Van
Mierlo. Se había sometido a alguna que otra intervención de cirugía plás-
tica, no gran cosa, pero suficiente en la nariz, los ojos y el mentón para ase-
gurarse de que si un antiguo conocido se cruzaba con él, no lo reconocería
de inmediato. Todo consistía en ganar tiempo: horas, minutos, incluso se-
gundos. Louis sabía con certeza que, desde lo ocurrido en casa de los Lo-
wein, Ventura vivía preparándose para la posibilidad de que un día lo en-
contrasen. Estaría listo para huir en cualquier momento. Conocería su
entorno a la perfección, de modo que el menor cambio en la rutina lo pon-
dría sobre aviso. Iría siempre armado. Tendría un coche guardado en un
garaje privado seguro no lejos de donde vivía, pero apenas lo usaría. Lo
reservaría para las emergencias: en caso de cerrársele el paso al aeropuerto
o los trenes por la razón que fuera, o de no tener acceso a otras formas de
viajar.

Iba en taxi a todas partes, los paraba en la calle en lugar de llamarlos por
teléfono antes de salir, y nunca se subía al primero que pasaba, sino que es-
peraba siempre al segundo, al tercero e incluso al cuarto. Una vez al mes vi-
sitaba a su abogado en Rotterdam, tomaba el tren en Centraal. Tenía alqui-
lado un edificio de cuatro plantas en Van Woustraat, pero por lo visto no
empleaba la planta baja, sólo ocupaba la primera y la segunda. Louis supu-
so que tanto en la planta baja como en la tercera habría bombas trampa, y
que existía alguna vía de escape en la zona de vivienda de Ventura que le pro-
porcionaría acceso a uno de los edificios contiguos.

Louis se preguntó si Ventura sabría que él aún estaba vivo. Probable-

mente sí, pensó. En caso de que lo encontraran, Ventura prevería que se presentase el propio Louis. Se esperaría un cuchillo, una pistola en la cabeza, como Deber tantos años atrás. Quizás incluso temía que intentasen capturarlo y devolverlo a Estados Unidos para que Gabriel se ocupase de él como considerase oportuno. Pero Louis estaría presente; de eso a Ventura no le cabía la menor duda, porque Ventura no conocía a Louis, no como lo conocía Gabriel y no como lo había conocido Deber en sus últimos días de agonía.

Louis se marchó de los Países Bajos sin que Ventura lo viera en ningún momento, y otro hombre ocupó su lugar durante los últimos días, pero mientras Louis estuvo allí le siguió el rastro a Ventura, para lo que empleó la ayuda de Gabriel así como su propia iniciativa. Localizaron cuentas bancarias. Registraron el bufete de su abogado. Identificaron intereses comerciales y propiedades. Incluso encontraron su coche.

Al final, los últimos días que pasó Louis en Amsterdam, se deterioraron las relaciones entre el gobierno holandés y los sindicatos del transporte. Se preveía una serie de huelgas. Una semana después Ventura fue al garaje a recoger el coche para viajar a Rotterdam. Tenía un casete en el salpicadero. Encendió el aparato mientras maniobraba para salir de su plaza y el morro del coche se inclinaba hacia arriba por la pendiente, pero en lugar de oír como preveía a los Rolling Stones, sonó una voz de mujer. «Connie Francis», pensó. «Es Connie Francis cantando ¿Y ahora quién va a lamentarlo?

»Pero si yo no tengo ninguna cinta de Connie Francis.»

Vaya, muy listo.

Tenía ya un pie en el suelo cuando se activó el conmutador de mercurio por inclinación y el coche y Ventura se vieron envueltos en llamas.

—Sobrevivió —le comunicó Gabriel a Louis—. Deberías haber buscado otro método.

—Ése me pareció el método apropiado. ¿Seguro que no está muerto?

—No encontraron restos en el coche, pero había fragmentos de piel y ropa adheridos al suelo del garaje.

—¿Cuánta piel?

—Mucha, por lo visto. Debió de sufrir un dolor considerable. Le seguimos la pista hasta la consulta de un médico en Rokin. El médico estaba muerto cuando lo encontramos, naturalmente.

—Si Ventura vive, volverá por nosotros algún día.

–Quizás. Aunque también es posible que lo único que quede de él sea un cascarón chamuscado con el hombre que conocimos atrapado dentro.

–Podría encontrarlo otra vez.

–No, no lo creo. Tiene dinero y contactos. Esta vez se esconderá mejor. Me temo que tendremos que esperar a que venga por nosotros, si es que viene. Paciencia, Louis, paciencia...

Ventura estaba sentado en el comedor de la casa de Arthur Lee-hagen, de espaldas a la mesa, con un maletín de Hardigg Storm vacío a los pies. Vestía una gabardina y sostenía entre las manos una gorra blanda impermeable. Se hallaba frente a una ventana, pero hasta poco antes no veía nada a través del cristal y mantenía la mirada fija en su propio reflejo. No se sentía cansado. Había llegado muy lejos ya, y el momento que deseaba desde hacía tanto tiempo estaba a punto de llegar.

Recordó aquellas primeras horas, cuando creyó que se le había abrasado la piel de todo el cuerpo, el sufrimiento mientras se adentraba a trompicones en la noche, la cabeza embotada por el dolor. Le había exigido un gran esfuerzo de voluntad compartimentar el padecimiento, despejar un diminuto rincón de su conciencia a fin de que la razón se impusiera al instinto. Había conseguido llegar a un teléfono, y con eso había bastado. Tenía dinero, y con dinero suficiente podía comprarse cualquier cosa: un escondite, transporte, tratamiento para las heridas, una cara nueva, una identidad nueva.

Una oportunidad para vivir.

Pero cuánto dolor. Nunca había desaparecido, no del todo. Decían que con el paso del tiempo uno olvidaba la intensidad del sufrimiento anterior, pero ése no era el caso de Ventura. El recuerdo del dolor padecido había quedado grabado a fuego tanto dentro como fuera de él, en el espíritu y en el cuerpo, y si bien la realidad física de ese dolor se había desvanecido, su recuerdo permanecía muy nítido. Su vestigio bastaba para evocar todo lo que había sido en su momento, y él había utilizado esa capacidad de revivirlo para llegar hasta allí.

Oyó pasos a sus espaldas. Michael Leehagen habló, pero Ventura no se volvió para reconocer su presencia.

–Hemos tomado contacto –anunció.

–¿Dónde?

–La carretera interior de circunvalación, cerca del cruce sur.

–¿Los hombres de tu padre han actuado conforme a las órdenes?

Michael guardó silencio por un instante antes de contestar. Ventura sabía que a Michael le dolería que le recordasen la autoridad de su padre. Lo dejó caer por pura diversión. Era un recordatorio de que Michael se había extralimitado en el uso de su autoridad al ordenar el atentado contra la vida de Gabriel. Ventura no lo había olvidado. Habría un ajuste de cuentas una vez concluido el trabajo. Benton, el hombre que había apretado el gatillo, sería el chivo en el altar de la expiación de Ventura. Le correspondía a Ventura, y sólo a Ventura, decidir sobre la vida y la muerte de Gabriel. Ventura comprendía que Gabriel no podía dejar impune su traición, no le guardaba animadversión por la larga cacería posterior. Era a Louis a quien Ventura quería. Louis lo había quemado. Louis había convertido el asunto en algo personal.

–Los han obligado a retroceder. No han tirado a matar.

Ventura dejó escapar un resoplido por la nariz, como la risa de un toro.

–Aunque hubieran tirado a matar, probablemente no habrían dado en el blanco, salvo por error.

–Son buenos en lo suyo.

–No, no lo son. Son matones de pueblo. Son campesinos y comedores de ardillas.

Michael no puso en tela de juicio la exactitud de la afirmación.

–Hay algo más. Hemos perdido contacto con dos de los nuestros, Willis y Harding, en la carretera circular exterior. Un desconocido ha contestado desde su radio.

–Pues os aconsejo que solucionéis el problema.

–En eso estamos. Pero he pensado que debías saberlo.

Ventura se puso en pie y se volvió por primera vez, pero siguió sin hacer el menor caso al hombre que permanecía junto a la puerta. A sus espaldas, en la mesa, apoyado en su bípode Harris, tenía un rifle de largo alcance Chandler XM-3, provisto de raíl Picatinny de titanio y freno de retroceso, junto con un visor óptico diurno Nightforce NXS. El maletín Hardigg contenía también un visor nocturno universal, que Ventura no había acoplado con la esperanza de que hubiese claridad suficiente para seguir el rastro a su presa. Miró

264

por la ventana el progresivo amanecer, un tanto camuflado por la lluvia que había empezado a caer. Por fin se iniciaba el día.

Al lado del Chandler había un segundo rifle, un Surgeon XL. Ventura había dudado entre los dos, aunque decir «dudado» era una exageración de la relativa ecuanimidad con la que ahora eligió. Aunque quizá fuera poco habitual en un hombre de su profesión, Ventura no era muy aficionado a las armas. Había conocido a más de uno en quien las herramientas del oficio ejercían una atracción casi sexual, pero él no sentía la menor afinidad con esa gente. Por el contrario, consideraba esa relación sensual con las armas una debilidad, síntoma de un trastorno más profundo. Ventura sabía por experiencia que eran la clase de hombres que ponían nombres graciosos a sus órganos sexuales y que buscaban en el acto de matar un desahogo parecido al que encontraban en el coito. Semejantes concepciones eran, para Ventura, el súmmum de la estupidez.

El XL era un 338 Lapua Magnum, con una mira Schmidt & Bender 5-25x56 montada en el raíl y un freno de boca de múltiples cámaras para contener el retroceso. La culata era de fibra de vidrio y, en total, el arma no llegaba a pesar siquiera diez kilos. Levantó el rifle, pasó el brazo izquierdo por la correa y dejó que el hombro izquierdo soportara el peso. Siempre había preferido el lado derecho, pero desde aquel día en Amsterdam había aprendido a adaptarse a eso como a muchas otras cosas.

–¿Te vas ya?

–Sí.

–¿Cómo los encontrarás?

–Por el olfato.

El hijo de Leehagen se preguntó si aquel hombre extraño y cubierto de cicatrices bromeaba, y decidió que no. Sin decir nada más, observó a Ventura salir de la casa y atravesar el jardín en busca de su presa.

Cuarta parte

Para algunos de ellos, no podría ser el lugar
que es sin sangre.
Aquí cazan, como siempre han hecho,
pero con garras y dientes desarrollados a la perfección,

tan letales que les cuesta creerlo.

James Dickey (1923-1997), «El cielo de los animales»

23

Se retiraron de la carretera igual que se habían acercado a ella: con un avance uniforme, cubriéndose tras los árboles, moviéndose uno mientras el otro vigilaba, los dos siempre alertas, aguzando la vista y el oído. Esperaban que las figuras encapuchadas se abalanzaran sobre ellos desde la carretera, calculando la distancia a la que quedarían al alcance de las Steyr, pero no apareció nadie.

Daba la impresión de que la lluvia no amainaría a corto plazo, y ya estaban calados hasta los huesos. Ángel tiritaba y le dolía la espalda. En general, el dolor de sus viejas heridas iba y venía, pero la exposición al frío o la humedad, o correr y las largas caminatas, lo exacerbaban. Ahora notaba tirantez allí donde le habían extraído tejido para los injertos, como si tuviera la piel demasiado tensa en la espalda.

Louis, por su parte, seguía dando vueltas al enfrentamiento en la carretera. Estaba claro que los hombres de Leehagen pretendían contenerlos, y matarlos sólo como último recurso. Sin embargo, no veía ninguna posibilidad de que les permitiesen salir vivos de allí. Los habían atraído al norte con un objetivo, y el objetivo era borrarlos de la faz de la tierra. Habían matado a los Endall, y Louis daba por supuesto que también a los otros equipos. Todos eran buenos en lo suyo, pero no se esperaban que alguien conociese por adelantado cada uno de sus pasos. Leehagen se les había anticipado en todo momento, había previsto su llegada, y la presencia de Loretta Hoyle en la casa inducía a pensar que su padre había participado en la traición.

Pero la tarea de acabar con ellos dos no se había asignado a los hombres de la carretera, ni a ninguno de su clase. Parecía reservada a otro; faltaba por ver quién sería, pero Louis tenía sus sospechas.

Al sudoeste estaban las vaquerizas, el granero con su coche y la casa de Leehagen. ¿Era allí donde se suponía que deberían haber muerto, pillados por sorpresa al entrar en la finca, creyendo que quienes dormían dentro desconocían su presencia? En tal caso, su verdugo habría estado esperándolos allí, y al final tendría que salir a por ellos si ellos no iban a por él. Louis casi había abandonado toda intención de llegar a Leehagen. Estaría protegido, y ya no contaban con el factor sorpresa, y menos pensando que en realidad no había existido ni siquiera al comienzo. Pero ahora había empezado a replanteárselo. Ahora atacar a Leehagen sería al menos una acción inesperada. Los estaban conteniendo esencialmente en la sección este, por donde pasaba la carretera principal, con la idea de que intentarían abrirse paso hasta ella y desde allí buscarían una vía de escape. Louis no sabía hasta qué punto eran realistas sus probabilidades por ese lado. Había una gran distancia que cubrir a pie, e incluso si encontraban un coche y trataban de romper el cordón, se las verían con una persecución motorizada por parte de hombres bien armados y con tramos de carretera elevada, fáciles de bloquear. En cuanto al transporte, su mejor opción era apoderarse del vehículo de alguno de los equipos y contar con que el sistema de comunicaciones no fuese tan rígido como para que cualquier ruptura en el protocolo o la rutina se advirtiesen de inmediato.

Pero si iban al oeste, hacia Leehagen, quedarían atrapados entre dos líneas: los hombres al este y la protección que Leehagen mantuviese cerca de la casa. Y más allá, el lago impedía la retirada, a menos que robaran un bote, cosa que les sería útil sólo en el supuesto de que lograran abrirse camino entre las rocas que Leehagen había plantado en el lecho del río, y en el supuesto también de que pudieran repeler a los hombres de Leehagen, porque lo que sí estaba claro era que serían incapaces de matarlos a todos.

La granja en medio del bosque, que Louis recordaba de las imágenes por vía satélite, ofrecía otra opción. Podían pedir ayuda por teléfono y parapetarse dentro con la esperanza de mantener a raya a sus perseguidores hasta el momento del rescate. Le debían favores: podía contar con la llegada de un helicóptero en menos de una hora. Sería un aterrizaje complicado, pero los hombres a quienes Louis llamaría estaban habituados a eso.

Llegaron a la granja. Era una casa de dos plantas pintada de rojo, aunque con el tiempo había perdido color y ahora era de un marrón desvaído, de manera que parecía de hierro oxidado, como un fragmento de barco desgajado de la estructura principal y abandonado allí, cerca del agua, para que se pudriera. Se accedía a ella por un camino de tierra cuya existencia Louis había dado por supuesto pese a quedar oculto entre los árboles en las fotografías vía satélite. En el jardín, convertido en huerto, no había césped. A su derecha, las gallinas cloqueaban invisiblemente en su gallinero, rodeado de una alambrada para impedir el paso a los depredadores. A su izquierda se alzaba una vieja leñera, con la puerta abierta y los troncos ya amontonados y tapados dentro en previsión del invierno. Detrás, salía humo blanco a ráfagas de una caldera verde de leña.

Dentro de la casa se veía luz y la chimenea también humeaba. Junto a la puerta trasera había aparcada una furgoneta vieja con una jaula de madera en la caja. Apestaba a excremento animal.

–¿Cuál es el plan? –preguntó Ángel, pero la pregunta se contestó por sí sola. Se abrió la puerta trasera y apareció una mujer en el porche cubierto. Aparentaba algo más de cuarenta años, pero vestía como si fuera mucho mayor y tenía demasiadas canas para su edad. En su rostro se traslucía una vida dura, decepciones, esperanzas y sueños que se le habían escurrido como polvo entre las manos.

Al mirar a los dos hombres, vio sus armas y habló.

–¿Qué quieren? –preguntó.

–Refugio, señora –contestó Louis–. Usar el teléfono. Ayuda.

–¿Tienen por costumbre pedir ayuda con armas en la mano?

–No, señora.

–Podría decirse que somos víctimas de las circunstancias –intervino Ángel.

–Pues yo no puedo ayudarlos. Váyanse, más les vale que sigan su camino.

Louis no pudo por menos de admirar su valor. Pocas mujeres se habrían atrevido a mandar a paseo a dos hombres armados.

–Disculpe, señora –dijo–. Me temo que no entiende la situación.

–La entendemos perfectamente –dijo una voz detrás de él. Louis no se movió. Sabía lo que vendría a continuación. Al cabo de un momento sintió en la espalda el contacto del doble cañón–. ¿Sabes qué es esto, hijo?

–Sí.

–Bien. Pues suelta el arma. Tu amigo puede hacer lo mismo.

Louis obedeció, dejó caer la Steyr pero acercó la mano derecha a la Glock que llevaba al cinto. Aparecieron unos dedos pequeños que se llevaron la Steyr, y acto seguido hicieron lo mismo con el arma de Ángel.

–Como muevas la mano un centímetro más, hijo, te aseguro que no vivirás para sentir la próxima gota de lluvia en la cara.

Louis detuvo la mano en el acto. Lo cachearon bruscamente y le quitaron la Glock. La misma voz preguntó a Ángel dónde tenía la pistola, y él contestó enseguida y sin mentir. Mirando de reojo a su izquierda, Louis vio a un joven alto registrar a Ángel y retirar la pistola de su cintura. Habían quedado desarmados.

Oyó unas pisadas que retrocedían detrás de él. Se volvió despacio. Ángel miraba ya a los dos hombres que habían salido de detrás de la leñera. Uno de ellos, sesentón, se protegía de la lluvia con un sombrero de piel de ala ancha. El más joven, el que los había cacheado, rondaba los treinta años y tenía la cabeza al descubierto. Llevaba el pelo al cepillo y la lluvia resbalaba como lágrimas por su rostro intensamente pálido y surcado de venas azules. Parecía no tener retina en el ojo izquierdo, que era todo blanco, igual que su piel, como si algo venenoso se hubiese filtrado desde ésta en el globo ocular, despojándolo de color. Los dos iban armados, el mayor con una escopeta de cartuchos, el más joven con una carabina de aire comprimido. Entre los dos había una niña de no más de siete u ocho años con un impermeable de Mickey Mouse y unas botas de vivo color rojo, atuendo que en ese contexto quedaba fuera de lugar. A sus pies se hallaban las armas que acababan de quitarles a Ángel y Louis. No parecía alarmada por las armas, ni por el hecho de que los dos hombres que la acompañaban tuviesen encañonados a los visitantes.

–Deberíais haberos quedado en Nueva York –dijo el viejo.

–¿Cómo sabe usted que venimos de Nueva York? –preguntó Ángel.

–Rumores. Esperaban vuestra visita. La única duda era cuándo.

–¿Quiénes?

–El señor Leehagen y sus hombres.

–¿Trabaja usted para Leehagen?

–Por aquí todo el mundo trabaja para el señor Leehagen, de una manera o de otra. Si no te paga él directamente, vives de lo que paga a otros. –Miró a la niña–. Vete con la abuela, cariño.

La niña sorteó las piernas del más joven y fue a buscar refugio en la casa, brincando y chapoteando en los charcos que se formaban en el suelo irregular. Subió por los peldaños del porche y se quedó junto a su abuela, que le rodeó los hombros con mano protectora. La pequeña sonrió a la mujer y luego batió palmas en un gesto de placer y emoción. Ángel se preguntó quién sería el padre. No creía que fuera el más joven de los dos hombres, el individuo pálido del ojo descolorido. Era demasiado guapa para ser de él, demasiado vivaz. Él parecía un cadáver que aún no se había dado cuenta de que estaba muerto.

—Thomas —dijo la mujer al hombre mayor desde la puerta. En su voz se advertía un tono acaso suplicante. Ángel tuvo la impresión de que no intervino porque le preocuparan los dos intrusos. Simplemente no quería que su marido se metiese en líos por derramar sangre.

—Llévatela adentro —ordenó Thomas—. Ya nos ocuparemos nosotros de esto.

La mujer agarró a la niña de la mano y la arrastró al interior de la casa. La pequeña no pareció muy contenta de perderse el espectáculo, y fue necesario otro tirón del brazo para que cruzase el umbral antes de cerrarse la puerta. Aun entonces, Ángel la vio mirarlo con expresión anhelante, el rostro contraído en una mueca de decepción.

—No buscamos problemas —dijo Ángel.

—¿En serio? —respondió el tal Thomas en tono escéptico y hastiado—. Ya es un poco tarde para eso, ¿no crees?

—Sólo queremos salir de aquí vivos —continuó Ángel.

—Eso no lo dudo, hijo. Aunque mucho me temo que no va a ser nada fácil.

—Usted podría ayudarnos.

—Podría, eso es verdad. Podría, pero no voy a hacerlo.

—¿Por qué no?

—Porque entonces moriría yo en lugar de vosotros, suponiendo que consiguierais salir del lío en el que estáis metidos, cosa que dudo. El señor Leehagen le concede mucho valor a la lealtad.

—Esos hombres van a matarnos.

—Se recoge lo que se siembra. Seguro que eso está en la Biblia, en algún sitio. Mi mujer podría confirmárselo. A veces la lee, cuando le da por ahí. A mí nunca me ha interesado mucho.

Desplazó la mano con que sostenía el cañón de la escopeta, y Louis se tensó. Ángel lo notó listo para saltar, y al parecer Thomas también lo percibió. Las dos bocas idénticas de la escopeta apuntaron a Louis sin vacilar. El viento cambió de dirección, arrastrando hacia Ángel el hedor de los animales transportados por Thomas en la furgoneta a su destino final, el olor de las deposiciones causadas por el miedo ante la inminencia de la muerte.

–No –se limitó a decir Thomas–. Como lo intentes, echaré tu cuerpo a los cerdos antes de que acabe el día.

Cerdos. De pronto Ángel los oyó resoplar y gruñir en algún lugar detrás de la casa.

–Usted los ayudó a hacer la película –dijo.

Thomas se movió inquieto.

–No sé nada de eso.

–¿Cómo lo hicieron? ¿Con un maniquí? ¿O una mujer se tumbó en el barro y fingió que se la comían, y el resto de la escena fue efecto del montaje? Diga: ¿cómo lo hicieron?

–Ni lo sé ni me importa –contestó Thomas–. Yo no tengo nada personal contra vosotros, y no quiero mataros aquí. Al señor Leehagen no le gustaría. Tiene otros planes para vosotros, imagino. Y ahora, largo de aquí. Marchaos y no volváis. Vuestras armas pueden quedarse. No me fío de vosotros: no sé si cumpliréis vuestra palabra cuando os deje ir.

–Sin armas, no tenemos ninguna oportunidad –protestó Louis.

–No tenéis ninguna oportunidad en ningún caso.

–Parece muy informado.

El viejo sonrió. No era una sonrisa maliciosa. Más bien denotaba cierta lástima.

–Habéis venido aquí con malas intenciones y ahora se han vuelto las tornas. ¿Qué pensabais que pasaría? ¿Que encontraríais a un viejo en una casa grande y lo mataríais sin que nadie moviera un dedo para impedirlo? Oídme bien: no siento ningún aprecio por ese hijo de puta, y creo que el mundo sería mejor si él no hubiera nacido, pero viniendo aquí habéis cometido un error, y del resultado de ese error dependerá vuestra vida. Como he dicho, se recoge lo que se siembra. –Señaló con la escopeta en dirección al bosque por el que habían venido–. Hacia allí está la carretera, y quizá vuestra escapatoria. No volváis por aquí. Si venís, os mataremos. Con Leehagen o sin él, tengo que pensar en mi familia.

–Le creo –dijo Louis.

–Bien.

Sujetando con firmeza sus armas, los dos hombres retrocedieron mientras Ángel y Louis se alejaban. Cuando casi se habían perdido de vista, el viejo gritó:

–Eh.

Se detuvieron.

-Has dicho que estoy muy bien informado. Pues no. Alguien se fue de la lengua en un bar hace un par de noches, y yo lo oí. Luego vinieron a pedirnos que estuviéramos atentos por si aparecían desconocidos. Supuse lo que ocurriría. Esos hombres no quieren mataros. Os reservan para otro.

-¿Para quién? -preguntó Ángel.

El viejo se encogió de hombros.

-No recuerdo el nombre. Era algo así como «Suerte» o «Felicidad» -contestó-. Eso dijeron.

-¿Felicidad?

-No, Felicidad exactamente no -dijo Thomas. Frunció el entrecejo intentando recordar la palabra-. Ventura. Eso era. Dijeron que os esperaba la Ventura.

Louis no habló mientras se alejaban. Su arrogancia, su ira, los había llevado hasta ese punto. Ventura. Miró a su compañero, que caminaba con dificultad a su lado, abstraído en su propio dolor. Ángel levantó la vista y sus miradas se cruzaron. En sus ojos no se advertía acusación alguna, ni ira. Habían ido hasta allí por Louis, y Ángel, pese a sus muchas reservas, había permanecido junto a él. Si eso no era amor, ¿qué era? Pero los sentimientos de afecto de Ángel hacia Louis se disiparon de pronto.

-Eres un gilipollas -dijo Ángel-. ¿Lo sabías?

-Sí, ya lo sabía.

-Tanto mejor. Tengo frío y estoy empapado, y va a matarme un hombre que liquida a otros asesinos como quien colecciona cabelleras, y todo por tu culpa.

-Precisamente estaba pensando que no me culpabas de nada, y lo mucho que te admiraba por ello.

-¿Tú estás mal de la cabeza? Claro que te culpo. Y puedes guardarte tu admiración. Lo escribiría en tu lápida, pero estaré demasiado muerto para poder hacerlo. -Ángel estornudó de forma aparatosa-. Increíble. Esto es increíble.

Louis miró el cielo.

-Tal vez pare de llover.

-La esperanza es lo último que se pierde, supongo.

-Necesitamos armas.

-Tendremos que matar a alguien para conseguirlas.

–Podríamos volver y quitárselas al viejo.

Por unos segundos contemplaron la posibilidad. Sabían cómo acabaría la cosa. Pese a las fanfarronadas y las armas del viejo, su familia y él no eran rivales para ellos. Pero había una niña en la casa, y Louis había visto en los ojos de Thomas que plantaría cara si regresaban. Habría heridos, quizás incluso muertos. No, allí no volverían.

–Esperan que huyamos, que intentemos atravesar el cordón –dijo Louis–. No prevén que hagamos lo que hemos venido a hacer.

–¿Hablas de ir a casa de Leehagen?

–Sí.

–A falta de otra cosa mejor, eso se acerca a un plan. –Ángel se escurrió el agua de la cazadora–. ¿Qué vamos a hacer? ¿Ahogarlo?

–A falta de otra cosa mejor...

Siguieron caminando.

–¿De verdad me echas la culpa de todo esto? –preguntó Louis después de unos minutos en silencio.

Ángel reflexionó.

–El culpable soy yo.

Louis se quedó callado por un momento.

–¿Eso es verdad?

–No –contestó Ángel, y volvió a estornudar–. Te culpo a ti.

24

Willie Brew y el Detective cruzaron el puente y avanzaron otros cien metros por la carretera hasta llegar a un cruce. Bueno, podía llamarse cruce, pero, por lo que a Willie se refería, eran dos carreteras que llevaban exactamente a ninguna parte, una de este a oeste, la otra hacia el sur. Ninguna de las dos resultaba muy sugerente, aunque para Willie una franja de asfalto sin un supermercado, un par de restaurantes de comida rápida y quizás uno o dos bares apenas llegaba a la categoría de carretera.

–¿Quiénes son esos tipos, exactamente? –preguntó Willie.

La duda venía inquietándole desde que llegaron al puente. Llevaba sólo una hora en aquel rincón dejado de la mano de Dios y ya había visto dos cadáveres y, según el Detective, los muertos debían de pertenecer a su bando, lo que inducía a Willie a pensar que las probabilidades a su favor habían empezado a menguar. Ahora resultaba que el resto de los miembros de la supuesta misión de rescate habían desaparecido, y por lo visto su ausencia había defraudado más que sorprendido al Detective. Nada de aquello servía para tranquilizar a Willie, y empezó a pensar que quizás Arno había actuado con sensatez quedándose donde estaba, y que quizás él debería haberse quedado también.

En ese momento asomó por el oeste el cuatro por cuatro más grande que Willie había visto en la vida. Era de color negro azabache, con los neumáticos de tal tamaño que si uno se subía encima y saltaba al suelo desde lo alto se arriesgaba a fracturarse un tobillo a causa del impacto. Al acercarse el vehículo, Willie advirtió también que no tenía parabrisas y que los dos faros estaban rotos. El asiento de la cabina era lo bastante amplio para acomodar a cuatro adultos holgadamente, pero en ese momento parecían ocuparlo tres hombres, y muy apretados, más que nada porque la anchura de dos de

ellos era tal que podían acabar calificándolos de construcciones ilegales si se quedaban quietos en el mismo sitio durante mucho tiempo. El hombre comprimido entre ellos, que no era lo que se dice un
alfeñique, tenía una expresión de calma beatífica, como si esa situación no sólo le resultase familiar, sino de hecho muy grata, a pesar de
la lluvia.

—Joder —exclamó Willie sin querer. De pronto, la Browning se le
antojó pequeña en la mano, sin potencia suficiente para frenar a ninguno de esos hombres. Sería como disparar malvaviscos a tres ele-
fantes en plena carga.

—Tranquilo —dijo el Detective—. Son de los nuestros.

No parecía alegrarse mucho de ello.

El cuatro por cuatro se detuvo a dos metros escasos del Mustang.
Hasta ese momento iba a tal velocidad que Willie dudó que fuese a
parar. Vistos de cerca, los dos grandullones parecían locos de atar y
por unos segundos dio la impresión de que arrollarían el Mustang,
aplastándolo bajo las ruedas de su vehículo mientras éste avanzaba hacia quienquiera que hubiese incurrido en su cólera. Willie calculó que
las probabilidades de supervivencia de tal individuo oscilaban entre
mínimas y nulas.

El Detective se apeó; Willie también. Los dos grandullones salieron del cuatro por cuatro cada uno por su lado, apoyando el pie en un
estribo detrás de las ruedas antes de saltar al suelo. Willie no habría
podido asegurarlo, pero tuvo la sensación de que la tierra tembló con
el impacto.

—Te presento a Tony y Paulie Fulci —dijo el Detective en voz baja—.
El del medio es Jackie Garner. Es el cuerdo, aunque en este caso se trata de algo muy relativo.

Willie no conocía a Jackie Garner, pero sí había oído hablar de
los Fulci. Ángel había aludido a ellos en el tono que suele reservarse
a las fuerzas de la naturaleza, a los huracanes o los terremotos, por
ejemplo, dando a entender que con los Fulci, como con esos fenóme-
nos meteorológicos y sísmicos, también convenía mantenerse lo más
lejos posible. En esos momentos no podía decirse que Willie estuviese muy lejos de los Fulci, y por tanto había entrado sin querer en
una zona de desastre móvil.

—¿Qué le ha pasado al cuatro por cuatro? —preguntó el Detective.

—Unos tipos, eso le ha pasado —contestó Paulie y señaló a Jackie
con el pulgar—. Y él no ha sido de gran ayuda.

–Ya hemos hablado de eso –saltó Jackie–. Ha sido un malentendido.

–Sí, ya... –dijo Paulie. Era evidente que el asunto todavía levantaba ampollas.

–¿Dónde están los tipos en cuestión? –quiso saber el Detective.

Se produjo un incómodo movimiento de pies.

–Uno no anda muy fino –contestó Tony.

–¿Y cómo anda?

–Está fuera del mundo. Podría ser que no vuelva a despertarse. Le he pegado tirando a fuerte.

–¿Y los otros?

–El otro –corrigió Jackie–. Eran sólo dos.

–Tampoco anda muy fino –dijo Tony, cada vez más abochornado–. De hecho, ya no volverá a andar nunca más. Ha sido un accidente, digamos –concluyó con poca convicción.

El Detective sabía mantenerse impasible, eso había que reconocerlo, pensó Willie.

–¿Habéis averiguado algo provechoso cuando aún andaban? –preguntó.

Tony negó con la cabeza y fijó la mirada en el suelo.

–Pero sabemos cómo se comunican –terció Jackie Garner–. Llevan radios en las furgonetas. –Se detuvo a pensar por un momento–. Aunque respecto a eso también tengo una mala noticia –prosiguió.

–¿Ah, sí? –preguntó el Detective con visible hastío.

–He contestado a una llamada.

–No me lo puedo creer.

–He pensado que a lo mejor me enteraba de algo.

–¿Y te has enterado de algo?

–Me he enterado de que no valgo para las imitaciones.

–Muy gracioso, Jackie.

–Perdona, tío, ha sido sin pensar.

–Así que ahora saben que estamos aquí.

–Supongo.

El Detective se apartó de los tres hombres. Willie permaneció callado. Tenía la impresión de estar otra vez en Vietnam. Ésa era una pifia más desarrollándose ante sus propios ojos. Empezaba a sentir el cansancio y estaba calado hasta los huesos. También dio por supuesto que las cosas irían a peor antes de ir a mejor.

En ese momento oyeron un ruido que rompió el incómodo silencio. Se acercaba un vehículo. El Detective reaccionó al instante.

—Willie, esconde el Mustang —ordenó—. Llévalo hacia el puente. Paulie, sube al cuatro por cuatro. Ve en dirección este, pero despacio, que te vean. Jackie, Tony, entre los árboles, conmigo. Disparad a menos que parezca que van a misa.

Nadie discutió ni puso en duda sus órdenes. Todos obedecieron al pie de la letra. Willie entró en el Mustang, cambió de sentido y volvió por donde habían llegado, sin detenerse hasta perder de vista el cruce. Entonces apagó el motor y esperó. Le costaba respirar, pese a no haber hecho ningún esfuerzo físico. Se preguntó si era un infarto. Flexionó el brazo izquierdo para asegurarse de que no se le entumecía. Le constaba que ése era uno de los síntomas. Movió el brazo sin mayor problema. Ajustó el retrovisor y mantuvo la mirada fija en la carretera detrás de él. Había dejado la Browning en el asiento del acompañante. Tenía una mano en la llave de contacto y la otra en la palanca. Si por esa curva aparecía alguien que no reconocía, se largaba de allí. Saldría como un rayo. Eso por descontado.

En ese momento empezó el tiroteo.

El Detective se había apostado al oeste de la carretera, Tony Fulci y Jackie al este. Se acercó un Bronco, y los tres apuntaron sus armas. Al ver a Paulie alejarse en el enorme cuatro por cuatro, el conductor del Bronco aceleró. En el asiento del acompañante iba un hombre con una escopeta cruzada ante el cuerpo. De pie en la caja de la furgoneta, un tercer hombre, apoyado en el techo de la cabina con un rifle en las manos, ponía la mira en la luna trasera del vehículo de Paulie.

No hubo aviso. Dos orificios aparecieron casi simultáneamente en el parabrisas del Bronco. El conductor se desplomó sobre el volante y, al golpear el cristal con la cabeza, lo manchó de sangre. De inmediato la furgoneta comenzó a virar hacia la derecha. El acompañante se ladeó para intentar evitar el giro, mientras fuera, en la caja, el hombre del rifle se sujetaba desesperadamente a la barra de seguridad. Varios disparos más traspasaron el parabrisas, y la furgoneta salió de la carretera y se precipitó por el terraplén del lado este. Fue a estrellarse contra un pino, sin sufrir grandes daños gracias a las barras de protección del parachoques delantero; el hombre del rifle salió despedido de la caja y cayó de forma pesada en la hierba. Allí se quedó tendido, inmóvil.

El Detective fue el primero en abandonar el amparo de los árboles. Tony y Jackie cruzaron la carretera para reunirse con él. El Detective mantuvo la pistola apuntada hacia los dos hombres de la cabina, pero era obvio que ambos ya estaban muertos. El conductor había sido alcanzado en el cuello y el pecho. El acompañante podría haber sobrevivido a los disparos iniciales, pero al chocar la furgoneta contra el árbol no llevaba puesto el cinturón de seguridad. Era un hombre corpulento, y a esa velocidad, con la fuerza del impacto de la cabeza contra el parabrisas ya dañado, se había roto el cristal, de modo que ahora la mitad superior de su cuerpo yacía sobre el capó de la furgoneta mientras la pierna derecha permanecía enredada con el cinturón que quizá lo habría salvado.

El Detective se aproximó a Tony y Jackie, que estaban junto al hombre caído en tierra. Jackie recogió el rifle y lo lanzó entre los árboles. El herido gemía en voz baja y se sujetaba el muslo derecho. Tenía la pierna retorcida por la rodilla y el pie en un ángulo antinatural respecto a la articulación. El Detective hizo una mueca al verlo. Se arrodilló en la hierba y se inclinó para hablar al oído del hombre.

–Eh –dijo–. ¿Me oyes?

El hombre asintió. Enseñaba los dientes en un gesto de dolor.

–La pierna... –dijo.

–Se te ha roto. No podemos hacer nada, aquí no.

–Me duele.

–No me extraña.

Para entonces, Paulie había dado la vuelta al cuatro por cuatro y se detenía en la carretera por encima de ellos. El Detective le indicó que se quedara allí vigilando, y Paulie se dio por enterado con una seña.

–¿Lleváis algo para el dolor en el cuatro por cuatro? –preguntó el Detective a Tony.

–Hay un Jack Daniel's –contestó Tony. Pensó por un momento–. Y unas cuantas pastillas y demás. Los médicos nos dan tantas cosas que no sé ni para qué sirven. Iré a mirar en la guantera.

Se alejó con paso pesado. El Detective volvió a centrar la atención en el herido.

–¿Cómo te llamas?

—Fry. —El hombre consiguió pronunciar la palabra entre jadeos–. Eddie Fry.

—Vale, Eddie. Quiero que me escuches bien. Vas a explicarme qué está pasando aquí exactamente y después te daré algo para el dolor. Si no me dices lo que quiero saber, uno de estos grandullones te pisará la pierna. ¿Queda claro?

Fry asintió con la cabeza.

—Buscamos a unos amigos nuestros. Dos hombres, uno negro y otro blanco. ¿Dónde están?

Eddie Fry mecía el tronco, como si así pudiera bombear parte del dolor de la pierna para eliminarlo.

—En el bosque —dijo—. Lo último que hemos sabido era que estaban al oeste de la carretera interna de circunvalación. Nosotros no los hemos visto. Nuestra misión consistía en ofrecer apoyo por si conseguían atravesar el cordón.

—Han venido con más gente. Dos de ellos están muertos allí en el puente. ¿Qué ha sido de los demás?

Saltaba a la vista que Fry era reacio a contestar. El Detective se volvió hacia Jackie.

—Jackie, písale un poco el pie.

—¡No! —Eddie Fry levantó las manos en actitud de súplica–. ¡No, eso no! Están muertos. No los hemos matado nosotros, pero están muertos. Yo sólo trabajo para el señor Leehagen. Antes cuidaba el ganado. No soy un asesino.

—Sin embargo, intentabas matar a nuestros amigos.

Fry negó con la cabeza.

—Nos ordenaron que no los dejáramos marchar, pero no debíamos hacerles daño. Por favor, la pierna...

—Ya nos ocuparemos de eso a su debido tiempo. ¿Por qué no debíais matarlos?

Fry empezó a perder el sentido. El Detective lo abofeteó con fuerza en la mejilla.

—Contesta.

—Otra persona. —Fry tenía el rostro contraído por el dolor y sudaba de tal modo que ni siquiera la lluvia podía impedir que lo cegara la sal–. Debía matarlos otro. Ése era el acuerdo.

—¿Quién?

—Ventura. Va a matarlos Ventura.

—¿Quién es Ventura?

–¡No lo sé! Te juro por Dios que no lo sé. Ni siquiera lo conozco. Está por aquí, en algún sitio. Va a darles caza. Por favor, por favor, la pierna...

Willie Brew se había reunido con ellos. Muy pálido, permanecía a un lado, escuchando. Toni Fulci regresó con dos bolsas de plástico transparente llenas a rebosar de fármacos. Las dejó en el suelo y empezó a revolver los envases y frascos, examinando los nombres genéricos y desechando los que no consideraba útiles para el caso.

–Bupirona: ansiolítico –dijo–. Nunca nos han servido de nada. Clozapina: antipsicótico. Ni siquiera recuerdo haberlo tomado. Trazodona: antidepresivo. Ziprasidona: otro antipsicótico. Loxapina: antipsicótico. Tío, parece como si hubiera una lógica...

–Oye, que no tenemos todo el día –apremió el Detective.

–No quiero darle algo y que luego no vaya bien –adujo Tony.

Willie tuvo la impresión de que se enorgullecía de sus conocimientos farmacológicos.

–Tony, por lo que se ha visto, nada de eso va bien.

–Ya, en nuestro caso no. Pero en el suyo a lo mejor sí. Mira: florazepán. Es un sedante, y aquí también hay un poco de eszopiclona. Hazle un cóctel con esto. –Sacó un botellín de Jack Daniel's del bolsillo de la cazadora y se lo entregó al Detective junto con cuatro pastillas.

–Eso parece mucho –observó Jackie–. No queremos matarlo.

Willie miró a los muertos en la cabina manchada de sangre y luego otra vez a Jackie.

–¿Qué? –dijo Jackie.

–Nada –contestó Willie.

–No es lo mismo –aclaró Jackie.

–¿El qué?

–Pegarle un tiro a alguien que envenenarlo.

–Supongo que no –dijo Willie.

Empezaba a arrepentirse de haber ido. Más sangre, más cadáveres, un herido tumbado en la hierba en pleno sufrimiento. Había oído a Eddie Fry: no era un asesino, era sólo un labriego obligado a prestar un servicio. Quizá Fry sabía lo que los otros pretendían, y en ese sentido tenía cierta responsabilidad, pero estaba fuera de su elemento con hombres como el Detective. Fry y sus amigos eran corderos de camino al matadero. Willie no se esperaba que las cosas se desarrollaran así. No sabía bien qué se había esperado, y se dio cuenta, una vez más, de lo ingenuo que había sido. Allí él estaba tan fuera de lugar como el propio Fry. Willie no se había comprometido a matar a nadie, pero estaban muriendo hombres.

El Detective entregó los comprimidos a Fry y luego le aguantó la botella para que se los pudiera tragar acompañados de Jack Daniel's. Dio la botella al herido y se acercó a la cabina de la furgoneta accidentada. Abrió la puerta del acompañante y retiró las armas. Luego encontró una de las radios. Parecía intacta, pero cuando la levantó, la tapa trasera se desprendió y quedaron a la vista las entrañas destrozadas. Irritado, la lanzó al bosque y después miró hacia el oeste.

–Están allí, en algún sitio –dijo–. La cuestión es cómo encontrarlos.

25

El hombre apoyado en el techo del Ford Ranger estaba empapado. Se llamaba Curtis Roundy, y si alguien agitaba un palo delante de él, podías apostar cinco contra veinte a que Curtis siempre encontraría la manera de agarrarlo por la punta manchada de mierda, o al menos esa impresión tenía él. Por mucho que se esforzara en evitar situaciones en las que debía sacrificar su comodidad y satisfacción personales por el concepto que otro tenía del bien mayor, Curtis acababa inevitablemente con un tenedor en la mano cuando caía sopa del cielo, o experimentando un suave goteo de orina en la espalda mientras le aseguraban que en realidad era lluvia. Al menos eso sí era sólo lluvia, y el poncho lo resguardaba un poco, pensó con los prismáticos ante los ojos y los pies chapoteando dentro de las botas.

Así y todo, no era un gran consuelo. Se habría sentido mucho más a gusto sentado en la cabina en lugar de estar a la intemperie expuesto a los elementos, pero Benton y Quinn no eran la clase de hombres que se atenían a razones o se preocupaban mucho por el bienestar ajeno. No contribuía a mejorar las cosas el hecho de que Curtis fuera quince años menor que ellos y pesara mucho menos que cualquiera de los dos, con lo que no le quedaba más remedio que dejarse mangonear en tales situaciones. Entre todos los hombres con quienes podía haber formado equipo, no había ninguno peor que Benton y Quinn. Eran miserables, mezquinos e imprevisibles en el mejor de los casos, pero Benton, después de sus experiencias en la ciudad y de la reacción del hijo de Leehagen a su regreso, se había convertido en un auténtico animal. Tomaba una pastilla detrás de otra para el dolor del hombro y la mano, y había tenido un desagradable enfrentamiento con el tal Ventura, de resultas del cual lo habían exiliado al monte, viéndose excluido de lo que estaba por venir. Curtis había oído parte de la conversación y visto la mirada que Ventura lanzó a Benton cuando éste salió de la casa hecho una furia. El asunto entre ellos no había quedado zanjado ni remotamente, y si bien Curtis se reservó su opinión, no auguraba a Benton un feliz desenlace en futuros encuentros. Desde entonces Benton hervía en cólera, y Curtis casi oía el borboteo de la lenta ebullición.

Edgar Roundy, el padre de Curtis, había trabajado en la mina de talco del señor Leehagen, y aunque murió infestado de tumores, ni una sola vez echó la culpa de lo ocurrido a su jefe. El señor Leehagen le puso un plato en la mesa, un coche delante de casa y un techo sobre la cabeza. Cuando lo invadió el cáncer, lo atribuyó a la mala suerte. No era tonto. Sabía que el trabajo en una mina, ya fuera de talco, sal o carbón, no iba a proporcionarle una vida larga y feliz. Cuando la gente empezaba a hablar de demandar al señor Leehagen, Edgar Roundy se daba media vuelta y se marchaba. Eso hizo hasta que ya no podía andar, y entonces murió. A cambio de su lealtad, el señor Leehagen dio al hijo de Edgar un empleo que no implicaba la ingesta de amianto para ganarse la vida. Edgar, si aún viviese, se habría conmovido ante semejante gesto.

Curtis tenía inteligencia suficiente para saber que se había librado de una buena cuando la mina cerró y el señor Leehagen consideró oportuno ofrecerle una ocupación alternativa. Eran muchos los que en otro tiempo habían trabajado para los Leehagen y ahora se las arreglaban con la clase de pensiones que los condenaban al menú familiar de Kentucky Fried Chicken y hamburguesas de serrín como base de su dieta. No sabía bien por qué le había sonreído la fortuna a él y no a otros, aunque podía deberse en parte a que el viejo señor Leehagen, cuando gozaba de mucha mejor salud, hacía alguna que otra visita recreativa a la señora Roundy mientras su marido, con un arranque de tos perruna tras otro, sacrificaba la vida en la mina en medio de la mugre y el polvo. El señor Leehagen era el amo y señor de todo lo que se veía hasta donde alcanzaba la vista, y no habría sido impropio de él acogerse a una nueva versión del derecho de pernada, la ancestral prerrogativa de las clases dominantes, si le venía en gana y había a mano una mujer que se prestase. Curtis no se daba por enterado de las antiguas visitas diurnas del señor Leehagen, o al menos se había convencido de que no lo sabía, si bien hombres como Benton y Quinn eran muy capaces de sacarlo a relucir cuando necesitaban un poco de diversión. La primera vez que lo hicieron, Curtis respondió a sus pullas lanzándole un puñetazo a Benton, y casi lo muelen a palos por tomarse la molestia. Curiosamente, Benton empezó a respetarlo un poco más como consecuencia de aquello. Así se lo dijo a Curtis mientras lo golpeaba una y otra vez en la cara.

En ese preciso momento Benton y Quinn estaban como cubas. Al señor Leehagen y su hijo no les haría ninguna gracia enterarse de que bebían en horas de trabajo. Michael Leehagen había insistido en la importancia de contener a los dos intrusos. Todos debían permanecer alertas, había dicho, y todos debían obedecer sus órdenes. Una vez concluido el trabajo, habría gratificaciones para todos. Curtis no quería ver peligrar su gratificación. Para él, contaba hasta el último centavo. Tenía que alejarse de todo aquello: de los Leehagen, de hombres como Benton y Quinn, del recuerdo de su padre marchitándose a causa del cáncer y resistiéndose sin embargo a escuchar cualquier crítica contra Leehagen, el hombre que negaba la existencia real de la enfermedad que estaba matándolo. Curtis tenía amigos en Florida que se ganaban un buen dinero como tejadores, a lo que contribuía el hecho de que cada año, debido a los huracanes, volvían a requerirse sus servicios. Le permitirían participar como socio, siempre y cuando aportase algo de capital. Curtis había ahorrado casi cuatro mil dólares, y el señor Leehagen le debía otros mil, sin contar la posible gratificación que recibiría por el trabajo actual. Se había fijado la meta de reunir siete mil: seis mil para entrar en el negocio de tejados, y mil para cubrir gastos una vez en Florida. Ahora ya estaba cerca, muy cerca.

El repiqueteo de la lluvia en la capucha del poncho empezaba a provocarle dolor de cabeza. Se apartó los prismáticos de los ojos para descansar la vista, cambió de posición en un vano esfuerzo por estar más cómodo y reanudó su labor de vigilancia.

Advirtió un movimiento al sur en el linde del bosque: dos hombres. Golpeteó el techo para avisar a Quinn y Benton. La ventanilla del acompañante se abrió, y a Curtis le llegó el olor del alcohol y el humo del tabaco.

–¿Qué pasa? –Era Benton.

–Los veo.

–¿Dónde?

–No lejos de la casa de los Brooker, avanzando en dirección oeste.

–Detesto a ese viejo cabrón, a él, a su mujer y al bichejo de su hijo –dijo Benton–. El señor Leehagen tendría que haberlos despachado de sus tierras hace tiempo.

—Seguro que el viejo no los ha ayudado —afirmó Curtis—. Sabe lo que le conviene.

Aunque no tenía tan claro que eso fuera verdad. El señor Brooker era un hombre de mal carácter, y tanto él como su familia evitaban cualquier trato con los hombres que trabajaban para el señor Leehagen. Curtis no entendía por qué el señor Brooker no vendía su propiedad y se marchaba, pero imaginaba que también eso formaba parte de su mal carácter.

—Sí —dijo Benton—. El viejo Brooker puede ser un tocacojones, pero no es tonto.

Asomó una mano por la ventanilla con una botella de aguardiente casero y se la ofreció a Curtis. Aquél era el brebaje elaborado por el propio Benton. Quinn, todo un experto en tales asuntos, opinaba que aquél, para ser un alcohol de grano primitivo, era tan bueno como cualquiera de los que podían comprarse en los alrededores, aunque eso no era mucho decir. No provocaba ceguera, ni hacía orinar sangre, ni causaba ninguno de los desafortunados efectos secundarios que a veces acompañaban el consumo de un matarratas casero, y eso, a juicio de Quinn, lo convertía en una bebida de alta calidad.

Curtis alcanzó la botella y se la llevó a la boca. Sólo de olerlo le dio vueltas la cabeza y al instante pareció exacerbarse el dolor dentro de su cráneo, pero de todos modos bebió. Tenía frío y estaba empapado. El aguardiente no podía empeorar las cosas. Por desgracia, sí las empeoró. Fue como tragar fragmentos de cristal caliente que habían estado largo tiempo en un viejo depósito de gasolina. En un arranque de tos escupió la mayor parte sobre el metal a sus pies, donde el agua de lluvia hizo lo posible por diluirlo y llevárselo.

—A la mierda —dijo Benton. El motor se puso en marcha—. Entra aquí, Curtis.

Curtis bajó de un salto y abrió la puerta del acompañante. Quinn mantenía la mirada fija al frente, con un cigarrillo colgando de los labios. Medía por encima del metro ochenta, unos diez centímetros más que Curtis, y tenía el pelo negro y corto con la consistencia del alambre de fusible. Quinn era el mejor amigo de Benton desde el colegio. Hablaba poco, y prácticamente no decía más que tacos. Parecía haber aprendido todo su vocabulario en las paredes de los lavabos de hombres. Cuando abría la boca, hablaba deprisa, brotándole las palabras en sartas de amenazas y obscenidades ininterrumpidas, sin el menor respiro. Mientras Benton cumplía condena en la Penitenciaría de Ogdensburg, Quinn estaba internado en el Psiquiátrico de Ogdensburg, a la vuelta de la esquina. Ésa era la diferencia entre ellos dos. Benton era malévolo, pero Quinn estaba como un cencerro. Curtis le tenía un miedo atroz.

–Eh, apártate –dijo Curtis. Se subió a la cabina, esperando que Quinn se corriese, pero no lo hizo.

–¿Quécoñotecreesqueestáshaciendo? –preguntó Quinn. Pronunció las palabras tan atropelladamente que Curtis tardó unos segundos en entenderlo.

–Pretendo subirme a la cabina.

–Siéntateenelmediojoderyonomemuevogilipollasdemierda.

–Vale ya de chorradas, tío –terció Benton–. Deja pasar al chico.

Quinn apartó las rodillas un milímetro a la izquierda y dejó a Curtis el espacio justo para pasar apretujándose.

–Jodermehaspuestoperdidodeaguatevoyadarunapatadaenelculo.

–Lo siento –se disculpó Curtis.

–Másvalequelosientasovasasentirlapatadaquetevoyadarenelculo.

«Ya, lo que tú digas, chiflado», pensó Curtis. Se imaginó por un instante dándole él una patada a Quinn en el culo, pero se quitó la imagen de la mente en el acto al volverse y ver que Quinn lo observaba sin pestañear con sus ojos castaños salpicados de puntos negros como tumores en las retinas. Curtis no creía que Quinn tuviera telepatía, pero no estaba dispuesto a correr ningún riesgo.

–¿Qué vamos a hacer? –preguntó Curtis.

–Lo que deberíamos haber hecho después de inutilizarles el coche –contestó Benton–. Vamos a liquidarlos.

Curtis se estremeció. Recordó la imagen de la mujer muerta y lo que pesaba en el momento en que Quinn y él la metían en el maletero, mientras Benton y Quinn se reían por el pequeño detalle que habían añadido al trabajo. Willis y Harding los habían matado por la noche, y a Benton le tocaba enterrar los cuerpos, otro castigo por sus fracasos al principio de la semana. En lugar de eso, decidió meterlos en el maletero del coche, y ahora Curtis tenía la sensación de no poder quitarse el olor del perfume de la mujer de las manos y la ropa, ni siquiera con la lluvia.

–Nos han dicho que no intervengamos –recordó Curtis–. Son órdenes, órdenes del hijo del señor Leehagen.

–Ya, bueno, pero a esos dos gilipollas no se lo ha dicho nadie. ¿Y si Brooker los ha ayudado, o les ha dejado llamar por teléfono? ¿Y si ahora mismo hay gente viniendo hacia aquí? Joder, incluso es posible que hayan matado al viejo y su familia, y eso sí sería una auténtica tragedia. Son asesinos, ¿no? A eso se dedica esa clase de individuos. Mientras esperamos a que llegue un fantasma para hacer un trabajo que podríamos haber hecho nosotros de balde, esos dos andan por ahí sueltos. Mientras acaben muertos en sus tierras, Leehagen no pondrá ninguna pega.

Curtis no estaba tan seguro de que eso fuera una buena idea. Tendía a interpretar las órdenes del señor Leehagen al pie de la letra, aunque ahora que el señor Leehagen ya no podía moverse con facilidad, esas órdenes procedían casi siempre de su hijo, y éste les había dejado bien claro que debían abstenerse de actuar por lo que se refería a los dos hombres a quienes esperaban. Debían evitar los enfrentamientos, al menos los que pudieran tener consecuencias fatales. Debían quedarse sentados y esperar. En cuanto los dos hombres entrasen en las tierras de Leehagen debían contenerlos, nada más. En total habían asignado a quince hombres la misión de impedir que escaparan en cuanto cayeran en la trampa. Ahora Benton se proponía infringir las normas. Tenía el orgullo herido por los acontecimientos recientes, como Curtis sabía. Quería reparar el daño ante los Leehagen y, de paso, recobrar la seguridad en sí mismo.

Benton bebía un poco, eso era verdad, pero en general tenía más aciertos que errores, con o sin alcohol. Cuantas más vueltas le daba, más coincidía con Benton en que era absurdo esperar a que Ventura eliminara a los dos hombres. Pero la voluntad de Curtis siempre se tambaleaba al oír la voz que tenía más cerca y hablaba más alto. Si era cierto que el carácter de una persona poseía cualidades camaleónicas y cambiaba para adaptarse al entorno moral, sin duda ése era el caso de Curtis. Su opinión se tambaleaba con un estornudo.

Y así fue como Quinn, Curtis y Benton abandonaron la carretera y fueron en busca de los dos asesinos que pronto ya no asesinarían a nadie más. Hicieron un alto en el camino: en casa de Brooker para ver qué contaba. Curtis vio que el señor Brooker tenía tan buen concepto de Benton como Benton de él, pero, en comparación con la de su mujer, la opinión del señor Brooker en cuanto a Benton era muy generosa. Ella ni siquiera mostraba un asomo de elemental cortesía, y el hecho de que se presentaran armados no pareció amilanarla en absoluto. Era una mujer de cuidado, de eso no cabía duda.

Su hijo, Luke, apoyado en la pared, apenas parpadeaba. Curtis no sabía si veía con el ojo lechoso. Quizá sí veía, y el mundo aparecía ante él como si estuviera cubierto por un manto de muselina, con las calles pobladas de fantasmas. Curtis ni siquiera recordaba haber oído hablar una sola vez al hijo del señor Brooker. No había ido al colegio, al menos a un colegio normal y corriente, y la única vez que Curtis lo vio fuera de la casa de los Brooker fue en el pueblo con su padre, cuando el viejo los invitó a los dos a un helado en la heladería de Tasker. En cuanto a la niña, Curtis no sabía de dónde había salido. Quizá Luke había tenido suerte, por una vez en su vida, aunque era poco probable. Follar con Luke Brooker habría sido como follar con un zombi.

El señor Brooker les enseñó las armas que había arrebatado a los dos hombres, y a Benton se le iluminaron los ojos ante la perspectiva de una cacería fácil. Dio una palmada a Brooker en la espalda y le dijo que informaría al señor Leehagen de su actuación.

Cuando los tres se fueron, Brooker, sentado en silencio a la mesa de la cocina mientras su esposa amasaba detrás de él, intentó sobrellevar con indiferencia las olas de desaprobación que rompían contra su espalda.

Ángel y Louis oyeron la furgoneta antes de verla. Se hallaban en una hondonada entre dos elevaciones de campo abierto, uno de los pastizales, y tardaron un momento en establecer la dirección de donde llegaba el sonido. Louis trepó por la corta pendiente y, al mirar al este, vio avanzar a toda velocidad hacia ellos la Ranger por un camino de tierra que salía del bosque, procedente de la casa del viejo. Estaba aún demasiado lejos para identificar a los hombres de la cabina, pero Louis tenía la certeza de que sus intenciones no eran amistosas. Y de que Ventura no estaba entre ellos. No era su estilo. Por lo visto, las normas habían cambiado. Ya no se trataba de simple contención. Se preguntó si Thomas habría hecho una llamada, temeroso de lo que pudiesen hacer los intrusos aun desarmados. Quizá la noticia de que ya no llevaban armas había decantado la balanza contra ellos.

Louis sopesó las opciones. Ya no contaban con la protección del bosque. Sin embargo, al sudoeste se veía algo parecido a un viejo granero y, junto a él, la estructura abovedada de un montacargas de grano, con más bosque por detrás. Aquello era una incógnita.

Ángel se acercó a él.

–Vienen a por nosotros –dijo Louis.

–¿Hacia dónde vamos?

Louis señaló el granero.

–Hacia allí. Y deprisa.

Benton llegó a lo alto de una pequeña colina. Casi justo enfrente, y a la misma altura, vio correr a sus presas. Uno de ellos, el negro alto, se detuvo por un segundo para volverse y mirarlos. Benton pisó el freno y, saltando de la cabina, agarró su rifle de caza Marlin del armero situado detrás del asiento. Hincó una rodilla en tierra, apuntó y disparó a la silueta, pero el hombre desaparecía ya al otro lado del promontorio, y la bala se perdió en el aire. Para entonces, Quinn y Curtis estaban detrás de él, aunque ninguno de los dos se había molestado en levantar su arma, Quinn porque llevaba una escopeta y Curtis porque su trabajo no consistía en matar a nadie, aunque llevase la pistola vieja de su padre, tal como le había ordenado el hijo del señor Leehagen.

–Maldita sea –se lamentó Benton, pero lo dijo riéndose–. Me juego cualquier cosa a que en su familia nadie ha corrido tanto desde que le enseñaron una soga con un lazo allá en el viejo sur.

–¿Cómo sabes que es del sur? –quiso saber Curtis. Parecía la pregunta lógica.

–Es un presentimiento que tengo –contestó Benton–. Un negro no elige un oficio así si no arrastra un resentimiento que viene de lejos. Ése busca la manera de devolvérsela al hombre blanco.

Curtis no le llevó la contraria, pero aquello se le antojó una soberana gilipollez. Quizá Benton tenía razón, pero incluso si no la tenía, lo más sensato era seguirle la corriente. La maldad se extendía por todo su ser como la grasa en la carne entreverada. Habría sido muy capaz de dejar a Curtis allí bajo la lluvia, y encima con la nariz rota –otra vez– o las costillas molidas como recordatorio para que en el futuro mantuviera la boca cerrada.

–Vamos –ordenó Benton, y los obligó a volver a la furgoneta al trote.

–Aquí hay mucha pendiente –observó Curtis mientras Benton descendía por una ladera con un ángulo muy pronunciado.

–Esto es un V-6 de cuatro litros –dijo Benton–. Esta ricura podría bajar por aquí con sólo dos ruedas.

Curtis no contestó. La Ranger tenía ya doce años, las bandas de rodadura estaban al sesenta por ciento, y cuatro litros no la convertían en un *monster truck*. Curtis se apuntaló en el salpicadero.

Ya en el fondo de la hondonada, la Ranger habría podido seguir en suelo seco, pero Benton no había contado con que la tierra se había embebido de agua. Estaba todo embarrado y, cuando llegaron abajo, las ruedas perdieron agarre, pese a que ya habían iniciado el ascenso por la ladera opuesta. Benton revolucionó el motor y por un momento saltaron hacia delante antes de quedar clavados, con las ruedas girando inútilmente en el terreno blando.

Quinn dijo algo, y en medio de la sarta de palabras Curtis sólo distinguió «tontodelculo» y «comemierda». Benton volvió a acelerar, y esta vez la Ranger avanzó medio metro más antes de resbalar hacia atrás y perder las ruedas traseras en el barrizal.

Benton golpeó el salpicadero con la palma de la mano en un gesto de frustración y abrió la puerta para evaluar los daños. Estaban atascados del todo, hundidos en el fango casi hasta los bajos.

–Mierda –exclamó–. Bueno, supongo que tendremos que ir a por ellos a pie.

–No sé si es muy buena idea –observó Curtis.

–No van armados –repuso Benton–. ¿Te dan miedo dos hombres desarmados?

–No –contestó Curtis, pero tuvo la sensación de que se engañó a sí mismo.

–Vamos, pues. No van a matarse ellos solos.

Benton se rió de su propio chiste. Quinn lo imitó, intercalando palabras malsonantes en su risa de hiena. Acto seguido se pusieron en marcha, trepando por la pendiente con las botas hundidas en el barro.

Como no tenía más remedio, Curtis los siguió.

El granero, grande y amenazador, se recortaba contra el cielo oscuro, con el montacargas a la izquierda. Medía casi quince metros de altura y no era tan moderno como el que se hallaba al lado de las vaquerizas cerca de la casa de Leehagen. Aquí no habría bolsas de silo, ni recubrimiento de cristal fundido en las planchas de acero para permitir que el grano se deslizara fácilmente y prevenir los ácidos de la fermentación, ni ventilación a presión. Esto era un simple almacén de grano.

Louis respiraba con un jadeo ronco y entrecortado, y a Ángel le faltaba claramente el aire. Ateridos de frío y mojados, sabían que se les agotaban las fuerzas y las opciones por momentos. Louis sujetó a Ángel por el brazo y tiró de él al mismo tiempo que volvía la vista atrás. La Ranger no asomaba aún por lo alto de la pendiente. Tanto la bajada como la subida le habían parecido muy empinadas, quizá demasiado para la furgoneta con aquella lluvia. Habían ganado un poco de tiempo, pero no mucho. Aquellos hombres seguirían persiguiéndolos a pie, y tenían armas, en tanto que Ángel y él iban desarmados. Si los alcanzaban en campo abierto, cansados como estaban, los abatirían sin más. Aun cuando Ángel y él llegaran al granero, sus problemas no habrían acabado. Quedarían atrapados allí dentro y, si sus perseguidores llamaban a otros, todo habría terminado.

Pero Louis contaba con que no llamarían a nadie. Si era verdad lo que había dicho el viejo de la granja, Ventura estaba de camino, y Ventura trabajaba solo. Los que en ese momento iban tras sus pasos actuaban por iniciativa propia. Si aún pensaban que Ángel y él estaban armados, obrarían con cautela al llegar al almacén de grano, y esa cautela les proporcionaría un respiro, pero Louis sospechaba que habían hablado con el viejo antes de iniciar la cacería. Ya sabían que se enfrentaban a hombres desarmados.

Con todo, una de las primeras lecciones que había recibido Louis en su largo aprendizaje como portador de la muerte era que en todo espacio cerrado había un arma, aunque esa arma fuera uno mismo. Sólo era cuestión de identificarla y usarla. Hacía muchos años que no ponía los pies en un granero, pero se representó por adelantado lo que encontraría en su interior: herramientas, sacos, material contra incendios...

Empezó a asociar ideas.

Material contra incendios.

Fuego.

Grano.

Ya tenía la primera de sus armas.

Quinn llegó a lo alto antes que los otros y le pareció ver desaparecer a uno de los dos hombres detrás del granero. En la finca de Leehagen había dos unidades de almacenamiento de grano. La principal estaba junto a las vaquerizas nuevas, cerca de la forrajería, mientras que esta otra unidad era una reliquia de los primeros tiempos del rebaño, y originalmente había sido un silo de forraje. Ahora se empleaba para guardar la reserva de grano, por si ocurría algo con el granero principal, o si en época de nieve el ganado quedaba disgregado. De hecho, una de las tareas de Benton, cuando no se dedicaba a cazar seres vivos o a intimidar a aquellos más pequeños que él, había sido supervisar el almacén de grano secundario, controlando la humedad, la presencia de roedores u otras plagas. Al no ser objeto de gran interés para nadie más, para Benton representaba un sitio útil donde cultivar sus diversos pasatiempos, entre ellos tirarse a las jóvenes extranjeras, con o sin su consentimiento, que de vez en cuando eran transportadas desde Canadá a través de la granja.

Benton y Curtis se reunieron con él.

–¿Has visto adónde han ido? –preguntó Benton.

Quinn señaló hacia el granero con la escopeta.

–Más allá hay campo abierto, sin un solo árbol en trescientos o cuatrocientos metros –comentó Benton–. Si se echan a correr, ya los tenemos. Si se quedan dentro, también los tenemos.

Benton había aconsejado al señor Leehagen demoler el granero y el silo, pero tras el sacrificio del rebaño (ya de por sí un capricho estúpido propio de un rico), no era necesario. El silo había sufrido daños porque estaba provisto de una tolva lateral para descarga por gravedad, lo cual provocó el hundimiento hacia dentro de una pared. Una segunda salida, abierta contra los consejos de Benton, daba directamente al interior del propio granero, una medida de emergencia por si fuera necesario alojar y dar de comer al ganado allí en invierno. Benton se alegraba de no haber tenido que usarla nunca. El viejo Leehagen era muy propenso a buscar soluciones de ese tipo. Ahora parecía que el granero por fin tendría una utilidad: serviría para atrapar a los dos hombres a quienes perseguían.

Dio una fuerte palmada a Curtis en la espalda.

–Vamos, chico. ¡Aún tendrás aquí tu bautismo de sangre!

Y con el rifle en alto condujo a los otros dos hacia el almacén de grano.

El granero no estaba cerrado con llave. Louis supuso que nadie iba a provocar a Leehagen robándole, y ni siquiera la rata más lista habría aprendido a abrir una puerta usando el picaporte. Entró. El granero era pequeño, con pesebres improvisados dispuestos paralelamente a las paredes. Lo iluminaban tres claraboyas, y justo debajo de éstas estaban las rejillas de ventilación.

–Echa un vistazo –dijo a Ángel–. A ver si encuentras gasolina, alcohol de quemar, cualquier cosa que arda.

Las posibilidades eran mínimas. Mientras Ángel buscaba, Louis examinó la abertura por la que entraba el grano. Era poco más que una tubería metálica que comunicaba el silo con la pared del granero, provista de una válvula en su extremo para dispensar el grano. La abertura, a tres metros del suelo, tenía acoplada a un lado una tolva metálica movediza con un contenedor de plástico debajo. Louis se detuvo junto al contenedor y accionó la válvula. Estaba un poco oxidada y tuvo que empujar con fuerza para moverla, pero vio con alivio que el grano empezaba a derramarse por el suelo. Tomó un poco entre las manos y lo frotó entre los dedos. Estaba muy seco. Abrió más la válvula para aumentar el flujo. Al cabo de un par de minutos, el aire se había llenado ya de partículas de grano y un polvo asfixiante.

Ángel apareció junto a él.

–No he encontrado nada –dijo.

–No importa. Ve a ver a qué distancia están.

Ángel se tapó la nariz y la boca con la cazadora mientras atravesaba rápidamente el almacén hasta llegar a la puerta corredera principal en la parte delantera del granero. A ambos lados había ventanas, cubiertas de polvo. Con cautela, miró por el cristal y vio avanzar tres siluetas bajo la lluvia. Estaban a unos sesenta metros y se disponían a dispersarse. Uno iría por la parte de atrás; los otros dos entrarían por delante. Era la única manera de registrar el granero sin peligro y asegurarse a la vez de que sus presas no escapaban por la puerta de atrás.

–Cerca –gritó Ángel–. Un par de minutos como mucho. –Tosió con fuerza al penetrarle el polvo en los pulmones. Ya apenas veía a Louis junto a la pared opuesta.

–Deja que te vean –dijo Louis.

–¿Cómo?

–Que te vean. Abre la puerta y vuelve a cerrarla.

–Quizá debería salir con una manzana en la cabeza, ya puestos, o disfrazarme de pato.

–Tú haz lo que te digo.

Ángel retiró el cerrojo de la puerta corredera y la deslizó alrededor de un metro y medio. Empezaron a disparar. Ángel se apresuró a cerrar y se volvió hacia Louis.

–¿Contento? –preguntó mientras corría hacia Louis.

–Eufórico. Es hora de irse. –Louis tenía en las manos unas sacas viejas de grano y el cargador de repuesto de la Glock. Envolvió el cargador con una saca, sosteniendo su Zippo entre los dientes.

–¿Todavía tienes el tuyo? –preguntó con el encendedor de metal aún en la boca.

Ángel sacó el cargador del bolsillo y se lo entregó. Louis repitió la maniobra, con lo que añadió más peso a la saca.

–De acuerdo –dijo. Señaló la puerta trasera. Se abría hacia la izquierda. Nada más salir, a su derecha, vieron aparecer a un joven por la esquina. Era menudo y llevaba una pistola. Se quedó mirándolos y al cabo de un instante levantó el arma con poca convicción. Le temblaba la mano.

–No os mováis –ordenó, pero Ángel ya estaba en movimiento. Agarró la pistola y la apartó a la izquierda a la vez que asestaba un cabezazo al muchacho en la cara con todas sus fuerzas. El joven se desplomó, y Ángel se quedó con la pistola. En ese mismo momento oyó abrirse la puerta corredera del lado opuesto del granero.

Ángel percibió una llamarada a sus espaldas. Se volvió a tiempo de ver a Louis encender la saca.

–Corre –dijo Louis.

Y Ángel corrió. Al cabo de unos segundos, Louis, ya junto a él, apoyaba la mano en su espalda dolorida y lo obligaba a echarse cuerpo a tierra. Ángel empezó a rezar.

Benton y Quinn oyeron las detonaciones al entrar en el granero. Dentro, en el otro extremo, flotaba una densa nube de polvo y no se veía la pared opuesta. Quinn ya había agarrado a Benton por el hombro y lo obligaba a retroceder cuando la saca en llamas entró volando por la puerta de atrás en el aire cargado de polvo del granero.

–Joder –exclamó Benton–. Joder...

Y de pronto el fuego se propagó por el granero y el mundo se convirtió en infierno.

Jackie Garner estaba harto de mojarse.

–No podemos quedarnos aquí parados bajo la lluvia –dijo–. Tenemos que ponernos en marcha.

–Podríamos separarnos –sugirió Paulie–. Cada grupo toma por una carretera y a ver qué pasa.

«Lo que pasará es que acabaremos muertos», pensó Willie. A los Fulci y a su amigo obviamente les faltaba un tornillo, pero al menos no les faltaban armas. Los cinco juntos tenían más posibilidades que dos, o tres.

–Aun así, hay mucho terreno que cubrir –observó Jackie–. Podrían estar en cualquier sitio.

De repente, al sur, el paisaje se vio alterado por una enorme bola de humo, madera y polvo que se alzaba desde una colina hacia el cielo gris, y en sus oídos resonó una explosión.

–¿Sabéis qué os digo? –comentó Jackie–. Son sólo suposiciones, pero...

Louis y Ángel se levantaron. Estaban rodeados de escombros: madera, tela de sacas, grano ardiendo. El abrigo de Louis se había prendido. Se lo quitó en el acto y lo tiró a un lado antes de empezar a arder también él. Ángel tenía el pelo chamuscado y una ligera quemadura roja en la mejilla izquierda. Evaluaron los daños. Medio granero había desaparecido y el silo se había derrumbado. En medio de los restos, Ángel distinguió el cuerpo del joven que por un instante los había encañonado.

–Al menos tenemos una pistola –dijo.

Louis se la quitó.

–Yo tengo una pistola –corrigió–. ¿Qué prefieres? ¿Tener tú una pistola o tenerme a mí con una pistola a tu lado?

–Tener yo una pistola.

–Pues no puede ser.

Ángel dirigió la mirada por encima de lo que quedaba del granero.

–Ahora van a venir todos.

–Supongo.

–Al menos así traerán más armas.

–Te conseguiré una cuando lleguen.

–¿De verdad?

–Sí.

298

–Gracias.

–No hay de qué.

–También vendrá Ventura.

–Sí, eso seguro.

–¿Sigue en pie el plan de visitar a Leehagen?

–Así es.

–Bien.

–Me parece bien.

Se echaron a caminar.

–Tengo los zapatos mojados, ¿sabes? –se quejó Ángel.

–Pero al menos ahora has entrado en calor...

26

Ventura oyó la explosión y supo que Louis andaba cerca. No temía que su objetivo pudiera estar muerto, porque en el fondo de su alma sabía que Louis era para él. Después de todo lo que había sufrido, tenía derecho a resarcirse.

Había infravalorado al protegido de Gabriel, pero era cierto que Gabriel siempre había buscado al Hombre de la Guadaña perfecto, alguien a quien moldear para que cumpliera su voluntad sin cuestionarlo. Ventura había visto a muchos de ellos llegar y desaparecer, y sus muertes habían sido causa de dolor para Gabriel sólo porque el fracaso de ellos era el suyo propio. Lo que Gabriel no había entendido, pero Ventura sí, era que un hombre o una mujer que se sometiese por completo al arbitrio de Gabriel al final perdería toda su utilidad. La razón por la que Ventura era especial –y también Louis, como el propio Ventura había tenido que reconocer a regañadientes– era que ambos poseían una vena de individualismo, quizás incluso cierta perversión del espíritu, lo que significaba que a la larga se liberarían de las restricciones impuestas sobre ellos por Gabriel y por quienes, a su vez, lo utilizaban a él para cumplir sus propósitos. Por eso, a diferencia de otros muchos, seguían con vida, pero Ventura había tenido la inteligencia de comprender que esa situación no podía durar eternamente. Con el tiempo se cansaría, y empezaría a pensar más despacio. Cometería un error y pagaría el precio; eso, o intentaría pasar de forma discreta al anonimato llevándose sus secretos consigo, pero algunos, quizá Gabriel entre ellos, preferirían que los secretos de Ventura se enterrasen con él, y cuanto antes mejor. Así que Ventura había asumido un riesgo calculado: había puesto un precio, y se lo habían pagado. Había cometido un error: Louis había sobrevivido. Ya era hora de rectificar ese error.

La explosión facilitó el siguiente paso de su misión. Ahora conocía la posición de Louis, aunque estaba más al sudoeste de lo que preveía. Era curioso, pensó, que Louis y su amante se adentraran más en la trampa en lugar de intentar salir. Sabía por el hijo de Leehagen que habían intentado atravesar el cordón y se habían visto obligados a volver al bosque. De haber perseverado, quizás habrían podido atravesar la línea en un segundo intento. Con suerte, incluso les habría sido posible llegar a uno de los puentes, aunque no habrían llegado más lejos, ya que habían seguido todos sus pasos desde el principio. Ventura tenía en sus manos el destino de aquellos dos hombres, y había escrito que debían morir.

Se desplazaban hacia el interior, no hacia fuera. Pensó que debería prevenir a Leehagen, pero abandonó la idea. El viejo matón podía deducir por su cuenta lo que ocurría y si no, no merecía vivir. Pese a todos los obstáculos que había encontrado en su camino, Louis iba aún en busca de Leehagen. Ventura admiró su entrega. Siempre había considerado impuro a Louis, porque nadie poseía la pureza de Ventura, pero en el fondo percibía en él algo de su propia tenacidad.

Con paso rápido y uniforme, Ventura se encaminó hacia el lugar de la explosión.

Algo se movió en una zanja cerca de las ruinas del granero. Se desplazaron primero un palé y después una plancha de hierro acanalado. Debajo yacía Benton. Tenía chamuscado y ennegrecido el lado izquierdo de la cara quedando a la vista, allí donde la piel se había roto, finas vetas de carne viva como magma que traspasa a borbotones una corteza volcánica, y ahora no veía con el ojo de esa mitad del rostro. El dolor era insoportable.

Se incorporó apoyándose en las palmas de las manos. Tenía los dorsos quemados y agrietados, pero las palmas ilesas. Se miró. Parte de la camisa había desaparecido devorada por el fuego y debajo tenía la piel cubierta de ampollas y salpicada de un sinfín de astillas. A su lado yacían los restos de Quinn. Al prenderse el granero, Quinn se había llevado la peor parte de la explosión. Su cuerpo había volado por los aires, golpeando a Benton y de paso protegiéndolo, con la ayuda de una fortuita acumulación de escombros, de lo que vino a continuación.

Se puso en pie y se sacudió materia roja y negra del pantalón. Sospechó que parte de ella pertenecía a Quinn, y lo asaltó un arranque de indignación por la muerte de su amigo. Se llevó la mano a la cabeza. Le dolía el cráneo. Tenía una calva donde antes estaba el pelo. La palma de la mano le quedó manchada de sangre.

El dolor del globo ocular era el peor por lo localizado e intenso. Había perdido la percepción de la profundidad, pero notaba que algo sobresalía de la cuenca donde antes tenía el ojo izquierdo. Con cuidado, levantó la mano derecha y la acercó al ojo. Rozó con la palma una astilla de madera, y Benton, conmocionado, dejó escapar un grito. El ojo derecho empezó a llorarle y se le nubló la vista. Procuró no sucumbir al pánico, obligándose a dejar de respirar de forma entrecortada y a tomar aire con aspiraciones profundas y lentas.

Tenía una astilla en el ojo. No podía dejarla allí. Uno no podía dejarse una astilla en el ojo. Sencillamente... eso no se hacía.

Benton alzó las manos ante sí y las volvió de lado, enfrentando las palmas. Se las acercó hasta casi tocarse la cabeza, una a cada lado del ojo herido. Luego, muy despacio, juntó los dos dedos índices hasta tocar la astilla con las yemas. Volvió a sentir un dolor atroz, pero esta vez se lo esperaba. Apretó el fragmento de madera con las puntas de los dedos y tiró. Estaba clavado a gran profundidad y encontró por tanto cierta resistencia, pero Benton no se detuvo. Sintió dentro de la cabeza un ruido parecido a una sirena, agudo e intenso, y sólo cuando la astilla se desprendió y algo caliente resbaló por su mejilla, cayó en la cuenta de que el sonido eran sus propios gritos.

Examinó la astilla sosteniéndola a corta distancia del ojo derecho. Medía casi cinco centímetros y prácticamente la mitad estaba cubierta de sangre y fluido ocular. «Esos hijos de puta me han metido una astilla en el ojo», pensó. Se las pagarían.

Tenía la impresión de que el cerebro no le funcionaba como debía. No enviaba los mensajes correctos a sus extremidades, por lo que se tambaleaba y se desviaba al caminar. Aun así, consiguió dejar atrás las ruinas del granero, cayendo de rodillas sólo una vez. Se había olvidado ya de sus quemaduras y de los restos de Quinn, y la suerte que había corrido Roundy ni siquiera asomó a su conciencia hecha añicos. Lo único que importaba era la astilla que le había cegado un ojo. Al fin y al cabo, ¿qué clase de hombres eran aquellos que cegaban a otro? Hombres que no merecían vivir, eso eran.

En algún lugar a lo lejos, vio moverse dos siluetas, una alta, la otra más baja. Llevaba su rifle, que había encontrado medio escondido bajo los restos de Quinn. Empezó a seguir a los dos hombres.

El Detective había recorrido menos de dos kilómetros en dirección a la explosión cuando apareció el primer coche. Era un Toyota Camry rojo, que avanzaba por delante de ellos rápidamente. Willie empuñó la pistola con más fuerza, pese a que el Detective aminoró la marcha, dejando que el otro coche se alejara. Detrás de ellos, Jackie Garner y los Fulci también redujeron la velocidad.

–¿Tienes algún plan para cuando lleguemos allí? –preguntó Willie.

–El mismo de antes: no morir.

Densas nubes de humo flotaban sobre la carretera. Dificultaban la conducción, pero también los ocultaban de los hombres que los precedían. Tanto era así que casi chocaron contra ellos al llegar al lugar de la explosión. El coche rojo pareció salir de la nada, allí parado con las puertas parcialmente abiertas y dos hombres todavía sentados en los asientos delanteros. Nada más verlos, el Detective frenó en seco y se desvió a la derecha; detrás de ellos, Tony Fulci dio un volantazo a la izquierda, sorteando el Mustang y deteniendo el cuatro por cuatro casi a la altura de los dos hombres del coche.

Incapaz de abrir la puerta del todo por la proximidad del cuatro por cuatro, el conductor decidió disparar, pero, debido a la altura del otro vehículo, antes tuvo que bajar la ventanilla y asomar la mano para dar en el blanco. Para cuando lo consiguió, Tony había descerrajado cuatro tiros a través del techo del coche y el hombre se desplomó de lado, con la mano izquierda colgando de forma inútil por la ventanilla a medio abrir y el arma cayendo al suelo.

El acompañante, obviamente herido pero capaz aún de empuñar una pistola, abrió la puerta del lado opuesto a los Fulci y salió tambaleante, tosiendo y con los ojos llorosos por el humo. El Detective pisó el acelerador del Mustang. El coche salió como una flecha, golpeó al pistolero a la altura de las piernas y arrancó la puerta del Toyota. Con la fuerza del impacto, el hombre se dobló por la cintura y rodó sobre el capó del Mustang. Cayó al suelo cuando el Detective giró a la derecha y detuvo el coche. El Detective abrió su puerta y salió para adentrarse en el humo y la lluvia, seguido por Willie.

Dos hombres se alejaban del fuego a todo correr. Los dos llevaban vaqueros e impermeables amarillos, los cuales se distinguían pese al humo, y aparentemente los dos iban armados de escopetas. Willie los vio antes que nadie. Intentó hablar, pero le entró humo en la boca y apenas pudo farfullar. Jackie Garner y uno de los Fulci aún estaban apeándose del cuatro por cuatro, y el Detective se había arrodillado junto al hombre caído.

Willie levantó la Browning.

«No quiero hacerlo. Me creía capaz, pero me equivocaba. Pensaba que todo se reduciría a entrar y salir, que encontraríamos a Ángel y Louis y nos los llevaríamos de aquí. No me esperaba todo esto, esta matanza. No soy un asesino. Éste no es mi sitio. Yo no soy como estos hombres. Y nunca lo seré.»

La brisa arrastraba el humo, y las dos figuras de amarillo se perdieron de vista por un instante.

«Vete. Date media vuelta, y ya está. Piérdete en el humo. Pon fin a esto.»

Y de pronto volvieron a aparecer, esta vez más cerca. Oyó detonaciones y vio fogonazos entre el humo. Willie disparó dos veces al hombre de la izquierda, apuntando al torso. El hombre cayó al suelo y no volvió a moverse. Una descarga llegó desde el cuatro por cuatro de los Fulci, y el segundo hombre se reunió con el primero. Willie vio a Jackie Garner y a Tony Fulci dirigirse hacia los caídos, y a Tony cubrir a Jackie mientras éste apartaba las armas y comprobaba los signos vitales. El Detective examinaba ahora al conductor del coche. Paulie Fulci se acercó a él, y Willie oyó al Detective decirle a Paulie que el conductor estaba muerto y que el otro hombre no tardaría en estarlo. Los cuatro se encaminaron hacia el granero en ruinas, pero Willie no los siguió. Se aproximó hacia donde yacía con los brazos y las piernas extendidos el hombre al que había matado. Uno de los disparos no había dado siquiera en el blanco, y el otro lo había alcanzado en el pecho. De unos cuarenta años, tirando a calvo, más bien obeso, vestía unos vaqueros baratos y calzaba unas botas de faena gastadas.

Willie apoyó las manos en las rodillas, se agachó y procuró contener el vómito. Vio un estallido de estrellas ante los ojos. Sintió rabia, y dolor, y vergüenza. Se movió en dirección contraria al humo que arrastraba el viento y se sentó al pie de un árbol. La lluvia amainaba, y en todo caso el árbol tampoco le habría ofrecido mucha protección, pero Willie no confiaba en que lo sostuvieran las piernas. Se recostó contra la corteza, tiró la Browning a un lado y cerró los ojos.

Se quedó así hasta que oyó pasos. Se acercaba el Detective. Tenía el rostro ennegrecido por el humo. Willie supuso que él ofrecía el mismo aspecto.

—Debemos seguir adelante —instó el Detective—. Ahora habrá otros buscándolos.

—¿Vale la pena? —preguntó Willie—. ¿Todo esto vale la pena?

—No lo sé —contestó el Detective—. Yo sólo sé que son mis amigos y están en un aprieto.

Tendió una mano. Willie la aceptó.

—Necesitarás tu pistola —dijo el Detective.

Willie miró la pistola en el suelo.

—Cógela, Willie —insistió el Detective, y en ese momento Willie lo odió.

Pero obedeció. Cogió la pistola y se reunió con los demás.

Benton oyó el tiroteo a sus espaldas, pero no volvió la vista atrás. Sólo así podía continuar avanzando. Temía que si se daba la vuelta, aunque sólo fuese por un segundo, perdería por completo el sentido de la orientación, y si se detenía, ya no podría seguir. Sólo era capaz de poner un pie delante del otro, empuñando el rifle con la mano derecha, y al final alcanzaría a los dos hombres que perseguía. Las conexiones de su cerebro iban apagándose poco a poco, fundiéndose una por una como fusibles a causa de una sobrecarga. Apenas recordaba su propio nombre, y había olvidado los nombres de quienes habían muerto en aquel infierno. Lo único que sabía era que los responsables de aquello, fuera lo que fuese, iban por delante de él, y tenía que matarlos. En cuanto estuviesen muertos, podría dejar de moverse, y entonces el dolor cesaría también. Todo cesaría. No habría dolor, ni placer, ni recuerdos. Habría sólo negrura, como si se ahogara en un mar cálido por la noche.

27

Fue Ángel quien primero avistó a Benton. Aún estaba a cierta distancia de ellos cuando vio asomar la cabeza por lo alto de una colina. Tocó a Louis para avisarle, y ambos se volvieron para enfrentarse juntos a la amenaza.

Saltaba a la vista que el hombre estaba gravemente herido. Más que caminar, se arrastraba. Parecía desviarse un poco a la izquierda y de pronto, dándose cuenta, corregía el rumbo. Mantenía la cabeza gacha y sujetaba el rifle con la mano derecha. Cuando se acercó, vieron los estragos causados por el fuego en su cara y su cuerpo, y supieron de dónde venía.

–Alguien ha sobrevivido a la explosión –dijo Ángel–. Aunque está muy tocado.

–Tiene un arma –señaló Louis.

–No parece que vaya a servirle de gran cosa.

Louis levantó su pistola y apuntó al herido a la vez que se encaminaba hacia él.

–No –admitió–, supongo que no.

Benton se dio cuenta de que los hombres a quienes perseguía se habían detenido. Por fin. Él también se detuvo, consciente de que no podría avanzar más, ni allí ni en esta vida. El paisaje oscilaba, y los dos hombres a lo lejos aparecían desdibujados y deformes. Intentó levantar el rifle, pero los brazos no le respondieron. Intentó hablar, pero no le salieron las palabras de la garganta abrasada. Todo era dolor; dolor, y el deseo de vengarse de quienes se lo habían causado. Sus heridas lo habían reducido al nivel de un animal. Recuerdos desarticulados de cosas inconexas afloraban a su mente sólo para desaparecer antes de que pudiera identificarlas y comprenderlas: una mujer que quizá fuera su madre; otra que pudo haber sido una amante; un hombre muriendo bajo la lluvia, la sangre como colores corridos en un cuadro...

El rifle continuaba en su mano. Eso lo sabía. Hizo un esfuerzo de concentración intentando fijar la atención en él. Logró poner el dedo índice de la mano derecha en el gatillo y sujetar el cañón con la izquierda. Apretó el gatillo y disparó en vano contra el suelo. Una lágrima le resbaló desde el ojo. Una de las dos figuras se aproximaba. Tenía que matarlos, pero ya no recordaba por qué. No recordaba nada. Se le había borrado todo.

Su cerebro, comprendiendo la inminencia de su propia extinción, se avivó para un esfuerzo final, y la conciencia de Benton brilló por última vez y eliminió de su cabeza el dolor y la ira y la pérdida permitiéndole centrarse sólo en el hombre que se acercaba. Levantó el brazo izquierdo, tenía un pulso firme. Se le despejó la vista y dirigió la mira hacia el negro alto. Volvió a tensar el dedo sobre el gatillo y, cuando se disponía a dejar escapar el aliento, supo que al final todo saldría bien.

La carga era una bala MatchKing de 250 granos, cosa que no habría significado nada para Benton aun cuando no hubiera sido la bala que le atravesó la cabeza, penetrando justo por detrás y por debajo del ojo que le quedaba y saliendo por la oreja izquierda llevándose consigo casi todo el cráneo.

Desde donde estaba tendido en la hierba húmeda, Ventura observó cómo el objetivo se doblaba y caía al suelo. Cambió ligeramente de posición, apartando el ojo de la mira para localizar a los otros. Ya corriendo, ascendían los dos por una pequeña elevación hacia una arboleda al este. Incluso con el XL, pronto estarían fuera de su alcance. Tenía la intención de acabar con Louis cara a cara, porque quería que supiese quién le quitaba la vida, pero el otro, su compañero, le traía sin cuidado. Ventura fijó la mira en un punto un poco por delante del hombre de menor estatura, previendo el ángulo de su trayectoria; a continuación, expulsó despacio el aire de los pulmones y apretó el gatillo.

–¡Mierda! –dijo Ángel al tropezar en una grieta del terreno y dar un traspié hacia delante y a la izquierda.

Louis, a su lado, se detuvo por un momento, pero Ángel no llegó a caer. Una nube de hierba y polvo se levantó un poco por delante y a la derecha de donde estaba Ángel. Cuando éste recuperó el equilibrio, los dos siguieron corriendo, ahora con la mirada fija en la protección que brindaba el bosque. Ángel oyó otro disparo, pero el terreno empezaba a descender y de pronto se vio rodeado de árboles. Se echó cuerpo a tierra y se refugió detrás del tronco más cercano, encogido, con las rodillas contra el pecho y la boca abierta para tomar aire.

Ángel miró a su izquierda, pero no vio a Louis.

–Eh –gritó–. ¿Estás bien? –No hubo respuesta–. Eh –repitió, ya asustado–. ¿Louis?

Pero todo era silencio. Ángel no se movió. Debía averiguar dónde estaba Louis, pero eso implicaba asomar la cabeza a un lado del árbol, y si el francotirador sabía dónde estaba, y tenía la mira puesta en el árbol, Ángel acabaría muerto. Pero necesitaba saber qué le había ocurrido a su compañero, si es que le había ocurrido algo. Estirándose en el suelo tanto como pudo sin que se le vieran las piernas, empezó a contar mentalmente hasta tres, pero al llegar a dos decidió arriesgarse y echar una rápida mirada desde detrás del tronco del árbol.

Sucedieron dos cosas. La primera fue que vio a Louis tendido de costado justo detrás de una pequeña pendiente que descendía hacia el bosque. No se movía. Lo segundo fue que una bala dio en el tronco y las astillas hirieron a Ángel en la mejilla y lo obligaron a retirar la cabeza de inmediato antes de que otro disparo acabara con sus preocupaciones por Louis, y por las astillas, y por cualquier otra cosa en esta vida.

Estaba desarmado, el hombre que más le importaba en el mundo yacía herido o muerto y no podía llegar hasta él, y alguien lo tenía en la mira de su rifle. Ángel sabía con casi total seguridad quién era esa persona: Ventura. Por primera vez en muchos años, Ángel sintió desesperación.

Había sido un disparo afortunado, pero Ventura no tenía nada en contra de aprovechar las oportunidades cuando se presentaban. Louis, debido a su propio impulso y al movimiento natural del arma de Ventura, había entrado en la mira y recibido el balazo. Ventura había visto trastabillar al negro alto y caer, pero enseguida quedó oculto a causa de la inclinación del terreno. No sabía exactamente dónde le había dado. Sospechaba que en la parte superior de la espalda, en el lado derecho, lejos del corazón. Louis estaría herido, quizá de muerte, pero aún vivía.

Tenía que asegurarse. Había hecho dos promesas a Leehagen. La primera era que Louis moriría en su propiedad, que su sangre se derramaría en la tierra del viejo. La segunda era que le llevaría la cabeza de Louis como trofeo. Había accedido a esta segunda promesa de mala gana. A Ventura se le antojaba excesiva. Era curioso que Hoyle le hubiese pedido eso mismo con Kandic, el hombre enviado para matarlo y cuya posterior eliminación había sido el primer encargo de Ventura al salir de su retiro. De hecho, era una de las razones por las que Ventura había vuelto a la brecha. Tenía una cuenta personal pendiente con Kandic, vestigio de un antiguo conflicto de intereses. Ventura no había tenido ningún reparo en decapitarlo, pero a la hora de la verdad fue más difícil y sucio de lo previsto, y no deseaba que se convirtiera en costumbre. También era consciente de que el elemento personal se había filtrado en todos sus trabajos: él era la imagen especular del hombre que había sido, incapaz ya de distanciarse de aquellos a quienes eliminaba. En cierto sentido, eso representaba cierta ventaja en todo lo que hacía, aunque a la vez lo volvía más vulnerable. Los mejores asesinos eran desapasionados, como lo fue él en otro tiempo. Todo lo demás era debilidad.

Pero Ventura también se daba cuenta de que estaba creando su propia mitología. Kandic, Billy Boy y ahora Louis: serían su legado. Él era Ventura, el asesino de asesinos, el más letal de su estirpe. Lo recordarían cuando ya no estuviera. Nunca más habría otro como él.

Pero era hora de concluir la tarea pendiente. Louis estaba armado. Ventura había alcanzado a ver la pistola en su mano. En cuanto al otro, el tal Ángel, no lo sabía con certeza, pero no le había visto ningún arma. Ventura sospechaba que el hombre de menor estatura sería reacio a moverse por miedo a un balazo. Si actuaba deprisa, Ventura podía cubrir la mayor parte de la distancia que lo separaba de ellos, cambiar de posición para disponer de un ángulo mejor desde el que disparar a Ángel y después rematar a Louis.

Ventura se echó el arma al hombro y empezó a acercarse.

–¿Y hacia dónde han ido? –preguntó Willie.

El Detective y él se hallaban de espaldas a la dirección del humo. Detrás de ellos, los Fulci apartaban el Toyota para que la carretera quedase despejada si decidían seguir por su actual ruta. Jackie Garner contemplaba admirado la destrucción en el almacén de grano. A Jackie le gustaban las cosas que estallaban.

–Lo lógico sería que se alejaran lo máximo posible de aquí –dijo el Detective–. Pero hablamos de Ángel y Louis, y a veces tienden a hacer lo contrario de lo que indica la lógica. Han venido aquí para matar a Leehagen. Podría ser que nada de esto los haya hecho cambiar de idea. Conociéndolos, podría ser que incluso estén más decididos que antes. Se mantendrán apartados de las carreteras por temor a que los vean, y me atrevería a decir que van camino de la casa principal.

En ese momento oyeron el primer disparo.

–¡Por allí! –exclamó Jackie, señalando por encima del hombro de Willie.

Al oeste, pensó Willie, tal como acababa de decir el Detective.

Se oyeron otros dos disparos en rápida sucesión. El Detective ya se había echado a correr.

–Jackie, los hermanos Fulci y tú coged el cuatro por cuatro –ordenó–. Seguid por la carretera. Buscad la manera más rápida de llegar hasta allí. Willie y yo iremos a pie, por si la pifiáis.

Miró a Willie.

–¿Te parece bien?

Willie asintió, aunque no sabía qué le apetecía menos: si la idea de tener que ponerse a correr, o la posibilidad de verse obligado a usar el arma otra vez después de parar de correr.

Fue la humedad lo que finalmente obligó a Ángel a moverse. Un detalle tan nimio, una molestia tan insignificante en comparación con todo lo que les había sucedido ese día, y sin embargo allí estaba. La humedad le producía irritación y picor. Movió la mitad inferior del cuerpo intentando despegarse la tela del pantalón de la piel, pero no sirvió de nada.

–¿Louis? –volvió a llamar, pero la única respuesta fue de nuevo el silencio. Tenía una sensación de escozor en el fondo de los ojos y le ardía la garganta. Había empezado a llorar la pérdida, lo sabía, pero si permitía que el dolor se apoderara de él, estaba acabado. Debía mantener la calma. Tal vez Louis sólo estaba herido. Aún quedaba esperanza.

Analizó la situación. Había dos posibilidades. La primera era que Ventura hubiese decidido permanecer en la misma posición, esperando una oportunidad clara para disparar a Ángel o Louis. Pero Louis no estaba a la vista, y Louis, como bien sabía Ángel, era el objetivo prioritario de Ventura. Ángel sólo le importaba en la medida en que pudiese ser un obstáculo en sus intentos de eliminarlo. Desde su posición inicial, Ventura no debía de ver a Louis abatido, o de lo contrario habría vuelto a disparar. No podía tener la certeza de que la bala que lo había alcanzado hubiera sido letal.

Lo que daba pie a la segunda, y más probable, posibilidad: que Ventura estuviese acercándose, estrechando el cerco en torno a los dos hombres para asegurarse de que el trabajo quedaba concluido a su entera satisfacción. Si era así, quizás Ángel podía abandonar su escondite sin peligro. Así y todo, era una apuesta, y si bien Ángel se había esforzado en cultivar diversos vicios, las apuestas no se contaban entre ellos. El mero hecho de dilapidar cincuenta pavos una vez en Sarasota Springs lo había sumido en una depresión que le duró una semana. Por otro lado, si en ese momento perdía la vida, tendría poco tiempo para lamentar su decisión, y si se quedaba donde estaba, sin duda moriría, y también Louis, si es que no había muerto ya, y ésa era una perspectiva que Ángel, por ahora, se negaba a contemplar.

Necesitaba la pistola de Louis. Si llegaba hasta ella, tendría una oportunidad ante Ventura.

–Mierda –dijo Ángel–. Joder, joder, joder. –Lo asaltó una creciente ira por el egoísmo de Louis–. Justo hoy has tenido que recibir un balazo. Precisamente aquí, en el culo del mundo, dejándome solo y sin arma, y sin ti. –Sintió que se le tensaba el cuerpo y le corría la adrenalina–. Te he dicho que quería la pistola, pero no, tenías que quedártela tú. El gran rey del mambo necesitaba ir armado, y ahora ¿en qué situación estamos? Jodidos, así estamos. Jodidos.

Y en el punto máximo de su ira autoinducida, Ángel se lanzó a correr.

Ventura había avanzado con más facilidad gracias a las irregularidades del terreno, motivo por el que al compañero de Louis le costaría más seguirle el rastro que si hubiese recorrido una zona llana. El inconveniente era que, mientras atravesaba las pequeñas hondonadas, no podía ver la parte más baja del bosque donde se escondía Ángel. También era consciente de que Louis podía haberse recuperado de su herida hasta el punto de buscar un lugar a cubierto, pero en las zonas de buena visibilidad Ventura no había advertido la menor señal de movimiento en el pequeño claro entre el lugar donde Louis había caído y el bosque donde su amante se hallaba encogido de miedo. Ventura supuso que el temor a recibir un disparo obligaría a Ángel a permanecer en el bosque; pero, por si acaso vencía ese miedo, Ventura había recorrido rápidamente la distancia entre su posición original y sus objetivos, pese a avanzar agachado y a rastras casi todo el tiempo. Ahora se encontraba ya a un paso de la elevación que dominaba el bosque. Calculaba que Louis yacía detrás de ella, quizás a unos tres metros a su derecha.

Ventura dejó en el suelo el Surgeon. Lo recuperaría una vez concluido el trabajo. Extrajo la pequeña Beretta Tomcat de la funda bajo la axila. Era el arma perfecta para un tiro de gracia, una calibre 32 relativamente barata pero fiable de la que podía desprenderse en el acto y sin lamentarlo. Despacio y con sigilo, Ventura avanzó en paralelo al borde de la pendiente. Tres metros. Dos. Uno.

Contuvo la respiración. Tenía saliva en la boca, pero no la tragó. Sólo oía los trinos de los pájaros y el suave murmullo de las ramas.

Con un movimiento ágil, Ventura levantó el arma y se preparó para disparar.

Ángel estaba a medio camino entre el bosque y el cuerpo de Louis cuando Ventura se asomó. Se vio sorprendido en campo abierto y desarmado. Se detuvo y al cabo de un segundo siguió corriendo, a pesar de que Ventura cambiaba ya el ángulo de tiro para encañonar al hombre que se acercaba.

De pronto, Ángel oyó dos voces. Las dos las conocía y las dos pronunciaron la misma palabra.

—¡Eh!

La primera procedía de detrás de Ventura, que volvió la cara hacia la nueva amenaza y descubrió a un hombre arrodillado en la hierba apuntándolo con un arma. A cierta distancia, y realizando un obvio esfuerzo para avanzar por el terreno, lo seguía un sesentón con exceso de peso, también armado.

La segunda voz procedía de debajo de Ventura. Ángel bajó la vista y vio a Louis tendido de espaldas, que apuntaba a Ventura al pecho con su pistola.

En los labios de Ventura casi se dibujó una sonrisa de admiración. «Qué paciencia», pensó, «qué astucia. Un chico listo, muy listo.»

Y acto seguido, al penetrar las balas en su cuerpo, Ventura experimentó una sensación de fuerza y calor y, tras un movimiento de rotación, rodó por la pendiente. Había dejado de llover, y cuando murió, el cielo por encima de él era una esquirla de color azul claro.

28

Ángel necesitó un momento para asimilar lo sucedido. A continuación, su cólera, ya no autoinducida, encontró un blanco idóneo en Louis.

–¡Gilipollas! –exclamó en cuanto quedó claro que su compañero, amante y ahora objeto de su ira no estaba muerto–. Pedazo de cabrón. –Le dio una patada en las costillas con todas sus fuerzas.

–¡Estoy herido! –protestó Louis. Se señaló una mancha húmeda en el brazo derecho donde le había rozado la bala, así como el orificio en el abrigo.

–No lo suficiente. Eso es un rasguño.

Ángel tenía la bota en alto para descargar otra patada, pero Louis se levantaba ya con dificultad.

–¿Por qué no has dicho algo cuando te he llamado?

–Porque no sabía dónde estaba Ventura. Si me oía hablar, o te veía reaccionar a algo que yo decía, habría intentado disparar de lejos. Y yo necesitaba que se acercara.

–¡Podías haber contestado en voz baja! ¿A ti qué carajo te pasa en la cabeza? Pensaba que estabas muerto.

–Pues no.

–Pues deberías estarlo.

–Bien podrías alegrarte de que siga vivo. Te he dicho que estoy herido.

–Vete a la mierda.

Ángel miró por encima del hombro de Louis y vio al Detective y Willie Brew en lo alto del pequeño promontorio, mirándolos. Arrugó la frente. Louis se volvió. También arrugó la frente.

–¿Estáis de vacaciones? –preguntó Ángel.

–Hemos venido a buscaros –contestó el Detective.

–¿Y eso por qué?

–Willie pensaba que podíais estar en apuros.

–¿Y de dónde habéis sacado semejante idea?

–Bueno, de un granero que ha volado por los aires, y cosas así.

–Estoy herido –dijo Louis.

–Ya lo he oído.

–Pues a nadie parece preocuparle mucho.

–Excepto a ti.

–Y con razón, tío –replicó Louis–. ¿Habéis venido solos?

El Detective, incómodo, desplazó el peso del cuerpo de un pie a otro al contestar.

–No exactamente.

–Oh, no –exclamó Ángel al caer en la cuenta–. ¿No habrás traído a ésos?

–No tenía a nadie más. No había dónde elegir.

–Dios mío. ¿Dónde están?

El Detective señaló en una dirección indeterminada.

–Por ahí. Venían por la carretera, y nosotros a pie.

–Quizá se han perdido –comentó Ángel–. Para siempre.

–Han venido aquí por vosotros. Os veneran.

–Son un par de psicóticos.

–Lo dices como si fuera algo malo. –El Detective señaló a Ventura–. A propósito, ¿y ése quién era?

–Se llamaba Ventura –contestó Louis–. Era un asesino.

–¿Contratado para matarte?

–Eso parece. Aunque creo que habría aceptado el encargo sin cobrar.

–No le ha salido muy bien.

–Se suponía que era el mejor, en sus tiempos. Todo el mundo creía que se había retirado.

–Más le habría valido quedarse con los jubilados de Florida.

–Puede ser.

Oyeron al este el sonido de un vehículo. Segundos después, por encima de uno de los promontorios, apareció el *monster truck* de los Fulci en dirección a ellos. Ángel, ya algo disipada su ira, se había dignado examinar la herida de Louis.

–Vivirás –dictaminó.

–Podrías simular que te alegras.

–Gilipollas –repitió Ángel.

El cuatro por cuatro se detuvo cerca de ellos, revolviendo el barro y la hierba, y salieron los Fulci, seguidos de cerca por Jackie Garner. Miraron a Ventura, luego a Louis.

–¿Quién era? –preguntó Paulie.

–Un asesino –respondió el Detective.

–Ajá. Guau –exclamó Paulie.

Miró tímidamente a Louis, pero Tony, adelantándose, preguntó:

–¿Está usted bien?

Willie vio que el Detective intentaba disimular la risa. Debían de ser muy pocas las personas a quienes los Fulci trataban de usted. Hablando así, Tony parecía un niño de nueve años.

–Sí. Acaban de herirme.

–Guau –dijo imitando a su hermano. Los dos Fulci parecían profundamente impresionados.

–¿Y ahora qué? –preguntó el Detective.

–Ahora acabemos lo que hemos venido a hacer –contestó Louis–. No hace falta que nos acompañes si tienes algún reparo –añadió.

–Ya he llegado hasta aquí. No me gustaría marcharme antes del desenlace.

–¿Y nosotros? –preguntó Tony.

–Las dos carreteras confluyen a un kilómetro de la casa de Leehagen más o menos –informó Louis–. Quedaos allí con Jackie, y si aparece alguien, no lo dejéis pasar.

El Detective se acercó a Willie, que permanecía en actitud vacilante.

–Puedes quedarte con ellos o acompañarnos, Willie –dijo.

A Willie le pareció ver compasión en los ojos del Detective, pero no surtió efecto. Miró a los Fulci y a Jackie Garner. Jackie había sacado unos cilindros de la mochila e intentaba explicar a los Fulci la diferencia entre ellos.

–Éste es de humo –dijo sosteniendo en alto un tubo con los extremos envueltos en cinta aislante verde–. Es verde. Y éste otro explota –añadió, sosteniendo en alto uno con cinta roja–. Es rojo.

Tony Fulci miró con suma atención los dos tubos.

–Ése es verde –dijo, señalando el de gas–. El otro es rojo.

–No –dijo Jackie–. Lo has entendido mal.

–No es verdad. Ése es el rojo, y ése es el verde. Explícaselo tú, Paulie.

Paulie se acercó a ellos.

–No, Jackie tiene razón. Verde y rojo.

316

–Por Dios, Tony –dijo Jackie–. Eres daltónico. ¿No te lo ha dicho nadie?

Tony se encogió de hombros.

–Simplemente pensaba que a mucha gente le gustaba la comida roja.

–Esto no es normal –dijo Jackie–, aunque supongo que esto explica por qué siempre te saltas los semáforos en rojo.

–Bueno, ahora ya da igual. ¿Así que el verde en realidad es rojo, y el rojo es verde? –preguntó Tony.

–Eso mismo –confirmó Jackie.

–¿Y cuál decías que era el que explota...?

Remiso, Willie se volvió hacia el Detective.

–Voy con vosotros –dijo.

29

Se dirigieron a la casa de Leehagen por el mismo camino que esa mañana, pasando por las vaquerizas. El coche seguía en el granero, los cadáveres de los Endall continuaban en el suelo. Las vaquerizas les ofrecían más protección de la que habrían tenido en caso de acercarse por la carretera, pero, como Ángel señaló, también proporcionaban a otros más escondrijos; aun así, llegaron sin percances al promontorio desde donde se veía la casa. Una vez más, vieron ante sí la residencia de Leehagen. Casi parecía transmitir una sensación de temor, como si esperara la violenta represalia que inevitablemente recaería sobre quienes habitaban en ella. No había la menor señal de vida: ningún movimiento humano, ningún temblor en las cortinas, sólo quietud y cautela.

Ángel permanecía tumbado en la hierba mientras Louis recorría con la mirada cada milímetro de la propiedad.

–Nada –dijo Louis.

La herida, aunque poco más que un arañazo, le dolía. Los Fulci le habían ofrecido unos calmantes suaves de su farmacia móvil, pero el dolor no era tan intenso como para adormecerse los sentidos antes de concluir la labor.

–Queda mucho campo abierto entre ellos y nosotros –observó Ángel–. Nos verán llegar.

–Que nos vean –contestó Louis.

–Para ti es muy fácil decirlo: hoy ya te han herido una vez.

–Exacto. Un disparo de un francotirador experto a un blanco en movimiento en campo abierto, y aun así no ha sido una herida mortal. ¿Crees que ahí dentro hay alguien con más puntería? Esto no es una película del Oeste. Resulta difícil dar en el blanco a menos que sea a corta distancia.

A sus espaldas estaba el Detective, arrodillado, y más atrás, Willie

Brew. Éste apenas había hablado desde que mató al hombre en el granero en ruinas, y parecía tener la mirada vuelta hacia dentro, hacia algo que sólo él veía, no hacia fuera, no hacia el mundo alrededor. El Detective sabía que Willie se hallaba en estado de shock. A diferencia de Louis, entendía lo que le pasaba. Al Detective cada nueva muerte lo acompañaba siempre, y sabía que, al quitar una vida, uno cargaba con el pesar y el dolor de la víctima. Ése era el precio que uno pagaba, pero eso a Willie Brew no se lo había explicado nadie. Ahora tendría que pagarlo hasta el final de sus días.

Louis miró el cielo. Volvía a encapotarse. Llovería otra vez después de la breve tregua. El Detective siguió su mirada y asintió.

–Esperaremos –dijo.

Se volvió hacia Willie Brew para ofrecerle una última oportunidad de quedarse al margen de lo que iba a ocurrir.

–¿Quieres quedarte aquí mientras entramos en la casa?

Willie negó con la cabeza.

–Os acompaño –contestó.

Willie se sentía como si la vida escapara lentamente de su cuerpo, como si el balazo lo hubiera recibido él, no el hombre a quien había dejado muerto en el suelo. Aún le temblaban las manos. Dudaba mucho que fuese capaz de sostener con firmeza la Browning, aun si le fuera en ello la vida. Se había guardado la pistola en el bolsillo del mono, y ahí se quedaría. No volvería a usarla, jamás.

Y así permanecieron donde estaban, en silencio, hasta que empezó a llover.

Avanzaron deprisa, de dos en dos. De pronto la lluvia caía de nuevo, torrencialmente, un poco oblicua debido a la brisa que soplaba en dirección oeste, ayudándolos con su martilleo contra las ventanas de la casa de Leehagen, ocultando su acercamiento a los ojos de quienes se hallaban en el interior. Llegaron a la valla que delimitaba la finca y se dirigieron hacia el edificio principal cubriéndose tras los arbustos y árboles del jardín. Un porche circundaba toda la casa. Las cortinas de la planta baja estaban corridas y las ventanas cerradas. Una rampa de acceso para minusválidos ascendía paralela a los peldaños de la entrada principal ante la puerta, que no tenía mirilla de cristal y estaba cerrada. Pasaron ante el pequeño apartamento de la enfermera, una sola habitación con una cama y una pequeña zona de estar. No había nadie dentro. Le habrían pedido que se fuese, supuso Ángel. Leehagen no debía de querer testigos de lo que tenían planeado.

Llegaron a la puerta de atrás, dividida en ocho cuarterones acristalados tras los cuales colgaban unos visillos de encaje. A través de los visillos vieron una amplia cocina moderna y, más allá, un comedor. Un vano a la derecha del comedor conducía al pasillo. No tenía puerta, probablemente para facilitar el acceso a Leehagen y su silla de ruedas.

La puerta de atrás estaba cerrada con llave. Con la empuñadura de la pistola de Ventura, Ángel rompió un cristal e introdujo la mano para descorrer el pestillo con dedos rápidos y ágiles, consciente de que por un momento era el que más riesgo corría. El pestillo se desplazó. Ángel retiró la mano de inmediato, accionó el picaporte y abrió la puerta al mismo tiempo que se arrimaba a la pared de la casa en previsión de disparos. No los hubo.

Louis fue el primero en entrar, manteniéndose agachado y moviéndose hacia la izquierda para quedar fuera de la visual de quienquiera que sintiese la tentación de abrir fuego desde el pasillo. Lo siguió el Detective, y de pronto sonó la detonación de una escopeta en el interior de la casa y el cristal encima de su cabeza se hizo añicos. El Detective se lanzó a la derecha y, mientras avanzaba a rastras por el suelo, oyó el mecanismo de recarga de la escopeta y un segundo disparo, que destrozó un armario a escasos centímetros de donde él tenía el pie un momento antes. Ángel devolvió el fuego para inmovilizar al tirador y permitir así al Detective entrar en el comedor y dirigirse hacia la puerta en el extremo opuesto. En cuanto Ángel hizo una pausa para recargar, el Detective actuó. Oyeron gritos y ruido de pisadas. Ángel y Willie se apresuraron a entrar en la cocina mientras Louis recorría el pasillo con la pistola en la mano.

Un joven yacía tendido en el suelo de madera. Le sangraba la cabeza y tenía los ojos en blanco. El detective le había dado varios culatazos con su arma en el forcejeo en lugar de dispararle. La razón era evidente. Rubio y de piel morena, no tenía más de diecisiete o dieciocho años: otro granjero que obedecía órdenes.

–No es más que un niño –dijo Willie.

–Un niño con una escopeta –corrigió Ángel.

–Aun así.

–Ni se imaginaban que llegaríais hasta aquí –dijo el Detective.

Louis echó un vistazo al comedor, donde había una silla, separada de la mesa, frente a la ventana. El rifle Chandler continuaba encima de la mesa y el maletín Hardigg descansaba en la alfombra. Se acercó y recorrió el cañón del rifle con los dedos; luego apoyó la mano en el respaldo de la silla. El Detective se reunió con él.

–Era aquí donde nos esperaba –dijo Louis.

–Era algo personal, ¿verdad? –preguntó el Detective.

–Sí, muy personal.

Cuando volvieron al pasillo, vieron que Willie había puesto con cuidado un cojín bajo la cabeza del chico herido.

–¿Por qué no te quedas con él? –sugirió el Detective–. De todos modos necesitamos a alguien aquí abajo, por si acaso.

Willie se dio cuenta de que lo estaban excluyendo, pero no le importó. Agradecía la oportunidad de cuidar del chico. Iría a la cocina a buscar agua y limpiaría las heridas de la cabeza, asegurándose de que no se infectaban o de que no sufría convulsiones. No quería seguir a aquellos hombres escalera arriba, no a menos que no le quedara más remedio. Aun cuando apareciera un esbirro de Leehagen con un arma y le apuntara a la cara, Willie no sabía si sería capaz de defenderse. Simplemente cerraría los ojos y que fuera lo que Dios quisiese.

El Detective encabezó la marcha escalera arriba, y Ángel y Louis se rezagaron hasta que él les indicó con una seña que el camino estaba despejado. En el primer piso había cinco puertas, todas cerradas, pero ninguna tenía el cerrojo echado. Las inspeccionaron una por una: Louis abría y cubría el lado derecho, Ángel el izquierdo, y el Detective, de espaldas a ellos, permanecía atento a las otras puertas. Tres daban a dormitorios, uno de ellos lleno de ropa de mujer, el otro a todas luces de un hombre joven, aunque en el del hombre había ropa de los dos, y una caja de preservativos en la mesilla de noche. La cuarta habitación era un amplio cuarto de baño habilitado para el uso de Leehagen. Tenía una cabina de baño adaptada en lugar de un plato de ducha, con una silla de plástico bajo la alcachofa y un cojín de goma en la bañera que podía hincharse o deshincharse a conveniencia. Los estantes contenían un sinfín de medicamentos: líquidos y comprimidos y jeringuillas desechables de plástico. De fondo se percibía un olor desagradable y empalagoso: el aroma de un moribundo, de alguien que se pudre por dentro.

Una puerta cerrada comunicaba el baño con lo que era, cabía suponer, el dormitorio de Leehagen. Louis y Ángel ocuparon posiciones a ambos lados, mientras el Detective salía al pasillo y se preparaba para entrar por la otra puerta.

Louis miró a Ángel e hizo una seña. Dio un paso atrás y asestó una patada a la puerta justo por debajo de la cerradura. La cerradura resistió, pero en ese momento el Detective accedió a la habitación principal. Se oyó un disparo y Louis lanzó otra patada. La cerradura se astilló y la puerta se abrió de par en par. Al otro lado apareció un hombre obeso con una semiautomática: el hijo de Leehagen, Michael. Loretta Hoyle se hallaba acurrucada a sus pies, con la cabeza oculta entre los brazos. Los separaba de Ángel y Louis una gran cama de hospital en la que yacía un anciano marchito con una mascarilla de oxígeno en la boca y la nariz.

Por un momento, Michael Leehagen no supo qué hacer. Incapaz de cubrir las dos puertas a la vez, quedó paralizado.

Y Louis lo mató. La bala lo alcanzó en el pecho, y empezó a desplomarse deslizándose por la pared. Una mancha de sangre se extendió por la pechera de su camisa blanca, y se la miró perplejo, parpadeando, a la vez que quedaba sentado pesadamente en el suelo. Loretta Hoyle, aún hecha un ovillo, lo miró. Al verlo, gimió y tendió los brazos hacia él. Pronunciando su nombre, le agarró la cabeza entre las manos. Michael intentó fijar la vista en ella pero no pudo. Su cuerpo se sacudió una única vez. Cerró los ojos y murió. Loretta dejó escapar un grito, hundió la cara en el hueco de su cuello y rompió a llorar al mismo tiempo que Ángel apartaba el arma caída de un puntapié.

Arthur Leehagen ladeó la cabeza en la almohada y, con ojos legañosos, contempló a su hijo muerto. Se llevó una mano pálida y esquelética a la cara y se retiró la mascarilla de la boca. Después de tomar aire con un estertor, habló.

—Hijo mío —susurró. Se le empañaron los ojos. Las lágrimas resbalaron desde las comisuras y cayeron en silencio sobre la almohada.

Louis se acercó a la cama y se detuvo junto al anciano.

—Tú te lo has buscado —dijo.

Leehagen lo miró fijamente. Casi calvo, sólo unas pocas hebras de pelo fino y blanco se le adherían al cráneo como telarañas. Tenía la tez pálida y exangüe y parecía frío al tacto, pero, en contraste con una cara tan consumida y seca, sus ojos brillaban con mayor intensidad. El cuerpo lo había traicionado, pero conservaba una mente alerta, que ardía de frustración al verse atrapada en una forma física que pronto ya no podría sostenerla.

—Eres tú —dijo Leehagen—. Tú mataste a mi hijo, a mi Jon. —Cada palabra suponía para él un esfuerzo, y debía tomar aire después de pronunciarla.

—Así es.

—¿Preguntaste al menos por qué?

Louis negó con la cabeza.

—Daba igual. Y ahora has perdido a tu otro hijo. Como te he dicho, tú te lo has buscado.

Leehagen tendió la mano hacia la mascarilla. Se la apretó contra la cara y respiró el preciado oxígeno a bocanadas. Permaneció así un rato hasta que volvió a controlar la respiración y apartó de nuevo la mascarilla.

—Me lo has quitado todo —dijo.

—Aún te queda la vida.

Leehagen intentó reír, pero sólo emitió una especie de tos ahogada.

—¿La vida? —repitió—. Esto no es vida. Esto es una muerte lenta.

Louis lo miró.

—¿Por qué aquí? ¿Por qué traernos hasta aquí para matarnos?

—Quería que te desangraras en mis tierras. Quería que tu sangre empapara el lugar donde Jon está enterrado. Quería que él supiera que había sido vengado.

—¿Y Hoyle?

Leehagen intentó tragar saliva, pero tenía la boca seca.

—Un buen amigo. Un amigo leal. —La mención del nombre de Hoyle pareció renovar su energía, aunque fuera sólo por un momento—. Contrataremos a otros. Esto nunca acabará. Nunca.

—Ahora ya no te queda nadie —dijo Louis—. Pronto tampoco a Hoyle le quedará nadie. Se ha acabado.

Y algo se apagó en los ojos de Leehagen al comprender que aquello era verdad. Miró a su hijo muerto y recordó al que se había ido antes que él. Con un último esfuerzo sobrehumano, levantó la cabeza de la almohada. Alargó la mano izquierda y agarró a Louis por la manga.

—Pues entonces mátame también a mí —suplicó—. Por favor. Ten... piedad.

Dejó caer la cabeza en la almohada, pero mantuvo la mirada fija en Louis, rebosante de odio y dolor y, sobre todo, necesidad.

—Por favor —repitió.

Louis, con delicadeza, se desprendió de la mano de Leehagen. Casi con ternura cubrió la cara del viejo con la mano y le apretó los orificios de la nariz con el índice y el pulgar a la vez que presionaba la palma contra la boca seca y arrugada. Leehagen asintió sobre la almohada, en un gesto de mudo consentimiento ante lo que estaba a punto de ocurrir. Al cabo de unos segundos, intentó tomar aire, pero no pudo. Se convulsionó, su cuerpo empezó a temblar y sacudirse. Estiró los dedos al máximo, sus ojos se desorbitaron y todo acabó. Se deshinchó, y muerto parecía más pequeño que en vida.

Algo se movió junto a la puerta del dormitorio. Willie Brew había entrado en los últimos momentos de Leehagen, preocupado por el silencio posterior al tiroteo. Se acercó a la cama con expresión desolada. Una cosa era matar a un hombre armado, por terrible que le pareciera, pero matar a un viejo frágil, apagando su vida con el pulgar y el índice como si fuera la llama de una vela, era algo que escapaba a su comprensión. Supo entonces que su relación con aquellos hombres había llegado a su fin. Ya no podía tolerarlos en su existencia, del mismo modo que nunca podría reconciliarse con el hecho de haber quitado una vida.

Louis apartó la mano de la cara de Leehagen, deteniéndose tan sólo para cerrarle los ojos. Se volvió hacia el Detective y justo cuando se disponía a hablar, Loretta Hoyle levantó la cabeza del hombro de su amante muerto y actuó. Su rostro tenía la expresión de un animal rabioso que por fin sucumbía a la locura. Sacó la mano de detrás del cuerpo de Michael con un arma, con el dedo ya en el gatillo.

La levantó y disparó.

Fue Willie Brew quien advirtió el movimiento, y Willie Brew quien reaccionó. Lo que hizo no tuvo nada de dramático, nada de rápido ni espectacular. Simplemente se puso ante Louis, como si se le colase de un codazo en una cola, y recibió la bala. Lo alcanzó justo por debajo del hueco del cuello. Saltó hacia atrás por el impacto y fue a chocar contra Louis, que instintivamente lo sujetó por debajo de los brazos para impedir que se cayera. Se produjeron otros dos disparos, los dos de Ángel, y Loretta Hoyle murió.

Louis tendió a Willie en la alfombra. Intentó desabrocharle la camisa para llegar a la herida, pero Willie le apartó las manos y negó con la cabeza. Perdía demasiada sangre. Salía a borbotones de la herida y le burbujeaba en la boca, y Willie se ahogaba y arqueaba la espalda. Conscientes de que moría, Ángel y el Detective, ahora junto a él, le tomaron las manos, Ángel la derecha y el Detective la izquierda. Willie Brew los agarró con fuerza. Los miró e intentó hablar. El Detective se inclinó y acercó el oído a los labios de Willie, tanto que la sangre le salpicó la cara cuando el mecánico trató de pronunciar sus últimas palabras.

–Está bien, Willie –dijo–. Está bien.

Willie hizo el esfuerzo de tomar aire, pero fue incapaz. En su angustia, se le ensombreció la expresión y contrajo las facciones.

–Déjate llevar, Willie –susurró el Detective–. Ya casi se ha terminado.

Poco a poco el cuerpo de Willie quedó inerte en los brazos de Louis y por fin la vida lo abandonó.

30

Envolvieron el cuerpo de Willie Brew en una sábana blanca y lo pusieron en la caja de una furgoneta aparcada detrás de la casa. Ángel se sentó al volante y el Detective en el asiento contiguo mientras Louis velaba a Willie detrás. Tomaron por la carretera hacia donde esperaban los Fulci y Jackie Garner. Éstos vieron el cuerpo en la caja de la furgoneta y la sábana manchada de sangre, pero no dijeron nada.

–Por aquí no ha pasado nadie –informó Jackie–. Hemos esperado, pero no ha pasado nadie.

De pronto aparecieron unos vehículos a lo lejos: tres camionetas negras y un par de Explorers negros, que se acercaban a toda velocidad. Tensándose, expectantes, los Fulci levantaron las armas.

–No –se limitó a decir Louis.

El convoy se detuvo a corta distancia de ellos y se abrió la puerta del acompañante del primer Explorer. Salió un hombre con un abrigo negro largo y se puso un sombrero de fieltro también negro para protegerse de la lluvia. Louis bajó de la caja de la furgoneta y se acercó a él.

–Parece que has tenido una mañana ajetreada –comentó Milton.

Louis lo miró con semblante inexpresivo. Si bien apenas los separaba medio metro, se abría entre ellos un abismo.

–¿Qué haces aquí? –quiso saber Louis.

–Harán preguntas. No puedes declarar la guerra a alguien como Arthur Leehagen y esperar que nadie se dé cuenta. ¿Está muerto?

–Está muerto. También su hijo, y la hija de Nicholas Hoyle.

–No habría esperado menos de ti –dijo Milton.

–Ventura también.

Milton parpadeó una vez pero calló.

–Responde a mi pregunta: ¿qué haces aquí?

–Mala conciencia, quizá.

–Tú no tienes conciencia.

Milton agachó ligeramente la cabeza admitiendo que era verdad.

–Pues llámalo como quieras: cortesía profesional, el deseo de atar cabos sueltos. Da igual.

–¿Ordenaste tú el asesinato de Jon Leehagen? –preguntó Louis.

–Sí.

–¿Ballantine trabajaba para ti?

–Aquella vez, sí. Era sólo un velo más para negar toda responsabilidad por nuestra parte, un amortiguador entre vosotros y nosotros.

–¿Gabriel lo sabía?

–Estoy seguro de que lo sospechaba, pero no era propio de él hacer preguntas. Habría sido poco sensato.

Milton miró en dirección a la casa de Leehagen por encima del hombro de Louis. Por un momento se advirtió en sus ojos una expresión ausente.

–He de darte una mala noticia –dijo–. Gabriel murió anoche. Lo siento.

Los dos hombres cruzaron una mirada. Ambos permanecieron imperturbables.

–¿Y ahora qué? –preguntó Louis.

–Márchate.

–¿Cuál será la versión oficial?

–Una guerra de bandas. Leehagen contrarió a quienes no debía. Intervenía en actividades ilegales: drogas, tráfico de personas. Podemos decir que han sido los rusos. Ya sabemos que los conoces. Coincidirás conmigo en que es de lo más verosímil.

–¿Y los supervivientes?

–Callarán. Sabemos cómo convencer a la gente para que no se vaya de la lengua.

Milton se dio media vuelta e hizo una seña a los equipos de limpieza. Dos de las camionetas enfilaron la carretera hacia la casa de Leehagen.

–Tengo otra pregunta –dijo Louis.

–Creo que ya he contestado a bastantes preguntas por ahora. De hecho, he contestado a todas las preguntas que tenía intención de contestar.

Se encaminó de regreso al Explorer. Louis hizo caso omiso de la respuesta de Milton.

–¿Querías que Arthur Leehagen muriera? –preguntó Louis.

Milton se detuvo. Al volverse, sonreía.

–Si no lo hubieras hecho tú, habríamos tenido que eliminarlo nosotros. El tráfico de personas tiene sus riesgos. Hay por ahí terroristas dispuestos a aprovechar cualquier resquicio en el sistema. Los Leehagen no eran muy selectivos en cuanto a las personas con quienes trataban. Cometían errores, y después nos tocaba a nosotros ir limpiando detrás de ellos. Ahora vamos a limpiar detrás de vosotros. Por eso debes irte, tú y tus amigos. Según parece, nos has hecho un último encargo.

Se volvió e hizo una seña a la tercera camioneta negra. Se abrió la puerta lateral y se apearon dos hombres: los Harrys.

–La policía local los detuvo –explicó Milton–, probablemente por orden de Leehagen. Era lo mejor que podía pasarles, dadas las circunstancias. Llévatelos, Louis, a los muertos y a los vivos. Nosotros ya hemos acabado aquí.

Dicho esto, Milton subió al Explorer y fue tras el equipo de limpieza hacia la casa de Leehagen. Louis se quedó bajo la lluvia torrencial. Levantó la cara hacia el cielo y cerró los ojos, como si el agua pudiera limpiarlo de todo lo que había hecho.

Epílogo

He
sido hallado.
Dejadle
escaldarme y ahogarme
en la herida de su mundo.

Dylan Thomas (1914-1953), «Visión y oración»

Si a Nicholas Hoyle le preocupaba su seguridad después de lo sucedido, no dio señales de ello. Su hija fue enterrada en un cementerio de Nueva Jersey, pero Hoyle no asistió al funeral, como tampoco ninguno de los hombres que Louis y Ángel habían visto en el ático de Hoyle, incluido el misterioso Simeon. Por lo visto, Simeon tenía un apartamento en el edificio de Hoyle, porque las pocas veces que abandonaba el ático siempre volvía antes del anochecer, y en sus estancias allí siempre lo acompañaba algún que otro hombre. Nada de eso interesaba a Ángel y Louis, que se conformaban con observar y esperar. Durante seis semanas, ellos, y otros, tuvieron vigilado el edificio de Hoyle desde un apartamento alquilado, fijándose en todo lo que ocurría, tomando nota de las compañías de reparto, los empleados de la limpieza de las oficinas y otros servicios externos que se ocupaban del mantenimiento del edificio. En todo ese tiempo, no vieron salir a Hoyle de su apartamento ni una sola vez. Estaba aislado en su fortaleza, inaccesible.

El día después del entierro de Loretta Hoyle en Nueva Jersey, dieron sepultura a Willie Brew en Queens. Estaban presentes el Detective, Ángel y Louis, como también la ex mujer y todos sus amigos. El acto contó con una numerosa asistencia. El mecánico habría estado orgulloso.

Después del funeral, un pequeño grupo se retiró al bar de Nate para recordar a Willie. Ángel y Louis se sentaron en un rincón aparte, y nadie los molestó, no hasta pasada una hora, cuando Arno se presentó ante la puerta del bar. La gente ya había reparado en su ausencia, pero nadie sabía dónde estaba ni qué hacía. Se abrió paso entre los presentes, sin prestar atención a quienes le tendían la mano, le daban el pésame o le ofrecían una copa. Se detuvo por un instante frente al Detective y dijo:

−Tendrías que haber cuidado de él.

El Detective asintió con la cabeza pero calló.

Arno siguió hacia donde se hallaban Ángel y Louis. Se llevó la mano al bolsillo interior del único traje que tenía y sacó un sobre blanco que entregó a Louis.

−¿Qué es? −preguntó Louis a la vez que cogía el sobre.

−Ábrelo y lo verás.

Louis así lo hizo. Contenía un cheque bancario.

−Son veintidós mil trescientos ochenta y cinco dólares −dijo Arno−. Es el dinero que Willie te debía por tu préstamo.

Louis metió el cheque en el sobre y trató de devolvérselo a Arno. Alrededor, la concurrencia se había quedado en silencio.

−No lo quiero −contestó Louis.

−Me da igual −repuso Arno−. Quédatelo. Es un dinero que se te debía. Ahora la deuda se ha saldado. Estamos en paz. No quiero que Willie esté bajo tierra en deuda con alguien. Ahora ha cumplido. Hemos cumplido. A cambio, te agradecería que en adelante te mantengas alejado de nuestro local.

«Nuestro» local. De Willie y suyo. Siempre había sido así, y así sería en el futuro. El nombre de Willie continuaría encima de la puerta, y Arno seguiría reparando los coches que le llegaran, cobrando sólo un poco de más.

Dicho esto, Arno les volvió la espalda y salió del bar. Recorrió la calle hasta el taller y entró por la puerta lateral. Encendió las luces y respiró hondo antes de ir al despacho y coger la botella de Maker's Mark del archivador. Se sirvió lo que quedaba en el tazón de Willie, se dirigió a la zona del taller, sacó su taburete preferido de un rincón y se sentó.

Entonces, Arno, ya verdaderamente solo, empezó a llorar.

Los empleados del servicio de limpieza de la piscina llegaron al edificio de Hoyle, como siempre, a las diecinueve horas, cuando Hoyle había concluido su sesión de natación de esa tarde. Los controles de mantenimiento se realizaban siempre a última hora del día, mientras Hoyle se preparaba para la cena, a fin de no alterar su rutina. Los empleados eran recibidos en el vestíbulo exterior por Simeon y otro guardaespaldas llamado Aristede, y allí los registraban y les pasaban el detector de metales. Los dos hombres que llegaron esa noche en particular no eran los de costumbre. Simeon los conocía a todos de vista y nombre, pero a aquéllos era la primera vez que los veía. Eran dos asiáticos: japoneses, pensó. Telefoneó a su casa a la propietaria del servicio de limpieza de piscinas y ella confirmó que sí, que eran empleados suyos. Dos miembros de la plantilla habitual estaban de baja y los otros tenían asignados otros compromisos, pero los japoneses eran buenos trabajadores, aseguró. Al menos creía que eran japoneses. A decir verdad, tampoco ella lo sabía con certeza. Simeon colgó, cacheó a los empleados una última vez para mayor seguridad, verificó sus cajas de herramientas y los recipientes de productos químicos en busca de armas y los dejó entrar en el sanctasanctórum de Hoyle.

La piscina de Nicholas Hoyle era lo más moderno y tecnológicamente avanzado que podía pagarse con dinero. Pulsando un botón se producía un efecto río que daba la sensación de nadar contra corriente, variable según el grado de ejercicio requerido. Tenía un sistema de esterilización UV, junto con un dosificador automático para mantener el nivel del cloro, un filtro de retroceso de aguas automático y un controlador de pH. Un robot limpiapiscinas Dolphin 3001 llevaba a cabo el cepillado y la aspiración de rutina y todo el sistema se supervisaba mediante un panel de control situado en una pequeña cabina ventilada al lado de la sauna de Hoyle. Si bien todo representaba un alto coste para el medio ambiente, Hoyle había tomado ciertas medidas a fin de ahorrar energía y ganar intimidad. Las luces se encendían al entrar y se apagaban al salir. Una vez que Hoyle se hallaba dentro de la zona de la piscina, un mecanismo de cierre activado con la palma de la mano la convertía en un espacio prácticamente inexpugnable.

Pero, como con cualquier sistema así de avanzado, el mantenimiento de rutina era esencial. Los electrodos de pH debían limpiarse y calibrarse, y las soluciones para el ajuste del cloro y el pH debían rellenarse. Por tanto, los dos asiáticos habían llevado consigo todos los líquidos y el equipo de análisis necesarios. Simeon observó mientras los empleados realizaban las tareas rutinarias charlando animadamente. Cuando terminaron, firmó la hoja de ruta y ellos se marcharon tras darle las gracias y dirigirle una pequeña reverencia antes de entrar en el ascensor.

–Unos hombrecillos muy educados, ¿no? –comentó Aristede, que llevaba trabajando para Hoyle casi tanto tiempo como Simeon.

−Eso parece −dijo Simeon.

−Mi viejo nunca se fió de ellos, no después de Pearl Harbor. Pero éstos me han caído simpáticos. Seguro que a él también le habrían caído simpáticos.

Simeon se abstuvo de hacer comentarios. Fuera cual fuera la raza o el credo, tendía a reservarse sus opiniones sobre los demás.

La propietaria del servicio de limpieza de piscinas se llamaba Eve Fielder. Había asumido la dirección tras la muerte de su padre y convertido el negocio en una empresa prestigiosa que atendía a clientes de alto nivel y gimnasios privados. En ese preciso momento tenía la mirada fija en el auricular que acababa de dejar en la horquilla y se preguntaba durante cuánto tiempo su empresa conservaría el prestigio a partir de entonces.

−¿Contentos? −preguntó al hombre sentado frente a ella.

El hombre llevaba un pasamontañas. Era de baja estatura, y ella estaba segura de que era blanco. Su colega, que era alto y, a juzgar por los asomos de piel que veía bajo el pasamontañas, negro, permanecía sentado tranquilamente a la mesa de la cocina. Había sintonizado en la radio vía satélite una espantosa emisora de música country y del Oeste, por lo que se adivinaba cierto grado de sadismo en aquel par que en esos momentos la retenía como rehén. A ella sola. Por primera vez en muchos años lamentó haberse divorciado.

−Muy contentos −respondió el hombre bajo−. Es lo mejor que podíamos esperar de la vida.

−¿Y ahora qué?

Él consultó su reloj.

−Esperaremos.

−¿Cuánto tiempo?

−Hasta mañana por la mañana. Entonces nos marcharemos.

−¿Y el señor Hoyle?

−Tendrá una piscina muy limpia.

Fielder suspiró.

−Presiento que esto no va a ser bueno para mi negocio.

−Es probable.

La mujer suspiró de nuevo.

−¿Sería posible quitar esa música tan hortera?

−No lo creo, pero mi compañero no tardará en marcharse.

—Es espantosa.

—Lo sé —contestó él, con aparente sinceridad—. Por si le sirve de consuelo, sólo tendrá que escucharla durante una hora. Yo, en cambio, cumplo cadena perpetua con eso como banda sonora.

Hoyle trabajó en su despacho hasta poco después de las nueve de la mañana. Era madrugador, pero le gustaba interrumpir la mañana con una sesión de ejercicio. Pasó una hora en el simulador de escalera de su gimnasio personal antes de quedarse en bañador y entrar en la zona de la piscina. Se detuvo a un lado con los dedos de los pies doblados en torno al borde. Se puso las gafas, tomó aire y se zambulló en la parte honda, casi sin salpicar al entrar en el agua, con los brazos extendidos y burbujas saliéndole de la nariz. Permaneció bajo el agua a lo largo de media piscina y luego asomó a la superficie.

El sistema de dosificación había sido alterado durante el control de mantenimiento, por lo que el agua estaba un poco más ácida, y se había añadido cianuro de sodio al sistema dosificador de cloro. Al activarse el mecanismo de cierre y encenderse las luces internas, la solución de cianuro se propagó rápidamente por el agua acidificada, dando lugar a la liberación de cianuro de hidrógeno.

El recinto de la piscina de Hoyle acababa de convertirse en una cámara de gas.

Hoyle ya se sentía mareado al final del segundo largo y aparentemente había perdido el sentido de la orientación porque acabó a un lado de la piscina, no en el extremo opuesto. Le costaba respirar y, pese a sus esfuerzos, su ritmo cardiaco era cada vez más lento. Empezaron a escocerle y arderle los ojos. Tenía un sabor acre en la boca, y vomitó en el agua. También le dolían los labios, y de pronto el dolor se extendió por todo el cuerpo. Empezó a impulsarse hacia la escalera, pero apenas podía mover los pies. Intentó pedir ayuda a gritos, pero le había entrado agua en la boca, y ahora también le ardían la lengua y la garganta.

El pánico se adueñó de él. Ya no podía moverse siquiera lo mínimo para permanecer a flote. Se hundió bajo la superficie y le pareció oír gritos, pero no vio nada porque ya estaba ciego. Abrió la boca y empezó a ahogarse con la sensación de que el agua le quemaba las entrañas.

Al cabo de unos minutos había muerto.

Cuando Simeon se dio cuenta de lo que sucedía, ya era tarde para salvar a su jefe. Consiguió anular el sistema de seguridad, pero en cuanto percibió el olor del aire en el recinto de la piscina se vio obligado a cerrarlo otra vez. Como precaución adicional, evacuó el ático hasta que quedó ventilado, y luego regresó él solo. Contempló el cadáver de Hoyle, suspendido en el agua.

Sonó el móvil de Simeon. El identificador decía que la llamada era un número privado.

—Simeon —dijo una voz masculina.

—¿Quién es?

—Creo que ya sabe quién soy. —Simeon reconoció la voz grave de Louis.

—¿Esto ha sido obra suya?

—Sí. No lo he visto saltar al agua para salvarlo.

Simeon miró alrededor instintivamente y recorrió con la vista los edificios altos que rodeaban la piscina, sus ventanas devolviéndole la mirada, impasibles, sin parpadear.

—Era mi jefe. Me había contratado para protegerlo, pero no para morir por él.

—Ha hecho lo que ha podido. No puede proteger a un hombre de sí mismo.

—¿Y si ahora yo fuera por usted? Debo tener en cuenta mi reputación.

—Es usted un guardaespaldas, no una virgen. Creo que su reputación se recuperará. Si viene por mí, su salud no se recuperará. Le aconsejo que se aleje de esto. No creo que estuviera usted al corriente de lo que pasaba entre Hoyle y Leehagen. No me parece la clase de hombre que se sentiría cómodo tendiendo una trampa a otro, aunque quizá me equivoco. Quizá prefiera usted contradecirme.

Simeon guardó silencio por un momento.

—De acuerdo —dijo—. Me voy.

—Bien. No se quede en la ciudad. No se quede siquiera en el país. Estoy seguro de que un caballero con sus aptitudes no tendrá problemas para encontrar trabajo en otra parte, lejos de aquí. Un buen soldado siempre puede encontrar una guerra oportuna.

—¿Y si no lo hago?

—Entonces tal vez nuestros caminos vuelvan a cruzarse. Alguien me dijo una vez que procurase no dejar testigos. No me gustaría empezar a pensar en usted desde ese punto de vista.

Simeon cortó la comunicación. Dejó el móvil y su pase de seguridad junto a la piscina y abandonó el ático de Hoyle. Descendió al vestíbulo, salió del edificio deprisa pero con naturalidad y miró hacia los grandes rascacielos que dominaban el perfil urbano, sobre los que se reflejaba en sus ventanas el sol de finales de otoño y las nubes blancas que surcaban el cielo. No dudó ni por un instante que podía considerarse afortunado de estar vivo. Sólo sintió una leve punzada de vergüenza por el hecho de estar huyendo, pero fue suficiente para obligarlo a detenerse en un esfuerzo por reafirmar su dignidad. Hizo un alto y levantó la vista hacia los edificios que lo rodeaban, desplazando los ojos de ventana en ventana, de marco en marco. Al cabo de un momento, asintió con la cabeza, tanto para sí como para el hombre que, lo sabía, seguía sus movimientos:

Louis, el asesino, el hombre quemado.

Louis, el último Hombre de la Guadaña.

Últimos títulos